L'ÉTRANGE DOCTEUR BARNES

ALAIN BOUBLIL

L'ÉTRANGE DOCTEUR BARNES

Portrait
d'un collectionneur américain

Albin Michel

« L'homme pourvu d'humanité accueille d'abord les difficultés et ne se soucie que plus tard des bénéfices. »

Confucius

CHAPITRE 1

Un adolescent bagarreur

Le 24 juillet 1951, en début d'après-midi, une grosse Packard décapotable brûlait un stop sur une route secondaire du comté de Chester, au nord de Philadelphie. Elle heurtait un semi-remorque de dix tonnes et faisait plusieurs tonneaux. Le conducteur était éjecté. On retrouvait son corps une dizaine de mètres plus loin, dans un champ. Au poignet, la montre marquait 3 heures moins dix. Ainsi disparaissait Albert Coombs Barnes, industriel, chimiste, critique d'art et collectionneur.

Pas n'importe quel collectionneur : il possédait à sa mort près de deux cents Renoir, une grande partie des œuvres essentielles de Cézanne, une soixantaine de Matisse, une dizaine de Picasso des périodes bleue et rose, les plus rares, une collection splendide de peinture américaine du début du XXe siècle, un ensemble d'art africain parmi les plus importants d'Amérique et plusieurs centaines de tableaux impressionnistes, postimpressionnistes et de l'École de Paris où étaient représentés, souvent par des œuvres majeures, Seurat, Gauguin, Van Gogh, Modigliani, Soutine, Pascin et bien d'autres.

Il avait fait don de sa collection en 1922 à une fondation, dont l'objet était l'enseignement esthétique et dont il interdisait l'accès avec obstination, provoquant frustration et colère chez les amateurs comme chez de nombreux artistes.

La nouvelle fut annoncée à la une du *New York Times :* « Cet accident met un terme à une des plus tumultueuses carrières dans le monde de l'art... Impatient et imprévisible, le docteur Barnes avait du talent pour l'invective. Il s'était fait beaucoup d'ennemis, mais personne ne peut lui contester le droit d'être estimé comme protecteur des artistes, comme amateur d'art et comme collectionneur d'exceptionnels tableaux modernes. » Le portrait du disparu était plutôt flatteur. Son vieil ennemi et rival, le directeur du Philadelphia Museum of Art, Fiske Kimball, qui n'avait pas réussi à obtenir que la collection Barnes soit léguée à son musée, considéra, lui, que c'était une fin logique pour un homme qui avait, toute sa vie, outrepassé les règles de la bienséance. L'*Evening Bulletin* insistait sur sa richesse, sa capacité à apparaître sous les projecteurs à l'occasion de querelles extravagantes avec d'autres milliardaires.

En 1961, au terme d'une longue procédure judiciaire, la Fondation devait se résigner à entrouvrir ses portes et à dévoiler les trésors dont elle refusait même d'autoriser la reproduction en couleurs. Dix ans après sa mort, Albert Barnes réapparaissait sur le devant de l'actualité. Les traces qu'avaient laissées les aspérités de son caractère n'étaient pas effacées.

Saul Kohler, le reporter de l'*Inquirer,* le journal de Philadelphie qui avait mené le combat pour l'accès du public aux chefs-d'œuvre enfermés dans la Fondation, écrivait alors à propos de sa mort : « Ce fut une fin violente pour un homme qui avait mené une vie turbulente... un multimillionnaire qui avait entrepris, avec obstination et une langue de vipère, ce qui ressemblait à une vengeance personnelle contre le reste de l'humanité. » L'éditorialiste de *The Nation* était plus positif : « Barnes fut un personnage controversé. Quoi qu'on ait pu dire à son sujet, de sa rancune implacable envers ceux qu'il considérait comme ses adversaires, ou de sa grande générosité pour ses intimes et ses amis, il fut, après tout, comme sa collection le montre, un prince, avec des goûts de prince, en matière de tableaux. Et en dépit de son attachement prononcé à une théorie, quelque peu aride, relative au formalisme esthétique, l'accent qu'il mettait dans sa collection sur les valeurs humaines est une preuve suffisante de ses propres qualités humaines. Ni lui, ni sa collection ne sont près d'être oubliés. »

Et pourtant si. Pendant près de trente ans, encore, le fabuleux ensemble restera presque complètement ignoré du grand public. L'accord de 1961 avec les tribunaux de l'État de Pennsylvanie prévoyait que la Fondation devait recevoir deux cents visiteurs par jour, être ouverte deux jours consécutifs par semaine, le vendredi et le samedi, à l'exception des mois d'été. Après un premier succès de curiosité, la belle demeure de pierre de taille importée du val de Loire, bâtie au milieu d'un parc planté d'espèces rares, à Merion, dans la banlieue chic de Philadelphie, retomba vite dans l'oubli. Seuls les historiens d'art, les critiques et les marchands lui rendent alors de temps en temps une visite. Ce paisible faubourg est à l'écart des grandes migrations touristiques. L'art est encore à l'époque affaire de spécialistes ou de riches amateurs, population contre laquelle précisément l' « impossible docteur », comme l'avaient surnommé ses détracteurs, avait ferraillé sa vie durant. La porte se refermait à nouveau sur ces chefs-d'œuvre à jamais partis de France. Leur seul signe distinctif, dans la littérature, dans ces somptueux recueils de reproductions qui commencent à se multiplier au fur et à mesure que Renoir, Cézanne, Matisse et même Seurat deviennent connus du grand public, c'est qu'ils sont toujours reproduits en noir et blanc ! *La Joie de vivre, Les Poseuses* en noir et blanc ! Matisse et Seurat, ces princes de la lumière et de la couleur, doivent encore se retourner dans leur tombe. En dessous, comme légende, à la place où l'on voit d'habitude le Metropolitan Museum of Art, l'Art Institute de Chicago ou le musée Pouchkine, juste une mention mystérieuse : « Barnes Foundation ©, Merion, Penn. » L'adresse et même le lieu sont presque impossibles à déchiffrer pour le profane. Au point que le droit, durement conquis, pour quelques centaines de visiteurs par semaine de visiter la collection se révèle au fil du temps comme bien généreux. Rares sont les jours où l'on refuse du monde alors que les foules se pressent de plus en plus à chaque grande exposition de ces maîtres, ceux précisément auxquels Barnes a consacré toute sa vie.

Pendant ce temps, une femme, Violette de Mazia, veille sur le respect scrupuleux des volontés du donateur et poursuit, devant une audience de plus en plus clairsemée, cet enseignement esthétique sinon artistique qui est la mission assignée par Barnes à l'institution. Élève, puis assistante, et enfin directeur des études de la Fondation, membre du conseil d'administration, Mitzi, comme on l'appelle, maintiendra, trente-sept années après la mort de l'homme à qui elle a voué son existence, les choses en l'état, gardienne d'un culte auquel s'initient chaque année quelques dizaines de nouveaux adeptes. A sa mort, en 1988, la majorité du conseil d'administration bascule.

De par les statuts, c'est une petite université située à trente miles de Philadelphie, et qui accueille principalement des Noirs, Lincoln University, qui hérite de la lourde tâche de nommer les administrateurs chargés de gérer la Fondation, toujours dans le respect des volontés de Barnes. Cette mission se révèle rapidement impossible. Il faut de l'argent pour moderniser les installations, pour améliorer la sécurité de la propriété où sont logés des tableaux dont la valeur est maintenant inestimable. En 1990, *Le Moulin de la Galette* de Renoir et le *Portrait du docteur Gachet* de Van Gogh se sont vendus chacun 80 millions de dollars et des Picasso des périodes bleue et rose sont couramment estimés à 20 millions de dollars. Il devient donc nécessaire de lever des fonds.

Une première suggestion est faite par Walter Annenberg, l'ancien propriétaire du journal qui avait déclenché la campagne qui allait aboutir à l'ouverture au public, et qui continue à s'intéresser au sort de cette collection : vendre des œuvres secondaires, ou des tableaux qui font double emploi, comme les multiples versions de *Baigneuses* de Renoir, ou quelques Cézanne ou de la peinture américaine. Cette proposition déclenche un tollé. Entre-temps les anciens élèves de la Fondation se sont mobilisés au sein d'une association, The Friends of the Barnes Foundation, et ont demandé à la justice d'interdire ce projet, en contradiction formelle avec le testament d'Albert Barnes.

Finalement, le nouveau président, Richard Glanton, un avocat noir de quarante-deux ans, membre actif du parti républicain, et dont on murmure qu'il n'est pas dépourvu d'ambitions politiques à Philadelphie, renonce. Des méthodes plus conventionnelles pour trouver les moyens nécessaires à la conservation de la collection sont envisagées. Le 22 juillet 1992, le juge Louis D. Stefan, du tribunal d'instance du comté de Montgomery, dont dépend Merion, accepte finalement deux entorses mineures, l'une symbolique, l'autre temporaire, aux volontés du donateur : les droits de reproduction en couleurs des tableaux pourront être vendus pour l'édition d'un catalogue. Surtout, autorisation est donnée pour organiser une exposition itinérante unique de quatre-vingts tableaux, la crème des peintures françaises de la collection. Elle débutera à Washington puis se rendra à Paris, Tokyo, pour finir, formidable ironie de l'histoire, au Philadelphia Museum of Art avec lequel Albert Barnes avait croisé si souvent le fer.

Quarante ans après sa mort, l'homme qui a rassemblé cette collection unique au monde reste extraordinairement controversé, en particulier dans sa ville natale, Philadelphie, où les journaux publient encore des tribunes libres pour ou contre lui.

Cette série d'expositions, en permettant enfin d'apprécier ces œuvres essentielles de la fin du XIXᵉ et du XXᵉ siècle, sera forcément l'occasion de braquer à nouveau les projecteurs sur cet homme étrange, par son caractère, par son parcours insolite et par son goût exceptionnellement sûr, qui a su comprendre, souvent avant les autres, et en étant superbement conseillé et introduit, l'importance des artistes qu'il soutenait, et dont il était parfois devenu, le temps d'une commande, l'ami.

Albert Barnes est né le 2 janvier 1872. A ce moment-là en Europe, Courbet s'est exilé en Suisse après sa condamnation pour avoir incité le peuple de Paris à déboulonner la colonne Vendôme. Renoir, Monet et Cézanne, sur les bords de la Seine, parfois le dimanche, font une peinture claire, colorée qui les rejette au ban de la société conservatrice de la IIIᵉ République naissante. Seurat n'a pas dix ans. Matisse est un nourrisson et Picasso n'est pas encore à l'état de projet. Albert est le troisième fils de John Barnes et de Lydia Schafer, mariés le 4 avril 1867. Charles l'aîné vient au monde en 1868, le second, deux ans plus tard, ne survivra pas. La famille vit 1466 Cork Street dans une petite maison située dans le faubourg populaire de Kensington, dans la banlieue nord.

Philadelphie compte alors environ un million d'habitants. C'est par sa taille la troisième ville des États-Unis. Surtout elle s'étend sur un territoire exceptionnellement vaste. La densité y est trois fois plus faible qu'à New York. Le prix des terrains et les loyers sont bas. Les grandes familles habitent depuis toujours le centre ville, près de Rittenhouse Square, mais commencent à déménager vers les terrains vallonnés maintenant desservis par la ligne de chemin de fer qui conduit à la capitale de l'État de Pennsylvanie, Harrisburg. Ces nouveaux quartiers ont nom Merion, Radnor, Haverford ou Ardmore et ont chacun leur gare. Ils forment déjà ce que l'on appelle encore aujourd'hui Main Line, large territoire boisé, synonyme d'appartenance à l'élite, c'est-à-dire les beaux quartiers.

Cette élite ne ressemblait à aucune autre car elle était fondée, un peu comme chez les grands bourgeois des cités de la Hanse, ou à Lyon, sur l'ancienneté des relations entre les familles. Monde de patriciens pour reprendre la formule de John Lukacs, auteur d'un brillant essai de sociologie urbaine sur la « ville des Frères », plus que d'aristocrates, univers des Buddenbrook, cher à Thomas Mann, aux antipodes du monde des Guermantes, ville aussi d'un extraordinaire conformisme social, où l'ostentation est aussi rejetée que l'originalité. Philadelphie à l'époque n'est donc ni Boston avec sa tradition aristocratique anglaise et le brio de

ses universités, ni encore moins New York avec ses
parvenus.

C'est une ville à la fois provinciale et délibérément
immobile. Le monde qui la dirige est clos. On n'en est pas
à tout le moins avant plusieurs générations. Aucune
réussite financière ne peut y déboucher rapidement sur
une promotion sociale. D'ailleurs on sort peu, on reste
chez soi dans ces demeures de pierre gris foncé, percées de
petites fenêtres, dont les murs épais protègent à la fois du
froid du long hiver et de la chaleur vive de l'été. On ne s'en
éloigne que pour travailler ou pour se procurer l'essentiel,
et rarement au-delà de son quartier. Les mariages, note
avec ironie Lukacs, entre habitants de deux faubourgs
distincts, même voisins, font froncer les sourcils.

Ville de tempérament automnal donc, tant, ce qui est
alors unique en Amérique, on y vit dans le prolongement
d'un passé confortable et rassurant et si peu dans l'attente
d'un futur conquérant et ouvert.

Ville blanche aussi : il n'y a que quarante mille Noirs,
essentiellement occupés dans les usines (les hommes) ou
dans la domesticité.

Ville fondamentalement anglo-saxonne où les Irlandais,
les Écossais, les Anglais, beaucoup d'Allemands constituent un melting-pot très original. L'arrivée des Gallois
vers le milieu du xixe siècle transforme les noms des
quartiers (Bryn Mawr) mais pas les habitudes. Les autres
communautés sont pratiquement inexistantes.

Ville dure, enfin, marquée par son passé de première
capitale de l'Union, qui a progressivement perdu le
leadership politique face à Washington et qui a dû, sur le
plan économique et culturel, s'effacer devant New York,
Boston et même Chicago.

Et pourtant, les fondateurs, William Penn et plus tard

surtout Benjamin Franklin, sont influencés par les idéaux de la Révolution française et des Encyclopédistes. C'est aussi la ville où sont implantés les plus anciennes institutions culturelles des États-Unis. Sous l'impulsion d'un des grands notables, Charles Wilson Peale, on crée vers 1785 un Musée des sciences et des arts. Une École des beaux-arts est fondée en 1789 qui deviendra en 1805 la Pennsylvania Academy of the Fine Arts. Des galeries de peintures s'ouvrent, des collectionneurs apparaissent. On vend aux enchères les meubles et les tableaux de Joseph Bonaparte en 1845 et les amateurs ne manquent pas. A Philadelphie comme ailleurs, l'usage veut que soient légués une partie de sa fortune et ses objets d'art à l'université où l'on a fait ses premières armes dans la vie et où l'enseignement de l'art est déjà partie intégrante des programmes.

Vers 1850, Yale et Princeton, mais aussi Harvard en Nouvelle-Angleterre, ont, grâce à cette tradition, des collections le plus souvent remplies de peinture anglaise du XVIIIe siècle et de scènes épiques ou révolutionnaires des classiques français. Le Metropolitan Museum de New York est créé en 1871, les musées de Boston et de Philadelphie en 1876. L'année du centenaire de l'Indépendance, une grande exposition universelle y est organisée et toute l'Amérique s'y presse. La guerre de Sécession est oubliée. La machine économique est repartie. De gigantesques fortunes s'édifient dans l'industrie lourde, les transports, la banque, mais cela affecte peu l'équilibre qui semble immuable de cette métropole, sinon en marge du moins un peu à l'écart des grands mouvements qui traversent la société américaine.

John Barnes est d'ascendance irlandaise alors que Lydia Schafer est d'origine allemande. Tous les deux ont leurs ancêtres établis en Pennsylvanie depuis plusieurs générations et sont de culte méthodiste.

Lui a perdu son bras droit à la bataille de Cold Harbour durant la guerre de Sécession. Le 1er février 1864, Abraham Lincoln avait offert aux hommes valides et en âge de se battre 300 dollars pour s'engager. Quatre jours après, John Barnes répond à l'appel et intègre le 82e régiment des volontaires de Pennsylvanie. Il quitte son métier de garçon boucher aux abattoirs municipaux où il côtoie un certain Peter Widener, qui fera fortune plus tard en vendant de la viande de mouton à l'armée et réinvestira ses profits dans les compagnies locales de tramways. Il a eu de la chance. Il a montré que l'on pouvait s'en sortir.

John Barnes, lui, n'en aura jamais. Il a hérité de ses ancêtres, et il transmettra à Albert, ces qualités typiquement irlandaises : l'obstination, l'honnêteté, l'orgueil, l'ardeur au travail. Il bénéficie d'une pension de 8 dollars par mois. Marié, il change souvent de métier, typographe puis employé au service de diffusion du *Public Ledger,* l'un des journaux de la ville.

Les temps sont difficiles. L'argent est rare, mais chez les Barnes, on fait face, on a l'habitude. Un moment, ils sont obligés de s'installer dans un quartier encore plus pauvre de la ville, « the Neck », en bordure de la Delaware qui sépare la Pennsylvanie du New Jersey, non loin des ghettos noirs.

C'est là qu'Albert Barnes passe sa première enfance et qu'il découvre, ce qui le marquera pour la vie, le racisme. Ses camarades d'école ont en théorie depuis l'abolition de l'esclavage les mêmes droits que lui. Mais il se rend compte rapidement que c'est illusoire parce qu'ils sont considérés par les Blancs comme génétiquement inférieurs, et donc impropres à occuper des emplois gratifiants ou qualifiés qui leur permettraient d'accéder au même statut social que les Blancs.

Albert Barnes est élevé à la dure. Doté d'une constitution robuste et d'une santé de fer, il apprend vite à se battre, au sens propre comme au sens figuré. C'est un enfant difficile, d'humeur ombrageuse, qui supporte mal sa condition, dont il semble prendre conscience très tôt, et qui se révolte dans cet univers dont est sorti Rocky, le personnage campé par Sylvester Stallone, comme l'a remarqué Howard Greenfeld, l'un des biographes les plus hostiles à Barnes. Avec son frère, pour se défendre, ils vont donc apprendre à boxer en allant regarder les combats d'amateurs dans une salle du voisinage. Il commence très tôt à gagner un peu d'argent avec de petits boulots, coursier ou livreur de journaux. Barnes n'a jamais écrit ses mémoires mais il a souvent raconté, dans l'abondante correspondance qu'il a entretenue avec ses amis, quelques faits saillants qui l'ont marqué pour la vie. Un jour il accompagne sa mère dans son village natal du New Jersey, Merchantville, pour participer à un camp d'été. Il y a de jeunes Noirs. Pendant l'office, ils chantent. Il est bouleversé. Il affirmera bien plus tard et avec constance que c'est là, à huit ans, qu'il a eu ses premières émotions mystiques et artistiques et qu'il a eu envie d'approcher, pour mieux les comprendre, ses camarades noirs d'Amérique. Il comprendra progressivement que la grandeur d'un peuple, d'une race dépend de son aptitude à produire une culture originale et à apporter sa pierre à l'édifice de notre civilisation. Et il placera la musique noire américaine et la sculpture « primitive » africaine au plus haut rang, exhortant les descendants de ce peuple méconnu, ignoré, humilié sur la terre d'Amérique à être fier de ses racines et de l'héritage dont il est porteur.

C'est sa mère qui découvre la première ses capacités intellectuelles. Il est admis, grâce à ses notes, à la Central High School de Philadelphie, l'un des collèges secondaires les plus anciens du pays, fondé en 1838, et dont on a coutume de dire qu'il accueille les pauvres méritants alors que les riches vont dans les écoles religieuses de leur paroisse.

C'est l'époque où les Barnes vivent encore dans le Neck. Il n'est pas rare que le jeune Albert se lève vers 5 heures du matin, dépose les journaux du quartier avant d'aller à l'école. Il adore aussi dessiner et il est fasciné, comme tout enfant, par la caserne de pompiers voisine. Il y côtoie plus tard, John Sloane et William Glackens, qui deviendront deux artistes essentiels non seulement dans le développement d'une peinture originale aux États-Unis, mais aussi dans la diffusion de l'art moderne européen dans leur pays et avec lesquels il aura des discussions enflammées. Barnes reste à la Central High School jusqu'à la fin de ses études secondaires. Entre-temps la situation familiale s'est un peu améliorée et ils ont déménagé à nouveau pour revenir dans un quartier mieux coté, toujours au sud de la ville, 1337 Tasker Street. Ces quatre ans de collège joueront un rôle déterminant dans sa vie.

Il découvre que, par son travail, ses résultats, il peut espérer quitter le milieu où il a été élevé et envisager la promotion sociale à laquelle il aspire de toutes ses forces. Il découvre aussi l'art. Glackens est infiniment plus doué que lui. Quand il lui montre ses dessins, son camarade s'exclame. Il veut savoir pourquoi. Il cherchera sa vie durant la réponse à cette question.

Glackens est bien entendu incapable de lui expliquer. Barnes est déjà un esprit profondément rationaliste. Est-ce l'enseignement scientifique qu'il reçoit, ou l'influence de la culture française et des philosophes de la fin du xviiie siècle, très forte dans la ville de Benjamin Franklin ? Toujours est-il qu'il ne saurait admettre qu'il n'y ait aucune explication objective à la supériorité d'une peinture, c'est-à-dire d'une forme d'expression esthétique particulière sur une autre. Il sera obsédé toute sa vie par ce problème. Les articles, les livres qu'il écrira plus tard — et il sera un auteur prolixe — ne traiteront finalement que de ce seul et lancinant sujet : pourquoi un tableau est-il meilleur qu'un autre ?, cherchant parfois au-delà du raisonnable à trouver des raisons à la supériorité de Renoir sur Manet ou de Cézanne sur Gauguin, à définir des critères, à disséquer et analyser sans cesse les œuvres des maîtres pour codifier les causes de leur succès. On a prétendu que les centaines de pages qu'il a écrites, en collaboration ou non avec Violette de Mazia, sur la peinture en général, sur Matisse, sur Renoir ou Cézanne n'étaient que des plaidoyers pro domo pour justifier ses propres choix de collectionneur. Ce n'est pas exact.

Son parcours au collège est remarquable, compte tenu des circonstances. Il sort diplômé en juin 1889, à dix-huit ans. Sa mère le pousse alors à entreprendre des études de médecine. Il est clair pour elle que sa passion pour le dessin et la peinture ne lui permettront jamais de gagner convenablement sa vie. Il est admis à l'université d'État de Pennsylvanie, Penn comme on l'appelle familièrement à Philadelphie, où il obtient une bourse et son diplôme au bout de trois ans de brillantes études. Il se révèle aussi un remarquable joueur de base-ball et il gagne ainsi un peu d'argent pour couvrir une partie de ses frais. C'est déjà un athlète qui en impose : un mètre quatre-vingt-cinq, la carrure étoffée, un regard perçant sous des sourcils noirs, fournis qui lui donnent un air austère. Les lèvres minces, une denture de piranha, ira jusqu'à dire un journaliste du *New York Times* dans sa nécrologie, le menton volontaire, il commence à ressembler à son caractère. Il est frappant de constater qu'aucune des photos qui aient été publiées de lui ne le montre souriant, épanoui. Il semble constamment tendu, agressif, de larges rides barrant un front d'autant plus vaste que ses deux yeux bleus apparaissent petits, enfoncés sous des sourcils froncés derrière des lunettes dépourvues de montures qui accentuent si c'est possible l'impression de sévérité qui se dégage déjà de cet homme étrange.

A la sortie de l'université, il choisit de faire un an de spécialisation comme interne à l'hôpital psychiatrique de Warren dans le nord-ouest de la Pennsylvanie. Cette formation complémentaire ne lui sera d'aucun secours professionnellement mais elle lui permettra de découvrir les rudiments de la psychanalyse et ultérieurement d'entreprendre une première approche de la pensée et des écrits de Freud. Elle lui sera moins utile pour l'explication des névroses humaines que par les voies qu'elle lui ouvre pour déceler leur expression dans l'œuvre d'un artiste.

Il complète son salaire en donnant cette fois des cours de chimie. Manifestement il cherche encore sa voie. Son tempérament est peu compatible avec les qualités d'un médecin généraliste, qui doit savoir faire preuve non seulement de compétence, et il n'en manque pas, mais surtout de psychologie et de diplomatie, dont il semble alors absolument dépourvu. Il progressera peu en vieillissant. En réalité, il a vite compris que, si la médecine peut nourrir correctement son homme, ce n'est pas là qu'on fait fortune rapidement. Or il n'a pas renoncé à cet objectif. Dans ce monde en formidable mutation, les places sont déjà prises dans l'acier, les transports et la finance, mais bien des domaines restent ouverts à de nouveaux capitaines d'industrie, dépourvus de capitaux. Ainsi le secteur pharmaceutique connaît-il un essor exceptionnel, en Amérique et surtout en Allemagne. Barnes a toujours eu des notes remarquables en chimie où finalement son esprit analytique fait merveille alors que, dans la pratique médicale, le diagnostic ne se met pas aussi facilement en équations. Il continue à jouer au base-ball comme semi-professionnel et commence à mettre de l'argent de côté afin de mener à bien son projet : aller en Allemagne, la patrie des chimistes, pour approfondir ses connaissances et, peut-être un jour, s'établir à son compte.

En 1896, il a économisé suffisamment. Il s'embarque pour Berlin où il va, outre la chimie, apprendre l'allemand. Pour gagner sa vie, il donne cette fois des cours d'anglais, devient représentant en appareils de chauffage et même, dit-on, chante des negro spirituals dans les tavernes de Kreuzberg non loin de la Spree. Au bout d'un an et demi de travail, il a fait des progrès considérables, mais il doit rentrer. Il est à court d'argent à nouveau. Il paye son passage à bord d'un pétrolier, le *Charleroi*, en distrayant l'équipage par ses interprétations de musique religieuse noire. Il semble qu'il ait dû son embarquement à l'intervention du consul des États-Unis à Anvers.

Dès son retour, il est engagé par l'une des principales firmes pharmaceutiques américaines, H.K. Mulford and Company. Très vite, il se distingue. A moins de vingt-neuf ans, il est nommé directeur des ventes. Parallèlement il collabore à une firme de publicité spécialisée pour les médicaments. Il persuade bientôt sa direction de le renvoyer en Allemagne pour recruter un chimiste et continuer à se perfectionner. Il passe plusieurs mois à Heidelberg où il suit des cours de pharmacologie et participe en plus au séminaire de philosophie du professeur Fischer qui l'initie aux grands penseurs allemands, Leibniz, Kant et Hegel. Sa soif de savoir ne s'étanche pas. Sa force de travail et sa capacité d'assimilation semblent sans limites. On raconte qu'il obtint un doctorat de philosophie en un temps record, mais qu'il refusa de payer les 4 dollars de frais d'inscription pour recevoir le diplôme officiel. Son champ de réflexion ne s'en est pas moins considérablement élargi.

Il s'acquitte aussi de sa mission pour Mulford et convainc un chercheur de talent, Hermann Hille, de venir travailler à Philadelphie. Celui-ci, diplômé de l'université de Würtzburg, venait juste lui aussi de recevoir son doctorat à Heidelberg. Il était attiré par l'Amérique et par la promesse de Barnes : être intéressé financièrement en cas de découverte. Le jeune docteur avait son idée en tête. Avec ses capacités d'organisation et son sens du commerce, révélé au cours de ses deux années chez Mulford, il ne lui manquait plus qu'un partenaire capable de trouver de nouveaux médicaments pour tenter la grande aventure. Il avait sans doute pris conscience de ce qu'il était beaucoup plus qualifié pour mettre en valeur les recherches d'un associé que de se lancer dans la recherche pure lui-même.

A son retour d'Heidelberg durant l'été 1900, Albert Barnes rend visite à des cousins en vacances à Milford, dans la région des Poconos, au nord de la Pennsylvanie, presque aux sources de la Delaware. Il y fait la connaissance d'une jeune femme blonde aux yeux bleus, petite, mince, mais dont le regard fait preuve tantôt d'une totale détermination, tantôt d'une admiration sans bornes pour cet homme aux idées arrêtées et à la culture déjà si vaste. Laura Leggett est âgée de vingt-cinq ans et d'ascendance impeccable : au moins cinq générations de présence sur le sol américain, un père qui a servi comme capitaine pendant la guerre de Sécession, alors que John Barnes n'était qu'homme de troupe, et surtout une situation financière bien établie à la tête d'un important négoce à Brooklyn.

Dans le plan d'ascension sociale d'Albert Barnes, c'est juste ce qu'il faut. Ni trop, ni trop peu. Il sera accepté par la belle-famille car sa situation est prometteuse et peut *(elle)* compenser son absence de fortune et la modestie de ses origines. Les ressources des Leggett serviront, le moment venu — car il viendra forcément, croit-il — à donner le *boost* (coup de pouce) décisif. Laura est de trois ans plus jeune que lui. Petite fille, grâce à sa grande fermeté de caractère, elle avait su attirer le respect de ses frères et sœurs. Elle aime la musique et est passionnée d'horticulture. Elle est séduite par le tempérament de Barnes, son intelligence, sa volonté et son ambition.

Ils se marient en juin de l'année suivante, à Brooklyn, et partent pour un long voyage de noces en Europe : l'itinéraire est probablement le résultat d'un compromis entre les goûts des deux jeunes mariés. Albert veut faire connaître à Laura les lieux où il a vécu et étudié, Heidelberg notamment, et où il n'est pas mécontent de retourner dans des conditions de confort plus assurées. Elle rêve de découvrir les somptueuses forêts et les parcs allemands dont elle a étudié le dessin et les espèces rares à l'université. Ils s'arrêteront donc à Munich, renommée pour son école d'horticulture. En chemin ils visitent musées et galeries. Barnes, un peu plus à l'aise maintenant, achète des paysages romantiques peints par des artistes locaux sur le conseil de sa femme. Le voyage en Italie comporte probablement aussi un arrêt à Florence et un séjour prolongé à Rome dont les chefs-d'œuvre classiques constituent en Amérique à l'époque, sous l'influence de Ruskin, la référence absolue du bon goût. C'est le premier contact réel avec l'Art, avec un A majuscule, cet Art d'Europe qui, à partir de la fin du XIXᵉ siècle, fait tant rêver les riches Américains.

Dès leur retour, ils louent une petite maison sur Drexel Road, dans le quartier d'Overbrook, aux abords de Main Line. Laura a un goût plutôt traditionnel : le mobilier sera victorien ou Tudor, et les murs ornés de ces tableaux ramenés de voyage. On ne sait aujourd'hui presque rien de ces premiers achats car toutes les pièces relatives aux tableaux possédés avant 1912 ont été détruites. On soupçonne fortement Violette de Mazia, après la mort de Barnes, d'avoir fait disparaître les traces de cette première activité artistique parce qu'elle témoignait précisément du goût de son épouse.

Philadelphie, autant que les grandes métropoles de la côte Est, est une ville de collectionneurs. Posséder un ensemble d'œuvres d'art chez soi, siéger dans les instances officielles comme la fortune ou la promesse d'un legs généreux en ouvrent la possibilité, faire un don au musée de la ville, à l'école ou à l'université qui a apporté le bagage éducatif qui vous permet de tenir votre rang, voilà une pratique sociale de plus en plus solidement ancrée. Mais, à la différence de Boston ou New York, celle-ci ne constitue pas un moyen d'ascension sociale, à peine une manière d'accéder à la notoriété parce que précisément, à Philadelphie, où il n'est pas question d'une quelconque mobilité sociale, c'est très mal vu. La situation est inverse dans les autres villes où les nouveaux arrivants ou les nouveaux riches — ce sont souvent les mêmes — n'ont pour se faire accepter que cette générosité réservée à l'élite. Et ils accumulent, parfois à mauvais escient, de la peinture classique.

Mais cette pratique ne s'accommode, même hors Philadelphie, que de goûts conservateurs, pour ne pas dire conformistes. Ce qui triomphe à New York en 1900 ce ne sont pas encore les impressionnistes, mais la peinture du Salon, les pompiers parisiens. Le Metropolitan Museum accroche avec fierté *Le Marché aux chevaux* de Rosa Bonheur, *Le Retour de moisson* de Bouguereau et *1807* de Meissonier. La collection Vanderbilt ne compte pas moins de deux cents tableaux de cette eau. La fille du célèbre magnat, Gertrude, rachètera la réputation artistique de la famille en jouant un rôle décisif dans l'introduction de l'avant-garde trente ans plus tard. « A cette époque, les Américains croyaient aussi ne pas avoir les moyens d'acheter et les connaissances pour distinguer les maîtres du passé », note Nicolas Brimo, auteur d'une étude réalisée en 1938 et qui fait encore autorité aujourd'hui sur les collections américaines au xixe siècle.

A partir de 1895, on assiste à un changement radical : l'Amérique draine une quantité considérable d'œuvres anciennes, parfois essentielles, et commence à s'intéresser à la peinture contemporaine européenne, française essentiellement.

Une richissime héritière de Boston, Isabella Gardner, un expert d'origine lituanienne installé à Florence mais qui a été élevé depuis l'âge de dix ans à Boston, Bernard Berenson, et des marchands habiles, les frères Duveen, forment même le projet de constituer en 1896 un véritable musée privé, ayant le statut de fondation et dont l'objet principal est l'éducation artistique par l'exposition publique d'œuvres d'art. Le projet ne se matérialisera véritablement qu'en 1924, à la mort de la donatrice. Elle lègue alors une réplique de palais vénitien, implantée au milieu du parc de Fenway, en plein centre de la ville, non loin de Charles River et du prestigieux campus de Harvard, qui abrite de nombreux chefs-d'œuvre dont le joyau est *L'Enlèvement d'Europe* par Titien qui a été soufflé par Berenson à son grand rival, Bode, le directeur du musée de Berlin.

La capitale allemande, où Barnes a effectué une partie de ses études, souffre de ne pas disposer comme ses rivales, Dresde et Munich, d'une galerie de peintures digne de son statut de grande métropole. Le musée de Berlin est donc à l'époque le seul acheteur non américain à disposer d'importants moyens, et il est très actif. Sinon, des cèntaines d'œuvres quittent l'Angleterre, l'Italie, l'Espagne et l'Europe centrale à destination de l'Amérique. Berenson joue un rôle déterminant dans les choix : résidant à Florence, il contribue à la réévaluation de l'art du Quattrocento et distribue les attributions. Jusqu'alors ce sont encore Rome et Milan, les deux grandes écoles de la Renaissance, avec Venise, les maîtres du xvie siècle et les grands artistes hollandais du xviie siècle qui attirent la convoitise des collectionneurs.

A New York, Henry Clay Frick, à peu près à cette époque, vers 1890, et grâce aussi aux conseils éclairés des frères Duveen et de Berenson, commence sa collection, qu'il conçoit lui davantage comme un mausolée, c'est-à-dire un monument à sa mémoire, que dans une optique généreuse, comme Isabella Gardner et plus tard, d'une certaine façon, Albert Barnes. Il rêve d'imiter Richard Wallace, ce gentleman installé au château de Bagatelle, héritier de Lord Hertford, qui transporta sa fabuleuse collection d'art français du xviiie siècle à Londres parce que le gouvernement français lui avait refusé la Légion d'honneur. John Pierpont Morgan pendant ce temps rassemble sa somptueuse bibliothèque.

A Philadelphie, les motivations sont complètement différentes mais le mouvement n'est pas moins important. Il n'est pas question de se servir de l'art pour se faire accepter ou reconnaître parce que toute reconnaissance avant plusieurs générations est pratiquement impossible. Surtout toute originalité dans le goût est formellement proscrite. Le conformisme s'applique d'abord à l'art. Malgré cela Philadelphie continue d'être un réel foyer culturel et ce n'est pas le moindre des paradoxes, puisque ses artistes seront à l'origine du renouveau de la peinture américaine mais devront s'exiler à New York pour survivre. Ils conseilleront alors les collectionneurs de New York de s'intéresser à l'impressionnisme et plus tard à l'art moderne. Il y a parmi eux, bien sûr, Mary Cassatt, fille d'une des plus prestigieuses familles de Main Line, dont le frère Alexander est à la fois le président du Pennsylvania Railroad et des clubs les plus fermés de la ville. C'est elle qui achètera chez Durand-Ruel à Degas ses premiers dessins vers 1875 et qui incitera Louisine Elder à constituer avec son époux, Harry Havemeyer, puissant industriel du sucre, la première collection d'œuvres impressionnistes des États-Unis. Comme Barnes plus tard, ils seront moins heureux avec la peinture ancienne, leurs Rembrandt, leurs Goya et leurs Titien n'ayant pas toujours résisté à l'œil acéré des experts d'aujourd'hui.

C'est l'époque aussi où Peter Widener, l'ancien compagnon du père de Barnes aux abattoirs, fait construire une somptueuse résidence, Lynnewood Hall, à Ashbourne, par l'architecte néoclassique Horace Trumbauer pour abriter ce qui va bientôt devenir la plus belle collection de peinture ancienne d'Amérique. Lui, il ne se fait aucune illusion sur son acceptation par la bonne société : personne ne devait jamais oublier qu'il avait été garçon boucher.

L'autre grand collectionneur, bien qu'infiniment moins perspicace dans ses choix, est John G. Johnson, un des avocats les plus brillants des États-Unis. Il défendra notamment Havemeyer à deux reprises, lorsqu'il est accusé de pratiques anticoncurrentielles et surtout quand on découvre que certaines des balances, utilisées dans un de ses entrepôts pour l'expédition de la marchandise, sont truquées. Il avait suggéré, en guise d'honoraires, que son client lui offre un tableau. Havemeyer préfère lui remettre un chèque de 100 000 dollars. Johnson refusera plus tard une nomination à la Cour suprême et consacrera de plus en plus de temps vers la fin de sa vie à sa collection. Il était aussi d'origine modeste et avait épousé la fille d'un boucher. Mais il n'avait jamais cherché à sortir de son rang. Il collectionnait parce qu'il estimait que le contact avec les œuvres d'art était un élément essentiel de l'éducation et il souhaitait que sa collection soit léguée à la ville et rassemblée dans un studio, pour servir de lieu d'étude. L'ensemble qu'il a constitué contient beaucoup de tableaux hollandais et anglais du xviiie siècle. Il est maintenant au Philadelphia Museum of Art, accroché à l'ancienne, c'est-à-dire les cadres se jouxtant du haut en bas des cimaises, sans ordre historique ou esthétique apparent. Barnes prendra souvent conseil auprès de lui.

A l'époque de son installation dans Main Line, Albert Barnes n'est évidemment pas en rapport avec tous ces hommes et ces femmes qui sont les symboles de la réussite d'une nouvelle Amérique. Mais leur fortune comme leurs acquisitions s'étalent à la une des journaux. Intéressé par la peinture comme il l'est, il envisage vite, lui méthodique, rationnel, on devrait dire cartésien jusqu'à l'extrême, de se livrer à cette passion dévorante.

Son plan de carrière est bientôt fixé, son programme d'ascension sociale, n'en déplaise à Philadelphie, arrêté. Il a pris chez Mulford conscience de sa valeur. Il a surtout vérifié qu'à force de travail il pouvait s'élever. L'adolescent turbulent du Neck qui fait le coup de poing avec son frère pour protéger sa dignité a laissé la place à un biologiste, un chimiste de haut niveau qui connaît un début de réussite professionnelle. Il a cherché sa voie pendant deux ou trois ans, mais il a rapidement compris que la fortune était à portée de la main de celui qui, ayant découvert un bon produit, on dirait aujourd'hui une molécule, saurait commercialement l'exploiter. Or en cela, il excelle. C'est précisément ce qui marche le mieux chez Mulford pour lui. Mais il manque le produit nouveau et surtout un intéressement personnel aux résultats. Fortune faite, son intégration dans l'aristocratie des beaux quartiers pourra alors s'accomplir, enfin, le croit-il. Il trouvera une place dans cette société, dût-il se battre pour y parvenir. Et il imagine peut-être aussi — à tort — que sa passion naissante pour la peinture, qu'il n'a pu assouvir en devenant un artiste, peut l'aider à arriver à ses fins.

En 1902, Hermann Hille est au travail depuis plus d'un an déjà et il a une solide réputation dans la compagnie grâce à la mise au point d'un somnifère. Les deux hommes sont complémentaires. Barnes intervient auprès de la direction pour que Hille bénéficie de moyens suffisants. Et celui-ci se révèle être très créatif. Rapidement ils se mettent d'accord pour essayer de mener des recherches dans leur propre intérêt, travaillant le soir et le week-end. Après beaucoup de tentatives infructueuses, notamment dans le domaine agro-alimentaire, Barnes suggère à Hille de s'attaquer aux utilisations possibles des sels d'argent comme désinfectant oculaire. Les propriétés du nitrate d'argent étaient connues depuis longtemps, mais l'utilisation thérapeutique était limitée par les lésions provoquées sur les tissus par des dosages trop grossiers.

Barnes prétendra toujours avoir eu cette idée le premier, bien avant de collaborer avec Hille, en suivant ses cours de pharmacologie à Heidelberg. Son associé ne le contredira jamais vraiment sur ce point, mais c'est lui qui met au point la formule précise de la préparation qui allait faire la fortune d'Albert Barnes. Elle est testée par des spécialistes sur leurs patients et le résultat est spectaculaire. Le 14 mai 1902, un rapport enthousiaste est présenté à New York devant la Société américaine de thérapeutique et le 24 mai il est publié dans le *Medical Record*. Entre-temps nos deux brillants chercheurs ont démissionné de chez Mulford et décidé d'exploiter pour leur propre compte la découverte.

De nos jours tout cela serait bien impossible : il faut de nombreuses années pour faire homologuer un nouveau produit pharmaceutique. Surtout, aucune firme n'accepterait de laisser filer une telle découverte. Les chercheurs doivent s'engager à remettre à leur employeur le fruit de leur travail et surtout à ne pas le concurrencer. S'ils s'en vont pour exploiter les résultats pour lesquels ils étaient théoriquement payés, ils s'exposent à des procès. Mais nous sommes en 1902 ! Tout va aller très vite pour Albert Barnes à partir de ce moment-là.

Les bases de l'association sont simples : séparation des tâches et partage des bénéfices. Hille met au point les produits. Barnes lance les idées et organise la fabrication et la commercialisation. L'industrialisation de l'Argyrol, dont la marque est bientôt déposée mais pas le brevet pour éviter que soit rendue publique la formule du mélange, ne nécessite pas énormément de capitaux. Les matières premières sont peu onéreuses. Seul le tour de main et la composition précise du médicament sont décisifs. Mais cela, bien sûr, Hille le garde jalousement pour lui. Barnes emprunte 1 600 dollars à sa belle-mère et la nouvelle firme, Barnes and Hille, s'établit dans un petit immeuble en briques marron de trois étages à l'automne 1902, situé dans les quartiers noirs de Philadelphie, non loin de Kensington où il a passé une partie de son enfance.

Son père fait alors office de gardien tandis que sa mère tient les livres de comptes. Pour réduire les coûts, on a recruté des ouvriers du voisinage payés quelques dollars par semaine. Les deux associés ont besoin de dégager des profits très rapidement pour rembourser la mise de fonds initiale et pour investir sur le plan commercial. Là, Barnes a une idée de génie. Au lieu d'engager des voyageurs de commerce pour faire la tournée des pharmacies, il démarche directement les médecins. Si Hille a mis au point la formule précise de l'Argyrol, Barnes, lui, a inventé le concept, non moins important de visiteur médical.

Les résultats vont dépasser leurs plus folles espérances : moins de deux ans plus tard, en 1904, les ventes atteignent presque 100 000 dollars. Elles doubleront en 1906. En 1907, le profit net représente 186 000 dollars. Les marges brutes dépassent 70 % du chiffre d'affaires ! Parallèlement Hermann Hille a développé un fortifiant, l'Ovoferrin, qui, sans connaître le succès foudroyant de l'Argyrol, apporte une contribution non négligeable au résultat.

Comme chez Mulford, Barnes a magistralement réussi la commercialisation. Il attribuera plus tard la paternité de ses méthodes innovantes à celui qui sera toute sa vie son maître à penser, dans les affaires comme dans son approche esthétique, le philosophe William James, le frère du célèbre dramaturge. Barnes n'hésite pas à retourner, à cette époque, à plusieurs reprises en Europe pour bâtir le réseau de distribution mondial de ses produits.

Après cette fulgurante réussite, les deux hommes sont maintenant riches. Mais ils ne parviendront pas à s'entendre longtemps. Leur association est uniquement basée sur la complémentarité de leurs talents et la convergence de leurs intérêts. Or leurs caractères, surtout celui d'Albert Barnes, comportent suffisamment d'aspérités pour que les incidents de la vie quotidienne des affaires dégénèrent en affrontements personnels. La confiance entre les deux hommes disparaît. Bientôt ils commencent à se méfier l'un de l'autre, à s'espionner. Barnes veut à tout prix découvrir les secrets de fabrication des produits qu'il vend avec tant de profits. Hille le soupçonne de vouloir se débarrasser de lui et de lui mentir sur les comptes.

Mais Albert Barnes est en position de force. Il est américain. Hille n'est qu'un Allemand installé de fraîche date, sans capitaux. Son associé peut compter non seulement sur sa quote-part des résultats mais aussi sur les garanties financières que sa belle-famille est en mesure de lui consentir. C'est donc Barnes qui provoque la rupture en portant l'affaire devant les tribunaux en 1908 afin que soit prononcée la dissolution de leur association. La cour rend un jugement de Salomon, se gardant bien de donner raison à l'un des deux plaignants mais en mettant aux enchères l'affaire entre les deux hommes, qui semblent donc être les seuls à avoir le droit d'enchérir. Dans les faits cela donne un avantage considérable à Barnes qui rachète le tout pour 350 000 dollars, soit à peine deux fois les bénéfices de l'an passé. Hille doit révéler à Barnes ses secrets de fabrication.

Pendant longtemps, Barnes prétendra avoir été l'inventeur de l'Argyrol et c'est comme cela qu'il sera présenté le jour de sa mort dans sa biographie. La réalité est plus complexe, comme on l'a vu. Il a probablement eu l'idée — qui n'était pas originale — d'approfondir les propriétés antiseptiques des sels d'argent. Il a peut-être aussi mis Hille sur cette voie et a contribué de façon décisive à son succès commercial. Mais la formule précise et le mode de fabrication du mélange comme les dosages ont été définis par Hille, lequel après leur rupture poursuivra une belle carrière à Chicago à la tête de laboratoires qui porteront longtemps son nom. Par élégance, il ne se manifestera pas quand Barnes deviendra célèbre à cause de ses polémiques sur le conservatisme artistique de Philadelphie, mais aussi peut-être par dérision et par discrétion. Allemand aux États-Unis, alors que le pays a été en guerre contre sa patrie d'origine, il souhaite probablement ne pas attirer l'attention sur cet épisode qui marque, pour lui aussi, le début de sa réussite.

Dès 1908, Albert Barnes fonde donc A. C. Barnes Company. Il est le seul maître à bord. Il a trente-six ans. Il a réalisé son rêve : être riche. Il lui reste le plus difficile, voire l'impossible à Philadelphie : être accepté, faire reconnaître son succès. Autant sa réussite professionnelle ne se démentira jamais, autant les qualités qui lui avaient permis cette ascension aussi brillante que rapide se révèlent être un handicap insurmontable pour franchir les grilles de fer forgé de la haute société de Philadelphie.

Bel homme, intelligent, riche, menant une vie privée relativement sans histoires, s'il avait fait preuve d'un minimum de patience, de diplomatie et de modestie, et surtout s'il n'avait pas cherché avec autant d'ostentation à forcer les portes, il aurait probablement fini par arriver à ses fins. Mais son immense orgueil, son caractère excessivement tranchant dans un contexte social tellement hostile à ce qui est nouveau rendront son intégration dans la petite élite des gens qui comptent dans Main Line, soit pour la plupart qu'ils aient hérité d'une position sociale, soit qu'ils aient réussi par eux-mêmes, tout à fait impossible. Sa femme est pourtant intelligente, cultivée. Elle sait recevoir. Lui-même devient rapidement un connaisseur en grands vins et en vieux whiskies. Il fréquente déjà les galeries de tableaux de New York et a entamé une première collection : les peintres en vogue du moment, l'École de Barbizon, Corot, Théodore Rousseau, même Jean-Jacques Henner et quelques symbolistes.

Il semble que ses débuts d'amateur d'art soient moins concluants que ceux de chef d'entreprise. Il collectionne, au tout début, parce qu'il n'a pas oublié sa passion de jeunesse, la peinture, et les toiles qu'il a détruites parce que son camarade Glackens avait ri en les voyant, lui qui était si naturellement doué. Il reste également attaché aux goûts classiques de sa femme, qui sont ceux très « middle class » de Brooklyn, plus proche, dirait-on en France, du buffet Henri II que des commodes Louis XVI. Il ne semble pas en rapport avec l'intelligentsia parisienne, ni même conscient de ce qui est en train de se passer là où l'art moderne éclate. Il n'y a pas non plus de traces durant ses voyages professionnels de séjours à Paris. La priorité, c'est l'Angleterre et l'Irlande puis l'Allemagne. Il ne découvrira la France que plus tard. Comme tout novice, il spécule un peu. Rien ne le ravit plus que d'acheter un tableau et de pouvoir se dire, donc de pouvoir se vanter ouvertement d'avoir fait une bonne affaire, d'avoir déjà une plus-value potentielle. Il mettra très longtemps à se débarrasser de ce travers. A son crédit, il faut remarquer que bien des collectionneurs n'y renoncent jamais !

En 1910, il quitte sa petite maison de Drexel Road. Il achète un hectare à Merion, le quartier voisin qui était en plein développement de l'autre côté de la voie ferrée, où il se fait construire une vaste demeure de granit qu'il baptise du nom de son épouse : Lauraston. Il pousse peu après le luxe jusqu'à acquérir les terrains voisins pour y faire construire des maisons dans le même style afin de donner un cachet particulier au quartier, maisons qu'il vendit — prétendra-t-il ensuite — au prix coûtant pour que personne ne vienne l'accuser de se livrer à la spéculation immobilière. Cette pratique était en fait réservée aux superriches. Quand Louisine Havemeyer avait fait bâtir sa propriété de Long Island, à Bayberry Point, elle avait également demandé à un architecte de réaliser autour un lotissement de douze villas de style mauresque.

Les Barnes tentent bien de se faire admettre, de se soumettre aux pratiques sociales de Main Line. Albert va même jusqu'à apprendre à monter à cheval, lui, l'ancien joueur de base-ball, et à s'inscrire dans un club très chic, le Fox Tree Hunting Club. Comme toujours, il s'engage totalement, dévalise les librairies, achète une bibliothèque entière d'ouvrages consacrés à l'équitation et à la chasse au renard. Mais peu après il se brouille avec le président du club, Alexander Cassatt. Il conservera longtemps des chevaux à l'écurie mais il est incapable de satisfaire aux bonnes manières un peu compassées de ses voisins. Très vite les règles du jeu mondain se révèlent totalement incompatibles avec son caractère et il se marginalise. Pourtant il allait bien falloir trouver à employer son inlassable énergie, son activisme : ses affaires, bien sûr, son engagement aux côtés du peuple noir, déclenché par les souvenirs mystiques de son enfance, ces chœurs méthodistes où sa mère l'avait conduit enfant et où il avait appris à chanter. Surtout la peinture. Il avait une sensibilité aiguë. Mais ses moyens étaient encore modestes face aux géants de New York et même de Philadelphie.

Il devait trouver sa propre voie. Il le fit. Mais pas seul. Surtout, cela ne fut pas suffisant, au contraire, pour assouvir ce désir de reconnaissance qu'il portait en lui et qui était complètement étranger aux mœurs de ceux qui, en réalité, étaient parfaitement disposés à l'ignorer.

Mais cela lui aurait été sans doute encore plus insupportable.

CHAPITRE 2

Le millionnaire philosophe

A trente-six ans, voilà donc Barnes millionnaire. Une voie royale s'ouvre à lui. Il a démontré qu'il avait les capacités de transformer une découverte en une réussite industrielle et financière exceptionnelle. Il n'a plus qu'à continuer, par exemple retourner en Allemagne recruter de bons chimistes, consolider son réseau international et, tout en gérant prudemment, laisser son affaire grandir et sa fortune, année après année, s'accumuler. Le marché est porteur. Les médecins comme les patients sont avides de nouvelles découvertes. Le succès est assuré. Et pourtant ce n'est pas du tout le chemin qu'il va suivre, non pas qu'il échoue du jour où il se retrouve patron et propriétaire de l'affaire qui maintenant porte son nom, mais parce que ce n'est pas le but qu'il est assigné.

Il est suffisamment riche pour tenir la place qu'il convoitait, enfant déjà, dans Main Line. Il n'est évidemment pas prêt et, surtout, pas capable de faire les concessions nécessaires et d'amender son caractère pour être accepté dans cette société trop fermée et conformiste pour lui et y tenir le rang qu'il croit que sa fortune lui permet de tenir.

Il semble que le développement de ses affaires l'intéresse moins. Il s'est prouvé à lui-même et il a prouvé à ceux que cela pouvait concerner — ils sont en réalité bien moins nombreux que Barnes ne l'imagine — qu'il était capable de réussir. Il lui faut autre chose. Finalement, tout cela a été trop facile et ne le distingue pas assez à ses yeux. Et puis personne ne prête attention à lui. Sa fortune, sa réussite ne sont pas telles qu'elles empêchent la ville de dormir. Et cela, secrètement, doit le gêner. Il n'a aucun goût et surtout aucun don pour la politique. Dans la vie comme dans ses affaires, c'est un autocrate qui ne souffre pas la moindre contradiction. Il ne s'entend qu'avec des gens, sa femme y compris, qu'il domine complètement et qui l'acceptent. Ses adversaires diront, à la fin de sa vie, comme Bertrand Russell avec qui il aura un de ses nombreux procès, qu'il ne s'entend bien qu'avec des femmes et des Noirs parce qu'il les traite en égaux, mais qu'il est convaincu, au fond de lui, qu'ils ne sont pas ses égaux. Ce jugement est très injuste, au regard de son engagement courageux et indéfectible en faveur de l'égalité civique des Noirs, mais comme toujours, en pareille circonstance, il comporte une part, faible mais réelle, de vérité. Dans l'entreprise, comme plus tard à la Fondation, il est de fait qu'à une ou deux exceptions près, il n'acceptera autour de lui que des collaborateurs qui seront prêts à lui consacrer leur vie, au détriment parfois de la leur.

Il en est ainsi par exemple des sœurs Mullen. Nelle Mullen a été recrutée en 1902 à dix-huit ans comme comptable à 8 dollars par semaine. Elle n'aura jamais d'autre employeur jusqu'à sa mort, en 1957 ; elle siège alors comme administrateur de la Fondation, après en avoir été la secrétaire puis la directrice. Sa sœur Mary fut recrutée vers 1908 et resta, elle aussi, au service de la

Fondation jusqu'à sa mort, en 1967. Elle était plus apte que sa sœur à comprendre les ambitions esthétiques de Barnes et elle jouera un rôle central comme assistante puis comme enseignante. C'est elle qui sera la première à être publiée, avec un essai *Une approche de l'art*, en 1923.

Pour l'heure, Barnes a donc d'autres projets. Son affaire tourne bien. La popularité de l'Argyrol ne cesse de s'étendre. C'est devenu l'équivalent du Baume du Tigre ou de l'Eau de Jouvence de l'Abbé Souris. Tous les nouveau-nés avaient droit à quelques gouttes. On commençait même à généraliser son emploi en cas de mauvais rhumes, ce qui devait provoquer des décolorations fâcheuses des narines, mais qu'importe ! La guerre allait même plus tard fournir son lot de nouvelles applications, et de gigantesques profits, quand on découvrit le rôle préventif de l'Argyrol pour certaines maladies vénériennes. Et pour tout cela, il n'y avait pas besoin, dans le petit immeuble de briques brunes situé au 24 North 40ᵉ Rue, de plus d'une dizaine d'employés, noirs pour la plupart.

Barnes avait été passionné par ses études de philosophie et de psychologie qu'il avait toujours menées de pair avec la chimie et la médecine. Son ambition n'était pas du tout de gérer un trust pharmaceutique, voire d'accumuler une fortune considérable. Il préférait déjà — et était infiniment plus excité à cette idée — exercer son pouvoir sur les autres, leur faire partager ses vues, les convaincre à ses idéaux, les aider à s'élever, comme une sorte de prophète du progrès. L'usine serait le terrain privilégié de ces expériences.

Le lieu est propice, comme une classe d'école, pour mettre en application les thèses d'un homme qui a eu une influence considérable sur sa propre formation, John

Dewey, et qui allait lui aussi devenir à partir de 1922 un compagnon de route d'une fidélité exceptionnelle, même si elle sera maintes fois mise à l'épreuve à l'occasion de polémiques avec l'establishment universitaire. Barnes répétera souvent, à la fin de sa vie, que si William James lui a appris à penser et George Santayana à percevoir, c'est John Dewey qui lui a appris ce qu'il fallait faire pour enseigner au peuple de nouvelles façons de penser.

La présence à l'usine n'a pas pour seul objet la production, mais aussi l'éducation des ouvriers. D'ailleurs la journée de travail de huit heures comporte en réalité deux heures de libre pour suivre des cours de littérature, on commente Tolstoï ou Flaubert, de psychologie ou d'histoire. Plus tard, il initiera ses employés à la peinture Parmi les premiers tableaux qu'il achète, plusieurs sont en fait destinés aux murs de la fabrique pour mettre en pratique un des principes qui devait guider toute son existence : l'art n'est ni une discipline à part, ni un monde réservé à une élite. Il est destiné aux masses qui peuvent, tout autant que les amateurs les plus distingués, l'apprécier, y trouver les émotions que l'artiste a cherché à transmettre.

Tant sa conception de l'organisation du travail que le principe suivant lequel c'est en élevant le niveau d'éducation des ouvriers qu'on améliore la productivité de leur travail sont tout à fait en marge des pratiques de l'industrie américaine du début du siècle, ce qui, avec le caractère déjà rugueux, du jeune millionnaire, commence à lui attirer sarcasmes chez les uns, critiques chez les autres. Ces conceptions tranchent aussi avec les utopies du XIXe siècle, ces phalanstères où une véritable cité s'organise autour de l'usine qui pourvoit à tous les besoins. L'inspirateur de Barnes, ce n'est ni Fourier, ni encore moins Robert Owen, c'est en fait William James, ce philosophe qui a joué un rôle aussi déterminant que méconnu en Europe dans la construction de l'Amérique moderne.

Barnes, quand il raconte ses débuts, rappelle toujours ce qu'il lui doit. « Nous n'avons jamais eu besoin d'un vendeur, ni de faire de la publicité dans les revues techniques parce que nous avons trouvé, dans les principes de psychologie de William James, les recettes qui nous ont permis de nous dispenser de ce luxe. A partir de ses livres et de ceux de ses semblables, nous avons établi un programme de développement qui, en deux ans, nous a permis de devenir profitable », rapporte Howard Greenfeld. Qui était donc William James ?

Né en 1842 à New York, James est toujours vivant en 1910 mais n'enseigne plus. Docteur en médecine, il a enseigné la physiologie à Harvard, puis la psychologie et enfin la philosophie. Maîtrisant les principes physiques du fonctionnement du cerveau, il applique ses connaissances au comportement de l'esprit et surtout en tire un certain nombre de principes, audacieux pour l'époque, relatifs à l'enseignement et à la pédagogie. La psychologie est traitée comme une science naturelle qui s'attache à décrire notamment les états de conscience et la connaissance qu'ils procurent.

L'innovation essentielle de James est la séparation scientifique qu'il introduit entre l'explication religieuse de l'attitude de l'homme, la foi et les valeurs qui s'y attachent, et une description matérielle — l'auteur se défend d'être matérialiste et il publiera un ouvrage traitant de l'expérience religieuse — des principes qui régissent les émotions, la conscience, la pensée et les lois du comportement en société. Il se situe à l'opposé de

Rousseau et de son *Émile*. Non, l'homme n'est ni vierge ni naturellement bon à la naissance. L'éducateur n'a pas en face de lui un bloc intact qu'il a pour mission de façonner, mais un organisme agissant doté déjà des principales fonctions de l'esprit, dont l'imitation, le sentiment de propriété et l'émulation. Alors que Rousseau prétendait que la rivalité entre deux élèves est une passion trop basse pour en jouer, James écrit que le sentiment de rivalité est à la base même de notre existence et que dans une large mesure toute amélioration sociale lui est due. Dans l'Amérique glorieusement capitaliste, individualiste et prospère de la fin du XIXᵉ siècle, ces principes rencontrent un large écho, comme la nécessité du contrôle des résultats à l'école et la supériorité de l'enseignement concret, de la leçon de choses, de l'expérimentation comme mode d'acquisition des connaissances, sur le recours à la mémoire ou la stricte reproduction du savoir des maîtres.

Barnes se reconnaît dans ce pragmatisme, cet « empirisme radical », comme on l'a appelé plus tard, et il est conforté quand le maître affirme, avec optimisme, que tout est question de rigueur intellectuelle et de volonté : « Si vous tenez fermement à obtenir un résultat, vous y parviendrez presque certainement. Désirez être riche et vous le serez, être savant, et vous le deviendrez. Seulement, désirez réellement une chose, à l'exclusion des autres et sans vouloir simultanément, avec une force égale, une centaine de choses incompatibles avec elle. » En 1910, Barnes est savant et riche. C'est ce qu'il a désiré. Mais à Philadelphie, cela n'octroie pas automatiquement un droit à la considération. Et cela, il ne veut pas l'admettre.

James accorde aussi à l'instinct de propriété une importance capitale dans l'éducation sous une forme particulière : le besoin de collectionner. Non seulement il lui attribue une vertu essentielle dans l'accès au savoir, mais il estime qu'en collectionnant on acquiert instinctivement de l'ordre, de la propreté, de la méthode, qualités indispensables à l'accomplissement d'une tâche professionnelle.

Enfin James, contrairement à la plupart des penseurs de son temps, considère que l'enfant naît avec ses facultés propres d'éveil à la poésie, à la peinture, à l'éducation esthétique. Si ces facultés ne sont pas exploitées avec l'âge, elles disparaîtront. Il cite à l'appui un passage célèbre de l'autobiographie de Darwin, quand le maître constate : « A l'âge de treize ans, je jouissais énormément des poèmes de toute nature, et comme écolier je lisais avec délices Shakespeare, spécialement ses pièces historiques... La perte de ces goûts est une perte de bonheur ; elle nuit probablement à l'intelligence et plus certainement au caractère moral, en affaiblissant la composante émotionnelle de notre nature. »

James préconise dix minutes par jour de poésie, de lecture religieuse ou bien une heure ou deux par semaine de musique, de peinture ou de philosophie, « qui nous eussent infailliblement donné, en temps voulu, la satisfaction de tous nos désirs ». « En refusant de fournir un léger effort journalier, nous creusons véritablement le tombeau de nos plus belles possibilités », conclut le philosophe. Ce sont ces principes audacieux que Barnes met en pratique à sa manière dans les ateliers de fabrication et de conditionnement de l'Argyrol. Il n'est pas évident que James ait pensé explicitement à la condition ouvrière en écrivant ses « causeries pédagogiques » d'où sont extraits ces passages.

La générosité naïve mais indiscutablement sincère de Barnes est facile à brocarder dans l'environnement hautement conservateur de Main Line. L'originalité suprême de son projet, c'est son engagement personnel. C'est lui qui fait les cours, c'est lui qui collectionne, accroche les œuvres dans les locaux de travail et suscite les réactions de ses employés. Cette expérience est possible parce que les effectifs qui suffiront à produire ses médicaments sont très faibles ; la taille de la compagnie lui permet aussi de veiller personnellement à la mise en pratique des principes de James : on apprend bien — à tout âge — ce qu'on a envie de savoir et on le retient d'autant plus facilement. On ne fait bien que ce qu'on a envie de faire, que ce pour quoi on s'estime le mieux qualifié. Quel directeur des affaires sociales aujourd'hui contredirait ces principes ? Au début du xxe siècle, à une époque où la condition ouvrière est exclusivement traitée par le principe d'autorité et la fixation des salaires à un niveau qui est censé représenter la reconstitution de la force de travail, la politique de Barnes est audacieuse. Il est pourtant difficile de prétendre que ces méthodes, qui prévalent aujourd'hui dans une certaine mesure dans la gestion des ressources humaines, sont entièrement étrangères à la réussite des entreprises de Barnes. Il a autour de lui des gens totalement dévoués et extraordinairement motivés et qui le resteront, surtout les femmes, mais peut-être parce qu'elles se soumettront aux règles qu'il édite, toute leur vie, même au-delà de la sienne.

Barnes n'a jamais connu James. Il deviendra au contraire un élève, puis un ami proche de John Dewey, le grand théoricien de l'éducation aux États-Unis au début du xxe siècle, à l'âge de quarante-quatre ans et ira suivre son séminaire à Columbia en 1917. C'est Laurence Buermeyer, alors chargé de cours de philosophie à Princeton et avec lequel il échangeait une correspondance suivie et qui sera l'un des premiers enseignants de la Fondation, qui avait joué le rôle d'intermédiaire, s'assurant que la présence de l'industriel ne gênait pas John Dewey.

Le philosophe avait alors cinquante-huit ans et était au sommet de sa notoriété. Il venait de publier un essai, *Démocratie et éducation*, qui avait eu un très grand retentissement. Il y reprenait ses thèses habituelles sur la pédagogie et la psychologie de l'enseignement et il apportait une dimension politique majeure : l'essence de la démocratie, c'est l'accès du plus grand nombre à la connaissance, non pour faire du savoir un instrument de domination d'une classe sur l'autre, ou, plus exactement de l'emprise d'une élite sur le peuple, mais au contraire le vecteur de la démocratie, c'est-à-dire le droit imprescriptible du plus grand nombre à trouver, dans le système éducatif, les voies et moyens de participer de plein exercice à la société, d'exercer les droits — souvent théoriques sans accès au savoir — prévus précisément par la constitution démocratique. Barnes voyait dans cette réflexion aussi forte que progressiste la justification de son combat en faveur d'une meilleure éducation des Noirs au nom précisément de l'idéal démocratique.

Un article de Dewey, « L'école et la société », publié à Chicago en 1899, exposait, bien avant *Démocratie et éducation*, les bases de son analyse, les conditions du progrès, l'impérieuse nécessité de son partage et le rôle de l'école. « En un siècle, écrit-il en substance, l'homme est passé d'un monde où tout ce qu'il apprenait, et qui lui était indispensable pour survivre, lui venait de la cellule familiale et de son voisinage : comment se nourrir, se vêtir, se loger, se défendre, à un monde moderne où, grâce au formidable progrès engendré par la révolution industrielle, le savoir peut être rendu facilement accessible au plus grand nombre. L'enjeu de l'éducation n'est donc plus de délivrer des symboles mais une pratique, qu'il s'agisse d'une activité technique ou artistique. »

Barnes trouve dans cette puissante réflexion un double écho aux préoccupations du peuple noir. Si le système éducatif n'est qu'un processus initiatique vers ce que les maîtres appellent la « culture », ou le « savoir », ils en seront définitivement exclus, ne serait-ce que parce que ce n'est pas ce dont ils ont besoin pour subsister, à savoir un métier, une formation. Dewey réclame le passage d'un modèle médiéval, où le savoir est réservé aux initiés, à un modèle compatible avec le monde moderne qui le rend matériellement et facilement accessible au plus grand nombre. Il faut tirer les conséquences pédagogiques de l'invention de l'imprimerie, de la locomotive et du télégraphe, estime-t-il. Ce sont ces principes qui ont inspiré la politique éducative aux États-Unis et qui assignent encore aujourd'hui à l'école comme objectif de faire des citoyens et non de sélectionner des savants.

Ensuite, et c'est sous-jacent dans les premiers écrits de Dewey, mais ce sera presque omniprésent dans ses travaux vers la fin de sa vie, il faut développer l'esprit d'initiative, le sens pratique chez l'enfant, qu'il s'agisse de la science, de l'étude de la pensée ou de l'expression artistique : « Pour le faire, il faut que chacune de nos écoles soit une communauté embryonnaire, vivante, active, avec chacune des sortes d'occupations qui constituent la vie de la société, et empreinte de l'esprit de l'art, de l'histoire et de la science. »

Plus tard, l'industriel approfondira ces théories et trouvera, dans ses rapports presque quotidiens avec Dewey, le soutien intellectuel pour poursuivre une expérience qui rencontre d'abord un scepticisme ironique, puis une hostilité publique parfois violente, dès qu'il s'agira de l'appliquer à l'enseignement de l'art, une des disciplines les plus conservatrices de l'université américaine de l'époque. L'idée centrale de Dewey, un peu utopique dans sa généralité, mais extrêmement féconde si on la considère avec un peu de recul, c'est que la philosophie n'est un guide utile pour la vie de tout un chacun que si son enseignement devient appliqué, s'appuie sur les circonstances de la vie quotidienne. Le principe de base, c'est que l'éducation n'est pas quelque chose en soi. Sa fonction première n'est pas la formation de la jeunesse. Éducation et formation sont deux objectifs distincts et parfois contradictoires. L'éducation est indispensable parce que c'est le moyen par lequel la société reproduit ses pratiques, ses coutumes, son mode de vie et donc reste vivante, créatrice, féconde. L'apprentissage peut et doit se faire sur le tas ; il est d'autant plus réussi qu'il est le résultat d'une expérience partagée, en groupe, où chacun à tour de rôle va confronter sa proche tâche avec ce qu'en ont tiré ceux qui l'ont précédé. En décloisonnant les missions, en réduisant au maximum les niveaux hiérarchiques pour faciliter la communication de l'expérience, on améliore les performances de chacun mais aussi on établit l'essence de la démocratie. Car l'objectif final n'est pas de former un expert mais un bon citoyen, lequel, grâce au bagage dont il aura été doté et à son expérience, deviendra celui qui naturellement occupe la fonction à laquelle ses qualités propres le destinent.

Cette conception est à la fois libérale et conservatrice. L'école n'est pas nécessairement un instrument de promotion sociale. Elle n'est pas faite pour cela. Mais la réduction des barrières et des niveaux hiérarchiques permet précisément d'assurer, dans la vie professionnelle et non à son début, cette promotion nécessaire au progrès de la société. Barnes, séduit par ces théories, n'a pourtant pas suivi cette voie. Il est un pur produit de la méritocratie : Central High School, puis Pennsylvania State University, et il ne l'oubliera jamais, au travers des relations très complexes qu'il entretiendra avec les deux établissements. Pourtant il est conscient que ce système n'est destiné qu'à une petite élite intellectuelle. Or il est sincèrement convaincu qu'il faut l'élargir, c'est ce qu'il fait à l'usine, à une échelle toute petite et avec, quoi qu'il en dira, un succès inégal et une bonne dose de naïveté. Sa propre expérience esthétique — c'est un artiste rentré, qui prend conscience progressivement de son absence de talent — lui fait adhérer aux principes de James et de Dewey quand ils prétendent que l'art fait partie intégrante de la vie, que l'homme qui n'apprend pas à aimer la peinture ou la musique subit une véritable mutilation de ses facultés. Le combat, qui durera cinquante ans, et qui n'est pas achevé, pour faire reconnaître à sa Fondation le statut d'institution à but éducatif, au détriment de celui de musée qui aurait permis à un vaste public de profiter de sa fabuleuse collection, trouve son origine et sa force dans un attachement, qui ne se démentira jamais, aux idées essentielles de sa jeunesse.

Son troisième maître est un professeur de philosophie à Harvard, d'origine espagnole, George Santayana. Né à Madrid en 1864, d'un père espagnol et d'une mère d'ascendance anglaise, il partage son enfance entre Avila et Boston, puis s'y fixe, côtoyant sans réellement se lier à lui, William James et toute cette intelligentsia bostonienne qui se trouvait le matin sur les campus de Cambridge et le soir dans le palais vénitien d'Isabella Gardner, sur le Fenway.

Santayana, peut-être parce que lui aussi était un solide

pragmatiste, avait orienté ses recherches vers l'explication rationnelle de la beauté, des valeurs esthétiques. Il avait fait sienne la maxime de Hobbes : « Aucun raisonnement quel qu'il soit ne peut aboutir à une connaissance absolue du fait. » Il avait donc fait de l'autorité des choses, contre la présomption des mots et des idées, un principe de sa philosophie. Santayana était aussi une figure agissante du milieu bostonien où son hispanité lui avait permis une intégration fondée un peu sur l'exotisme et l'intelligence, seuls susceptibles de combler partiellement sa faible ancienneté sur le sol de la Nouvelle-Angleterre et de Beacon Hill, la colline dominant Charles River où l'aristocratie la plus ancienne d'Amérique s'était repliée.

Santayana enseignera toute sa vie à Harvard, prenant quelquefois une année sabbatique pour partir se replonger dans cette culture latine à Avila, qui l'a si profondément marqué, ou en Toscane. De Harvard, Santayana dira dans ses mémoires que la généreuse et intellectuelle sincérité qui y régnait allait de pair avec une pénurie spirituelle et une confusion morale telles qu'elles n'offraient plus rien d'autre à l'esprit orphelin qu'un billet de loterie ou une chance à la pêche miraculeuse. Il fallait abandonner les chevaux de bois de cette foire universelle si l'on désirait comprendre quoi que ce fût, ou arriver à savoir ce qu'on voulait. L'environnement devait probablement être tout aussi déroutant à Penn où avait été Barnes. Le premier camarade de Santayana à Harvard fut Charles Loeser qui allait jouer indirectement un rôle décisif dans la vie de Barnes. Le père de Loeser était un riche négociant de Brooklyn et son fils semblait, à vingt ans, à l'abri du besoin pour la vie. Dans sa chambre à Harvard, il avait accumulé livres, peintures et gravures. Il y avait là, dira Santayana, « des sujets d'information toute fraîche pour mon esthétisme voluptueusement affirmé et qu'aucune lecture spéciale n'avait aidé car cela se passait lors de ma première année universitaire, avant mon retour en Europe ».

Loeser, qui d'après le philosophe semblait avoir tout vu et parler toutes les langues, aurait pu concurrencer Berenson, qui était devenu le maître à penser, l'arbitre du goût de la nouvelle Amérique. Seulement, il n'écrivit jamais rien. A Harvard, parce qu'il était juif et son père commerçant, Loeser n'eut pas vraiment d'amis. Il partit bientôt pour Florence où il vécut presque clandestinement avec la femme d'un officier anglais de l'armée des Indes dans un palazzo, près des Offices.

Loeser et Santayana visitèrent, à pied parfois, le plus souvent en train, Pesaro et puis Ravenne et Urbino, et enfin Borgo San Sepolcro, la ville natale de Piero Della Francesca. Deux siècles après les jeunes lords anglais, il était de bon ton pour un Américain cultivé de faire lui aussi son Grand Tour, cet itinéraire vers les sources de la Renaissance, qui commençait à marquer l'Amérique, à former son goût, à dicter ses aspirations, au moment où l'Europe était précisément en train de s'en détourner pour la dépasser. Si Berenson, sous couvert de sa science, fut en réalité un marchand dans l'âme, Loeser ne fut jamais qu'un riche dilettante, vivant comme un original dans son étrange donjon. Il eut pourtant une influence considérable lui aussi sur la formation du goût américain car il avait porte ouverte, comme le fameux consul Smith, à Venise au XVIII\ siècle, qui avait pris un moment Canaletto sous contrat, et qu'il vendait aux jeunes lords de passage. Santayana bien sûr, mais aussi les sœurs Cone, Gertrude et Léo Stein entre bien d'autres furent initiés chez lui aux subtilités du Quattrocento et à ce maître encore totalement inconnu qui prolongeait dans ses couleurs et dans ses recherches architectoniques les maîtres du xvᵉ siècle, Cézanne.

Pendant ce temps-là, à l'usine de North Philadelphia, on lisait et on commentait, à raison de deux heures par jour les principes de psychologie de James, *Le Sens de la beauté* et *La Raison et l'Art*, de Santayana ainsi que *Comment pensons-nous* de John Dewey. Les marges de l'entreprise avaient rendu possible une réduction de la durée de travail qui était employée à la formation du personnel. L'étude des maîtres préférés de Barnes devait donner à chacun une expérience qui lui servirait dans l'accomplissement des tâches à l'usine. Chaque qualité devait être mise en valeur. L'observation du tempérament de chacun, la prise en compte des aspirations facilitaient la répartition du travail. L'industriel philosophe a décrit à de nombreuses reprises les principes dont il s'inspirait pour gérer l'affaire et a attribué son succès, non sans une certaine candeur, à l'application des théories pragmatiques de James, poussées à l'extrême. La réalité se situe quand même plus près de Schumpeter! L'entrepreneur-né qu'était Barnes, s'appuyant sur deux produits, l'Argyrol et l'Ovoferrin découverts par Hille, provisoirement sans concurrents, n'eut pas de mal à continuer de dégager des profits considérables tant les coûts de production étaient dérisoires par rapport au prix qu'était prêt à payer le consommateur. Et cela durera jusqu'à l'invention de la pénicilline, plus de vingt ans après.

Il essaya même de transposer ses méthodes à la boxe. L'un de ses employés s'entraînait le soir, à la salle voisine, mais ne progressait pas beaucoup. Il en était réduit à se produire dans des combats de troisième ordre. Barnes, qui avait boxé dans sa jeunesse, se mit en tête de reprendre lui aussi l'entraînement pour en faire un champion, toujours en appliquant les principes de son mentor, William James : analyser la situation, choisir une option et s'y tenir. Il fit progresser son protégé, qui entre-temps avait reçu le surnom d' « Argyrol Jack », mais perdit le premier combat un peu difficile. Barnes commenta le résultat en affirmant que « les conseils de James étaient excellents pour l'offensive mais inappropriés pour la défense ». D'ailleurs « son adversaire lui aussi s'était inspiré des mêmes principes mais en avait fait le meilleur usage », conclut-il.

Il est facile de railler, de tourner en dérision aujourd'hui le bouillant industriel. Pourtant la clef de son succès résida aussi dans la nature des relations sociales qu'il sut instaurer dans son affaire. En considérant l'homme — ou la femme — dans sa totalité, et en ne s'intéressant pas uniquement à l'échange de la force de travail contre une rémunération, qui était pourtant la vision dominante du moment, Barnes, sans s'en rendre compte, avait trois quarts de siècle d'avance. Il ne tomba pas dans le travers paternaliste qui inspira d'autres grands patrons américains à l'époque en prenant totalement en charge les individus qu'il faisait travailler. Il s'inspira d'un principe finalement simple et toujours actuel : un travailleur bien dans sa peau, à qui on offre un poste en rapport avec ses aspirations, élève toujours ses propres capacités et parvient finalement à faire mieux, au bénéfice de tous. Cela n'est pas suffisant pour transformer un honnête boxeur en champion du monde, mais cela permet de progresser.

Les méthodes de Barnes révélaient une assez grande ouverture d'esprit, une tolérance vis-à-vis des autres paradoxale lorsqu'on sait avec quelle intolérance et parfois quelle violence il lutta plus tard contre ceux qui, surtout en matière artistique, n'adhéraient pas à ses choix. Pourtant l'usine — c'était plutôt un atelier — fonctionna longtemps sur un mode, non pas coopératif, comme on l'a dit parfois, mais autogestionnaire, au moins dans la répartition des tâches, et cela donna d'excellents résultats. Ses méthodes tranchaient tellement avec celles du patronat local qu'il ne fut jamais réellement accepté dans ces cercles-là non plus.

Il sut aussi gagner le dévouement à vie de son personnel. Quels que soient les travers de son caractère, les sœurs Mullen comme plus tard Violette de Mazia, qui devait rejoindre la Fondation en 1922, vécurent pour lui et perpétuèrent son œuvre bien au-delà de sa mort. Nulty, son chauffeur, avait commencé à travailler à l'usine, puis devint le chauffeur de Laura Barnes, et l'homme à tout faire de la Fondation. Barnes l'envoya en Europe dans les années vingt pour prendre des cours de restauration de tableaux. Promu conservateur de la collection, il eut en charge jusqu'à sa mort l'entretien des œuvres. Barnes lui fit une rente de 5 600 dollars, reportable sur sa femme s'il mourait avant elle.

Lorsqu'il vendit sa firme en 1929, quelques mois avant le krach, il constitua un fonds pour assurer les retraites du personnel de 125 000 dollars. Sans enfants, Barnes prit très tôt des habitudes de pater familias à la romaine, exigeant une totale soumission de ses proches en échange de laquelle il offrait protection et considération, ce qui d'ailleurs n'excluait pas de mémorables colères car il était d'un tempérament très emporté.

Cette totale soumission n'allait pas non plus sans un curieux comportement vis-à-vis des femmes comme en témoigne l'histoire, qu'il raconta souvent, de Jake l'un de ses meilleurs ouvriers qui battait sa femme. Un jour celui-ci se retrouva en prison, non pas parce que la malheureuse avait porté plainte, mais parce que les voisins étaient las d'entendre ses hurlements. Barnes convainquit néanmoins le personnel de l'atelier, choqué, qu'il fallait le reprendre tout simplement parce qu'il était sadique, que sa femme devait être masochiste et qu'il fallait respecter les goûts des uns et des autres. Il incita tout le monde à se plonger dans son cher William James pour trouver une explication et à se remettre au travail. Souvent, il versait directement le salaire aux épouses pour éviter que le mari inconséquent ne boive ou ne joue la paye de la famille. En fait, Barnes eut toujours des relations complexes avec les femmes. Ou elles lui étaient totalement dévouées, silencieuses devant ses excès et fidèles, et il les acceptait, ou il les traitait plus bas que terre.

Lizzie Bliss, richissime collectionneur d'art moderne, souhaitait visiter la collection. (Elle devait un jour être l'une des fondatrices du Musée d'art moderne de New York.) Il la fit venir exprès à Merion un matin vers huit heures et elle trouva porte close, sans explication. Une autre fois, il prétexta un concours de strip-tease amateur tenu dans la grande galerie pour refuser l'entrée à quelque épouse de notable, et le fit savoir, pour choquer gratuitement et humilier celle qui avait eu l'outrecuidance de s'adresser à lui. Ses relations avec les femmes de ses collaborateurs ou de ceux qui auraient pu le devenir provoquèrent aussi des tensions, qu'il s'agisse de l'épouse d'un critique célèbre, qui menaça de divorcer si son mari donnait suite aux propositions de collaboration du docteur, ou de la jeune femme de Bertrand Russell lui-même, qu'il fit expulser des cours de la Fondation parce qu'elle avait eu dix minutes de retard.

En réalité, Barnes, à quarante ans, est déjà un homme

au caractère excessif. Le succès aurait pu l'apaiser. Au lieu de cela, au cours de la deuxième moitié de sa vie, il n'hésitera pas à se faire des ennemis, avec une réussite à la hauteur de son intelligence, tout en cherchant inconsciemment l'approbation de ceux, hommes ou institutions, qu'il a auparavant agressés, voire ridiculisés, avec d'ailleurs souvent d'excellentes raisons.

Quel homme étrange, quel paradoxe vivant ! On ne le comprend véritablement que si on ne s'attarde ni à sa réussite professionnelle, ni à la fabuleuse collection qu'il ne va pas tarder à constituer. C'est un idéologue, un homme qui se passionne pour des causes. Il est trop facile de dauber sur ses principes d'organisation du travail à la fabrique, sur son engagement déjà perceptible en 1910 aux côtés de la cause noire et sur sa farouche détermination à briser les barrières sociales qui, à cette époque, empêchent l'accès à l'art, en n'y voyant que de la provocation. Il combat le milieu social où il vit. Il cherche en même temps à le pénétrer pour le rallier à ses idées mais sans y mettre le prix, c'est-à-dire en se soumettant aux règles de la bienséance si chères à Philadelphie. Il n'est pas surprenant qu'il y soit alors perçu comme un intrus désagréable.

L'enrôlement de Barnes derrière ces causes sera trop constant, tout au long de sa vie, pour le réduire à un défi perpétuel lancé à l'establishment. Parallèlement il recherche aussi à chaque occasion la reconnaissance de l'Université et il aurait aimé, à condition bien sûr que l'on accepte ses méthodes, qu'un grand musée soit, d'une façon ou d'une autre, associé au fonctionnement de sa Fondation.

Barnes est un homme de pouvoir qui n'a jamais eu l'occasion de l'exercer ailleurs que sur les trois étages de l'immeuble en brique qui abrite sa fabrique et sur les

quelques hectares de la propriété de Merion qui héberge-
ront bientôt la plus extraordinaire collection de tableaux
du xxe siècle. On n'a pas retrouvé de tentatives de carrière
politique ou d'ambitions affichées, car il est trop entier,
trop solitaire pour s'intégrer dans une machine, dans un
appareil. Il sera toujours proche du parti démocrate et
soutiendra activement le New Deal de Roosevelt. Ses
engagements légitimes et hautement respectables passeront alors au second plan derrière ses querelles. C'est aussi
un hyperactif. Son principal problème est de canaliser la
formidable énergie qui coule dans ses veines. Son affaire
tourne. Ses expériences pédagogiques donnent des résultats, mais une fois que la machine est lancée, il lui faut
trouver autre chose. La vie mondaine de Main Line
l'insupporte. Le sport n'est plus de son âge. La politique
n'est pas non plus faite pour lui. Il a besoin d'un nouveau
chantier, d'une nouvelle raison de vivre, de se battre, de se
dépasser. Ce sera l'art, la constitution d'une collection, un
second projet éducatif, une activité de critique dans
laquelle, à partir de 1910, il se lance littéralement à corps
perdu.

La passion de Barnes pour la peinture ne lui est pas
venue du jour au lendemain, comme une sorte de révéla-
tion. Enfant, il dessinait énormément. Adolescent, il côtoie
à la Central High School deux camarades qui seront
parmi les fondateurs de l'art moderne américain. Car
Philadelphie, vers 1900, malgré son caractère provincial et
son conformisme esthétique, est le lieu où naît la première
école originale de peinture américaine.

En 1891, un jeune Américain, Robert Henri, de retour
de Paris, s'était fixé à Philadelphie et avait entamé une
carrière d'illustrateur pour les journaux locaux. C'était la
seule solution pour les artistes qui refusaient l'acadé-

misme. Profondément influencé par Courbet et Daumier qu'il avait découverts en Europe, il fait souffler sur cette ville un vent de révolte, d'anarchisme. Quand Courbet peignait ses *Casseurs de pierre*, il représentait une condition, non une anatomie. Les journaux ne demandent rien d'autre. Bientôt Henri attire, dans son studio de Walnut Street, les deux condisciples de Barnes à la Central High School, Glackens et Sloane. Il est alors chassé de l'académie de dessin pour jeunes filles où il enseignait. Deux autres artistes se joignent à eux, Luks et Shinn. Ils fondent une revue satirique, vaguement anarchisante, *Les Masses*, qui publie leurs caricatures. Il s'agit toujours de montrer la réalité sociale, cette autre face de l'Amérique en pleine expansion industrielle.

Trente ans après Daumier, ils désacralisent non seulement la technique mais aussi le sujet. On les surnomme l'*Ashcan School*, littéralement, l'école de la Poubelle, ou bien les *Philadelphia Five*, les Cinq de Philadelphie. On dit d'eux qu'ils sont une bande de révolutionnaires. Ils répondent qu'ils préfèrent le laid et le cru parce qu'ils sont vrais et qu'ils peignent des tableaux qui ne ressemblent pas à des tableaux mais à la vie, à ce monde des bas-fonds dont beaucoup d'entre eux sont sortis. Leur peinture est aujourd'hui à la National Gallery à Washington à quelques salles des Vermeer de Peter Widener. Mais eux, en 1895, ils sont quasiment obligés de quitter Philadelphie tant leurs œuvres soulèvent de réprobation pour aller se réfugier à New York autour de Haymarket, où ils passeront plus facilement inaperçus et où les journaux viendront là encore les chercher lorsqu'ils auront besoin de leurs talents. Les Cinq de Philadelphie sont le noyau du premier mouvement organisé de peinture aux États-Unis. Le groupe jouira bientôt d'un prestige considérable auprès de l'intelligentsia new-yorkaise et lui servira officiellement de guide pour découvrir et apprécier la peinture contemporaine d'Europe, celle qui, en France, sort peu à peu de la réprobation. Aux Cinq de Philadelphie se joignent alors Arthur Davies, Charles Lawson et Maurice Prendergast. Ce qui constitue le groupe des VIII. Il y a aussi George Bellows, célèbre pour ses tableaux de boxeurs qui étaient autant de protestations ironiques contre une loi de l'État de New York qui avait interdit les combats publics et avait contraint de cantonner ceux-ci dans des clubs privés.

Barnes avait perdu de vue son ami Glackens quand celui-ci était parti pour New York en 1895, toujours à la recherche de sa propre voie. Quinze ans plus tard ils étaient arrivés, chacun dans leur domaine, à une certaine réussite. Les caricatures de Glackens dans le *New York Herald* rencontraient de plus en plus de succès, même si l'exposition du groupe des VIII, organisée à la manière des impressionnistes aux Mac Beth Galleries de New York, avait été sévèrement critiquée en 1907.

Lui-même commençait à suivre un itinéraire plus sage, influencé par le Renoir tardif des nus roses, que l'on retrouvera par dizaines dans la collection de son camarade de collège, par le Manet du *Bar aux Folies-Bergère*, plus du tout celui du *Fifre* ou du *Toréador mort*. C'est la raison pour laquelle, lorsqu'il renoue avec Barnes, il ne cherche pas à le faire adhérer à cet art si engagé, si politisé, bien que les convictions politiques de ce dernier n'aient pas été si éloignées et que celui-ci ne rejetât pas a priori une esthétique dont le sujet serait la condition humaine dans la société injuste qui avait tant marqué son enfance.

Plus tard Barnes sera le principal, sinon le seul véritable collectionneur de tableaux de Glackens et il achètera à

Sloane le premier et l'un des rares tableaux que celui-ci ait jamais vendus, et à Prendergast de nombreuses peintures. Mais il délaissera complètement Bellows et surtout Edward Hopper, l'autre grand peintre réaliste du début du xxᵉ siècle, le merveilleux interprète de la solitude et du désarroi de l'homme dans un monde en pleine mutation.

Pourtant Barnes, avant 1910, n'est que marginalement intéressé par l'idée de collectionner. Peintre dans l'âme, convaincu qu'il n'a aucun talent, il se résigne à acheter les tableaux des autres pour les accrocher dans la fabrique et faire partager aux ouvriers ses réflexions sur la psychologie de l'art et non pour accéder à un nouveau statut social, se bâtir un mausolée ou acquérir une respectabilité à grand frais. C'est surtout sa femme Laura qui influence ses choix. Il s'agit de décorer un intérieur bourgeois.

Ces dernières années, il a fait les galeries de New York et de Philadelphie d'où il a ramené ce qu'on y trouve alors, l'École de Barbizon, quelques pompiers et Corot. Confusément, il sent que tout cela ne mène à rien. La réussite foudroyante de l'Argyrol lui laisse des loisirs et lui a procuré des moyens. Il éprouve le besoin de se fixer un autre défi, de se lancer dans une autre aventure. Ce sera l'accumulation des chefs-d'œuvre, l'élaboration d'une théorie esthétique originale et d'un mode nouveau d'approche de l'art qu'il souhaite faire partager à un public beaucoup plus étendu que la poignée d'ouvriers qui fabriquent, manipulent, emballent et expédient l'Argyrol.

C'est à ce moment-là, vers 1910, qu'il décide de renouer avec Glackens. Avec son choix de la chimie et son voyage en Allemagne où il recrute Hille, cette décision capitale va plus que peser sur sa vie, elle va en fixer définitivement le cours. Les deux premières, prises à bon escient, ont fait de lui un homme riche. La troisième lui ouvre des perspectives artistiques auxquelles quels que soient ses dons il n'aurait probablement pas eu accès seul.

En 1910, Renoir par exemple mais aussi bien sûr Degas et les impressionnistes sont connus aux États-Unis. Durand-Ruel les y expose régulièrement depuis 1886. Un bel ensemble de peinture française est rassemblé sous les auspices de Mme Potter-Palmer pour l'Exposition internationale de Chicago en 1893. Quelques collectionneurs s'intéressent à l'art moderne, les Havemeyer de New York au premier rang. Surtout, les peintres américains commencent à traverser l'Atlantique pour Paris. A leur retour, comme Robert Henri, et plus tard d'autres jeunes artistes, Alfy Maurer ou Max Weber par exemple, ils n'ont pas de mal à convaincre leurs camarades que c'est à Paris que souffle le vent de la création. Cela, Albert Barnes ne l'a pas trouvé seul. C'est Glackens qui lui ouvre les yeux, qui l'initie à cet art révolutionnaire, mais qu'il abordera d'abord par son représentant le plus facilement accessible, Renoir, qui se définissait alors lui-même comme le « dernier peintre du XVIIIe siècle ».

Les deux premières lettres adressées à son ancien partenaire de base-ball, Butts, comme on surnommait Glackens à l'école, restent sans réponses. Perdant patience, Barnes lui adresse alors un télégramme comminatoire lui annonçant sa venue à New York. Ce sera le début d'une profonde amitié qui durera jusqu'à la mort de l'artiste en 1938. Les familles Barnes et Glackens passeront souvent leurs vacances ensemble, à Merion ou à Long Island, où le peintre a une petite maison. Apprenant la mort de Glackens, alors qu'il est à Paris, Barnes écrit depuis l'hôtel San Régis une longue lettre à sa veuve, Edith, où il fait l'éloge du peintre en lui assurant qu'il reposera en paix parmi les grands de la Fondation lesquels, « s'ils pouvaient parler, affirmeraient sans doute qu'il était des leurs ». Celle-ci est déjà remplie des Renoir, des Cézanne, des Matisse et des Seurat qui feront sa réputation universelle.

Glackens, qui sera toujours considéré aux États-Unis comme un suiveur de Renoir, vend peu, sauf à Barnes, au point qu'après sa mort, sa veuve s'inquiète de ce que personne ne peut découvrir son mari puisque ses tableaux les plus importants sont à Merion. Quand elle propose au collectionneur de lui racheter le *Portrait d'une Arménienne,* il lui en demande un prix tellement extravagant (85 000 dollars) en 1939 qu'elle doit renoncer. Pour Barnes, il est tout à fait suffisant pour la gloire future de son ami qu'il soit accroché à Merion. Sa présence au Metropolitan ou à Washington n'apporterait rien. Pourtant, c'est en sa faveur qu'il fera la seule entorse connue aux règles de la Fondation et qu'il donnera plusieurs de ses tableaux au Blanden Art Museum de Fort Dodge dans l'Iowa.

Les retrouvailles avec Glackens marquent le vrai début de la passion qui allait animer Barnes jusqu'à la fin de sa vie. Plutôt que de le rapprocher de ses amis de l'avant-garde new-yorkaise, le peintre le convainc progressivement que c'est à Paris que les choses importantes se passent. Au lieu de s'adresser aux galeries américaines, qui ont peu de marchandise, il faut aller sur place où il trouvera, à meilleur compte, un bien plus grand choix. William Schack, le premier biographe de Barnes, a écrit qu'à ce moment-là Barnes ne connaît de la France que la Révolution, allusion à l'engagement philosophique de l'industriel et non à un manque d'intérêt. C'est vrai qu'il semble n'y être jamais venu au cours des cinq ou six voyages effectués en Europe auparavant. Ses études l'ont d'abord mené en Allemagne, puis ses affaires en Angle-

terre, en Irlande. Lors de son voyage de noces, il préfère la
Suisse et l'Italie. Il est donc indiscutable que le premier
choix du collectionneur, effectué sous l'influence de
Glackens, il est vrai, est en faveur de la France, alors que
celui qui va devenir son grand rival, John Quinn,
commencera par se passionner pour la peinture anglaise.

La motivation financière n'y est certainement pas
étrangère non plus. L'idée qu'en allant à Paris on puisse
trouver des œuvres de meilleure qualité pour moins cher le
ravit. Voilà un nouveau terrain de compétition où il espère
faire aussi bien que dans la pharmacie. La possibilité que
lui a sans doute aussi fait miroiter Glackens, parfaitement
au courant du marché de l'art en Europe (il sera l'un des
organisateurs du célèbre *Armory Show* en 1913), c'est de
découvrir de jeunes artistes qui vendront leurs tableaux
avec joie pour quelques dizaines de dollars, lesquels en
vaudront bientôt des milliers. En la circonstance, ce n'est
pas l'appât du gain, qui motive un collectionneur débutant comme Barnes à ce moment-là, c'est une nouvelle
démonstration de son intelligence, de son pouvoir, de sa
faculté de transformer un raisonnement ou un coup d'œil
en or comme, dix ans auparavant, il a métamorphosé les
sels d'argent.

Si, avec le temps et la réussite, non plus simplement
financière, cet aspect de sa personnalité s'atténuera, il ne
laissera jamais passer une occasion de rappeler que les
Picasso de la période rose ou de la période bleue qui sont
accrochés à Merion, il les a payés une vingtaine de dollars
pièce, pour ne rien dire de ses Soutine ou des Modigliani.

La seconde constatation, c'est que le projet éducatif et
l'instauration de relations sociales originales à la fabrique
sont antérieurs à la décision de collectionner sur une
grande échelle de l'art français. Il n'a donc pas cherché à

faire partager ses goûts, son enthousiasme à ses collaborateurs. Il avait commencé à faire connaître Corot ou Diaz à
ses ouvriers avant d'accrocher des Renoir et des Cézanne
dans son usine. Son engagement d'éducateur est donc
préalable à l'éclosion de sa vocation de collectionneur.

Cela étant, avec Barnes, rien n'est simple et surtout rien
n'est mesuré. Du jour où il est convaincu par Glackens
qu'il peut trouver un nouvel accomplissement personnel
dans l'art autrement qu'en peignant lui-même, en s'entou-
rant de chefs-d'œuvre qu'il aurait découverts et dont il
aurait établi rationnellement la qualité, sa vie va changer
encore plus qu'avec sa réussite de chef d'entreprise.
Devenir riche, c'était un objectif qu'il s'était assigné, un
défi, par référence à son enfance difficile, sinon misérable.
Mais ce n'était pas un but en soi. Ou, si cela était, il avait
été atteint tellement vite et tellement facilement qu'il
fallait trouver autre chose. Arbitre du beau, théoricien de
l'esthétique, maître des choix culturels d'une cité qui le
rejetait toujours, quel défi autrement plus stimulant,
tellement ambitieux qu'il savait par-devers lui qu'il ne
l'atteindrait jamais. Raison de plus pour s'y atteler vite,
avec toute l'énergie d'un homme de quarante ans, en
pleine possession de ses moyens et animé d'une force
intérieure qu'avait décuplée sa réussite initiale.

CHAPITRE 3

Le Paris de Gertrude et Léo Stein

Choisir William Glackens pour le conseiller ne devait pas automatiquement conduire Albert Barnes à devenir le plus important collectionneur de peintures impressionnistes et postimpressionnistes du XXe siècle. Pourtant la réputation de Paris, qui avait donc atteint Philadelphie, n'était nullement usurpée. Toute la jeunesse d'Europe qui avait quelque chose à dire, à créer ou à montrer s'y donnait rendez-vous. Vienne était trop éloignée malgré l'Art nouveau et les audaces architecturales du Jugendstil, la psychanalyse, la musique moderne de Bruckner et de Mahler, et la peinture de Klimt ou d'Egon Schiele. L'Allemagne de Guillaume II était trop autoritaire pour laisser les talents s'épanouir. La jeune école de Dresde s'était placée sous l'emblème du pont qui enjambe l'Elbe en face du palais des princes-électeurs de Saxe, ce merveilleux ensemble baroque qui abritait leurs fabuleuses collections. Ils désiraient montrer qu'ils n'avaient plus leur place sur la rive droite. De la rive gauche qu'ils gagnaient en parcourant « Die Brücke », étaient ouverts les horizons qu'ils cherchaient ailleurs et qui allaient, eux aussi, les conduire vers Paris.

Enrichie par plus de trente ans de paix, de stabilité

politique et d'expansion industrielle et coloniale, jouissant d'un environnement relativement libéral, comparé aux régimes d'Europe centrale, Paris attirait donc les artistes du monde entier et commençait à intéresser les collectionneurs. Ils s'y arrêtaient à leur retour d'Italie où les palais, après les achats anglais du XVIII siècle et américains de la fin du XIX siècle, achevaient de se vider des œuvres qu'ils contenaient depuis dix générations, grâce à l'œil, pas entièrement désintéressé de Berenson. Politiquement, Paris offrait un environnement plus ouvert que Berlin, mais l'Académie n'avait pas désarmé. Les impressionnistes n'avaient toujours pas droit de cité dans les grands musées nationaux, et notamment au Louvre, même dix ans après leur mort. Le purgatoire du musée du Luxembourg restait incontournable, comme la commission des musées restait un obstacle infranchissable à qui avait la témérité de léguer une collection non conformiste à l'État.

L'affaire du legs Caillebotte était encore dans toutes les mémoires. Ce compagnon de route des impressionnistes avait voulu faire don à l'État de sa superbe collection. A sa mort, en 1894, l'État refuse près de la moitié des tableaux, dont un Cézanne majeur, que Barnes achètera trente ans plus tard, *Les Baigneurs,* et qui est accroché dans la grande galerie de la Fondation au-dessus de *La Famille Renoir,* mais aussi des Pissaro et la moitié des Monet. La famille Caillebotte reviendra à la charge, en 1908, mais en pure perte. En 1895, Gérôme, pompier reconnu, académicien respecté, fait un scandale public, devant la galerie qui expose pour la première fois un ensemble d'œuvres de Cézanne. Il parle de « flétrissure morale », clame son dégoût et stigmatise la décadence où nous entraîne la nouvelle école de peinture française. Les artistes reconnaissent pourtant très vite, dans le maître d'Aix, leur chef d'école.

L'hostilité de l'Académie n'a pas tué l'art, elle en a simplement bouleversé les formes de diffusion vers le public au grand profit de jeunes et audacieux collectionneurs, français parfois, américains le plus souvent. Depuis le milieu du XVIIIe siècle, le seul moyen pour un artiste de se faire connaître, donc de vendre et de subsister, était l'accès au Salon. Le grand combat mené par Courbet d'abord, puis par Manet à partir de 1850, a surtout ouvert la voie à des circuits d'exposition parallèles, le Salon des Refusés, les Indépendants plus tard, le Salon d'Automne, régis par des principes identiques, avec un mode de sélection, quand il subsistait, moins sévère ou moins conservateur. Mais cela n'a pas suffi. Le grand changement dans la diffusion des œuvres de création a été le fait des initiatives des marchands, tant vis-à-vis du public français qu'à l'étranger. L'impressionnisme n'a pris corps, ne s'est structuré que grâce à des expositions collectives dans des galeries parisiennes. Alors que le concept d'école découlait auparavant de la reconnaissance des institutions officielles, il se crée des groupes, des « écuries », qui ne sont en définitive que des mouvements, souvent éphémères de peintres réunis sous la bannière d'un marchand.

Le public, dont finalement Gérôme n'est que le reflet, ne suit pas, ou fort peu. La première génération de collectionneurs d'œuvres impressionnistes n'est constituée que de marginaux : un agent des douanes, Victor Chocquet, un grand commerçant, qui fera bientôt faillite, Ernest Hoschedé, et un baryton en vogue à l'époque, Faure. Le bas prix des œuvres les rend aussi accessibles aux rares critiques qui les défendent, comme Octave Mirbeau qui a pu acheter, pour 300 francs, deux toiles de

Van Gogh *Les Iris* et *Les Tournesols,* dont on sait qu'elles se vendirent au pic de la spéculation, en 1989, pour 100 millions de dollars, l'une à un magnat australien, qui ne pourra d'ailleurs pas payer, l'autre à une compagnie d'assurances japonaise.

Les acheteurs sont donc rares. Les lieux où s'expose cette nouvelle peinture, postérieure aux impressionnistes qui sortent lentement de leur purgatoire, aussi. Le premier, c'est la boutique d'un marchand de couleurs, le père Tanguy, qui s'est installé en 1873 au 14 de la rue Clauzel, au bas de la butte Montmartre, et qui avait eu auparavant maille à partir avec la justice pour ses sympathies communardes. Il est de tous les combats esthétiques, en faveur de cette peinture claire, de ces couleurs vives qui semblaient s'écouler de ses tubes. Il déteste le « jus de chique » des officiels. Ses affaires commencent à prospérer. Il déménage dans un magasin un peu plus grand, au numéro 9, où il restera jusqu'à sa mort. Les artistes le remarquent, ils vont s'y fournir d'autant plus facilement qu'il accepte en paiement leurs toiles. C'est dans son arrière-boutique, et plus tard dans sa vitrine, que l'on pourra voir les premiers Cézanne et les premiers Van Gogh montrés à Paris. Il ne vend d'ailleurs pratiquement pas. Pourtant les prix sont intéressants : pour Cézanne, c'est 100 francs les grands et 40 francs les petits. Gauguin et Van Gogh se négocient autour de 150 francs.

Ambroise Vollard y trouve sa vocation. Venu en France, de sa Réunion natale, pour entamer ses études de droit et devenir notaire, il tombe un jour de 1892 en arrêt devant un Cézanne rue Clauzel. Le cours de sa vie en sera bouleversé. Jusque-là il négociait, en étage, rue Sainte-Opportune, des dessins et des estampes. Après plusieurs petites ventes, il décide, avec l'appui d'un banquier, d'ouvrir boutique. A la mort du père Tanguy, en 1894, son stock est dispersé aux enchères. Vollard achète cinq Cézanne et un Gauguin pour à peine mille francs. Victor Chocquet achète *Le Pont de Mennecy*, du maître d'Aix, 170 francs. A sa mort, cinq ans plus tard, le tableau est revendu douze fois plus cher.

Le marché de l'art a suivi le déménagement des commissaires-priseurs qui ont quitté la place de la Bourse en 1852 pour s'installer à Drouot. Et les galeries s'ouvrent tout au long de la rue Laffitte qui conduit le chaland des grands boulevards à l'hôtel des ventes. Il y a là très vite Durand-Ruel, puis Sagot, l'ancien clown, qui sera le premier marchand de Picasso. Vollard ouvre une petite boutique au numéro 39 dès 1893. Puis il déménage au 41, qui est un peu plus vaste. Entre-temps il fait la connaissance de Cézanne qui a accepté de lui laisser des tableaux en dépôt pour une grande exposition de près de cent toiles, la première de l'artiste, en 1895.

C'est là, mais plus tard, que le premier véritable collectionneur de ses œuvres, Auguste Pellerin, le découvre. Cézanne est le dernier peintre de l'avant-garde libre de tout engagement commercial. Durand-Ruel et Bernheim, qui a recruté pour son département d'art contemporain un jeune et brillant critique Félix Fénéon, qui défend lui aussi la nouvelle peinture, ont déjà leurs artistes sous contrats. Van Gogh est mort. Gauguin est retourné à Tahiti et a laissé à Daniel de Monfreid le soin de le représenter auprès des galeries. Vollard sera donc le premier et le seul marchand de Cézanne.

Il organise aussi, en 1898, une magnifique exposition Gauguin. Sans succès. Pourtant Matisse vient et admire. Il achète un peu plus tard une petite composition de *Baigneuses* de Cézanne, puisant dans ses économies, et non dans la dot de sa femme comme certains l'ont prétendu. Il la paye 1 300 francs. Il avait hésité auparavant devant une *Arlésienne* de Van Gogh, pourtant deux fois moins chère. A-t-il fait là son choix esthétique définitif, comme le suggère Pierre Schneider ?

Toujours est-il que Matisse vénérera ce tableau et écrira, au moment de s'en séparer : « Depuis trente-sept ans que je la possède, je connais assez bien cette toile, pas entièrement je l'espère ; elle m'a soutenu moralement dans les moments critiques de mon aventure d'artiste ; j'y ai puisé ma foi et ma persévérance. » En 1936, Matisse la donne au musée du Petit Palais, après avoir refusé une offre d'un million d'Albert Barnes, pour remercier Raymond Escholier, le conservateur du musée, d'avoir acheté pour la Ville de Paris la version de *La Danse* destinée à la grande galerie de Merion. L'artiste avait dû recommencer parce que les dimensions étaient inexactes.

Le donateur énonce pour ses *Baigneuses* ses recommandations pour un accrochage qui permettrait de saisir ses qualités et qui nécessitent lumière et recul. Le tableau est toujours au Petit Palais mais la mention du nom du donateur a disparu. Beau clin d'œil, elle est accrochée à côté du portrait que Cézanne avait fait de Vollard, à peu près au moment où Matisse achetait ses *Baigneuses,* et qui fut légué à la mort du marchand à ce musée, en plein Champs-Élysées, pourtant déserté par les amateurs et où on peut aussi découvrir le merveilleux ensemble de Courbet légué par Juliette, la sœur de l'artiste.

Vollard entrait ainsi doublement dans l'histoire de l'art en montrant Cézanne et en permettant à Matisse de trouver sa voie. Pourtant, à l'époque, ces marchands, à l'image de Durand-Ruel par exemple qui frôlera la faillite à plusieurs reprises, n'arrivent pas à vendre et s'en vont rechercher des clients hors de France. A quelque chose malheur est bon. Car le relatif dédain, voire la franche hostilité dans laquelle ce Paris aussi libéral sur le plan économique que conservateur sur le plan culturel tient ses artistes, pousse les marchands à multiplier les expositions en Europe, à Londres, à Berlin, en Suisse, mais aussi aux États-Unis. Cette démarche contribue à faire connaître les artistes français à l'étranger, parfois bien avant qu'ils ne soient acceptés dans leur propre pays, quand même ils n'y sont pas combattus.

Ce processus est tout à fait inédit dans l'histoire de l'art. Auparavant, le marché ne s'internationalisait que pour les œuvres anciennes consacrées, même si au XVIIIe siècle, rare exception, Canaletto avait réussi à vendre sa production à quelques lords anglais nostalgiques des brumes et des lumières vénitiennes. La consécration internationale d'un artiste provenait surtout des commandes princières ou papales. Louis XIV a recours au Bernin pour son buste et pour refaire, projet qui n'aura pas de suites, le Louvre parce que le pape Urbain VIII en a fait le maître de la cour de Rome. Titien travaille lui pour Ferrare et Rome avant d'accepter des commandes de Charles Quint et de Philippe II, même s'il restera toujours fidèle à ses premiers commanditaires vénitiens. A la fin du XIXe siècle, c'est le contraire qui se produit. Combattus dans leur pays, les impressionnistes et leurs successeurs n'émigrent pas, mais laissent, question de survie, à leurs marchands le soin de les faire connaître à l'étranger.

C'est ce Paris-là, encore frémissant des anathèmes jetés par l'Académie et la critique officielle, que William Glackens découvre en 1912 pour le compte de Barnes, c'est-à-dire finalement assez tard, plusieurs années après le grand tournant provoqué par l'apparition des Fauves au Salon d'Automne de 1905 et la rétrospective Cézanne en 1907, qui consacre l'influence, déjà considérable, du maître sur l'avant-garde, et que symbolise le grand tableau de Maurice Denis, aujourd'hui au musée d'Orsay, où l'on voit un groupe de jeunes peintres rassemblés autour d'une de ses natures mortes posée sur un chevalet.

Dans ce Paris en perpétuelle agitation artistique, depuis plusieurs années déjà, une famille d'Américains, les Stein, venus de San Francisco, mais d'ascendance allemande, occupe une place de choix. C'est par eux que Glackens d'abord, puis très vite Barnes entreront en contact avec ce milieu effervescent, découvrant la peinture qui constituera le cœur de la collection.

Ils sont deux frères, Léo et Michael, et une sœur, Gertrude. Leur père, qui détient une partie des concessions de tramways de Californie, leur assure des moyens suffisants, au moins jusqu'à la guerre, pour poursuivre leurs études, voyager, collectionner et rechercher sans souci matériel apparent la compagnie des artistes. Gertrude et Léo sont à peu près du même âge que Barnes. Elle a suivi les cours de Radcliffe, le pendant féminin de Harvard, où elle s'est passionnée, elle aussi, pour l'enseignement de William James. Elle a entrepris des études de médecine à l'université Johns Hopkins, à Baltimore, où elle retrouve une cousine éloignée, Etta Cone, qui allait devenir plus tard l'une des plus grandes collectionneuses de Matisse. Elle fait auparavant un premier voyage en Europe en 1898, avec Etta et sa sœur Claribel : l'Italie, l'Allemagne et enfin la France. Après Baltimore, Gertrude quitte à nouveau l'Amérique pour retrouver son frère Léo à Florence en 1902, où il fréquente Berenson et surtout Charles Loeser, qui accroche sur les murs de son palazzo, côte à côte, des madones siennoises sur fond d'or et des paysages de Cézanne, que lui a vendus Ambroise Vollard, racontera le peintre Jacques-Émile Blanche, vingt ans après.

S'ennuyant probablement dans l'univers compassé du Quattrocento florentin, qui attire pourtant tous les grands collectionneurs américains de passage, Léo et Gertrude quittent la Toscane pour Paris. Ils s'installent en 1904 dans un pavillon, près du Luxembourg, 27, rue de Fleurus, à deux pas de ce musée, chargé officiellement de présenter les nouveaux talents, l'antichambre du Louvre, et qui en manque cruellement. Derrière le pavillon, un atelier que l'on atteint en franchissant une petite cour et dont les murs allaient bientôt être couverts de tant de chefs-d'œuvre. Un jour qu'ils débarquaient à l'improviste dans l'atelier de Picasso, au Bateau-Lavoir, Fernande Olivier, sa première compagne, a donné d'eux une description savoureuse : « Lui, l'air d'un professeur chauve avec des lunettes cerclées d'or. Longue barbe aux reflets roux, l'œil malin. Un grand corps raide aux attitudes curieuses, aux gestes raccourcis. Le vrai type américain juif allemand. Elle, grosse, courte, massive, belle tête aux traits nobles accentués, réguliers, les yeux intelligents, clairvoyants, spirituels. L'esprit net, lucide. Masculine dans sa voix, dans toute son allure. » Ils avaient connu Picasso chez Clovis Sagot. Celui-ci consentait à l'époque à prendre pour quelques dizaines de francs les dessins et les tableaux du jeune Catalan sans le sou, débarquant de Barcelone et qui partageait une chambre près de la Bastille avec Max Jacob. « Ils comprenaient la peinture moderne, poursuit à propos des Stein, Fernande Olivier, sa valeur artistique et l'influence qu'elle pouvait acquérir. Ils avaient ce qu'on peut appeler le flair. »

Dès leur arrivée à Paris, au début de 1904, Léo et

Gertrude se rendent, sur le conseil de Loeser, chez Ambroise Vollard. Trente ans après, dans son livre de souvenirs, parfois contesté par les personnages devenus entre-temps célèbres qu'elle campe avec humour, auquel elle a donné la forme de l'autobiographie de sa compagne, Alice Toklas, paru à peu près en même temps que les mémoires de Fernande Olivier, Gertrude Stein a rapporté de cette visite un compte-rendu particulièrement piquant.

Vollard n'était déjà plus tout à fait le jeune marchand audacieux, successeur du père Tanguy. Il défendait la jeune peinture depuis huit ans et avait déjà organisé, en 1901, une exposition Picasso. De facto, il était devenu un point de passage, une étape obligée dans cette rue Laffitte qui reliait la butte Montmartre, où habitaient les artistes, aux principaux défenseurs de l'avant-garde. On entrait chez lui après avoir dégusté un pot de confiture de fraises chez Fouquet. Plus haut, rue Victor-Massé, était installée Berthe Weill, spécialisée dans les dessins et les estampes. Pour aller chez lui, il fallait d'ailleurs un certain courage, tant l'endroit était peu avenant et le maître de céans lugubre : « Il appuyait sa lourde silhouette contre la partie vitrée de son magasin qui donnait sur la rue. Étendant ses bras au-dessus de sa tête, il accrochait ses mains aux deux coins supérieurs du chambranle et il fixait la rue de ses yeux sombres. Alors personne ne songeait à essayer de pénétrer chez lui », raconte Gertrude Stein.

Ils entrèrent néanmoins et dirent à Vollard qu'ils lui étaient adressés par Charles Loeser de Florence. Ils voulaient voir des Cézanne. A l'époque, à part Auguste Pellerin, ils étaient pratiquement les seuls. Vollard se détendit puis revint assez longtemps après, avec, à la main, une petite nature morte, avec une pomme, largement inachevée. Gertrude demanda alors à voir un paysage. Il revint avec un nu. Ils insistèrent. La nuit tombait et Vollard revint à nouveau avec une grande toile, mais sur laquelle n'était peint qu'un fragment de paysage. Nouveau départ de Vollard vers ses réserves qui étaient en réalité à l'époque pleines à craquer. Tout le talent du marchand était contenu dans ce stratagème, ces hésitations qui visent à accréditer l'idée de la rareté, donc à faire ensuite accepter un prix. Entre-temps, deux vieilles femmes avaient traversé la galerie et les avaient salués en descendant de l'escalier du fond, là où précisément Vollard était parti chercher ses Cézanne.

Gertrude Stein éclata de rire, confie alors Alice Toklas dans sa pseudo-autobiographie : « Il n'y a pas de Cézanne. C'est une plaisanterie. Vollard monte là-haut, et il dit à ces vieilles dames ce qu'il faut peindre. Elles peignent vite quelque chose et il nous l'apporte, et c'est un Cézanne ! » Vollard n'en fut pas vexé et finalement leur apporta un somptueux paysage qui allait être le début d'une fabuleuse collection et faire de l'atelier de la rue de Fleurus l'un des salons parisiens les plus brillants de l'avant-1914. Tout ce que le monde cosmopolite des arts et des lettres comptait allait défiler là, pendant près de dix ans, jusqu'à la guerre.

Picasso devient très vite un familier. Dès la première visite, Léo et Gertrude lui avaient acheté pour 800 francs deux tableaux, dont *La Femme à l'éventail,* aujourd'hui à Washington. Etta Cone et sa sœur viendront aussi à l'atelier l'année suivante, en 1905, et achètent leurs premiers dessins. Il n'en finissait pas, derrière leur dos, de faire des plaisanteries sur leur nom. Claribel, le médecin, ne reste pas à Paris et part exercer en Allemagne. Mais les « misses Cone » font désormais partie aussi du cénacle. Plus tard, elles aideront Gertrude Stein à passer le cap difficile de l'après-guerre en lui envoyant de l'argent ou lui rachetant ses manuscrits ou quelques tableaux qu'elle avait acquis à bon compte à l'époque héroïque.

Léo et Gertrude sont rejoints dès 1906 par leur frère Michael et sa femme Sarah qui s'installent tout près, 42, rue Madame. Voisin également Robert Duncan et sa femme Isadora, l'étoile, la ballerine qui enchante Londres et Paris. Le couple assure la liaison avec l'intelligentsia londonienne, le groupe de Bloomsbury qui se réunit derrière le British Museum et qui diffuse le nouvel art contemporain de Paris grâce aux critiques Roger Fry et Clive Bell. Rapidement le salon Stein prend corps. « Ils ont un jour », aurait pu dire Proust, c'est le samedi. Apollinaire et André Salmon, le critique, et Kahnweiler qui, en 1907, vient d'arriver à Paris, et Derain, Van Dongen, Henri-Pierre Roché, les Picasso, bien sûr, en sont les piliers. La rue de Fleurus est aussi le lieu d'intrigues savoureuses ou de drames passionnels qui agitent cette communauté turbulente.

Un jour, le marchand Uhde, qu'on a l'habitude de voir accompagné d'une escouade de beaux jeunes hommes blonds, annonce son mariage avec une femme de très bonne famille, Sonia. Stupéfaction ! Il rassure son monde. C'est un mariage blanc destiné à permettre à la belle de recevoir un héritage et de convoler ensuite avec Robert Delaunay. C'est le couple Princet, marié à peine depuis six mois, qui éclate quand Derain enlève littéralement Alice et laisse le jeune marié, résigné mais inconsolable. C'est enfin Picasso, qui n'est pas un modèle de fidélité, qui rencontre un soir, à l'occasion d'un dîner, Éva, la compagne de Marcoussis, un autre peintre. La fine, la douce, la jolie Éva détrône — provisoirement — la belle, la grande et forte Fernande, dont les yeux sombres attendrissaient le charbonnier les soirs d'hiver, aux débuts du Bateau-Lavoir, et qui repartait pour quelques jours avec sa facture. C'était toujours cela de gagné !

Gertrude Stein est aussi de toutes les fêtes : le banquet au Bateau-Lavoir, à l'automne 1908, en l'honneur du Douanier Rousseau, où elle doit soutenir Marie Laurencin, ivre morte, du boulevard de Clichy jusqu'à la rue Ravignan. Fernande qui était en charge de la cuisine est affolée. Félix Potin n'a pas livré. Alors les deux femmes mettront la main à la pâte et confectionneront un riz à la valencienne, qui cale les estomacs et atténue les effets euphorisants de l'alcool. Cela n'empêchera pas Apollinaire de faire son discours. Le Douanier, un peu surpris par ce chahut, se laisse aller à des confidences : « Picasso et moi sommes les plus grands peintres de notre temps, lui dans le style égyptien, moi dans le moderne... » Fait-il allusion aux *Demoiselles d'Avignon,* grande toile annonciatrice de la crise des formes et du cubisme et destinée à calmer ses propres angoisses, roulée dans la pièce à côté ? Quant à André Salmon, il finit le dîner debout sur la table.

Les soupers dans la cave d'Ambroise Vollard sont plus calmes. Les Stein vont maintenant régulièrement chez lui, comme ils fréquentent les ateliers de la butte Montmartre. Picasso a proposé à Gertrude de faire son portrait, après avoir exécuté, à la gouache, ceux de Léo et du jeune fils de Michael, Allan. Pendant près d'un an, jusqu'à l'automne 1906, elle pose pas moins de quatre-vingts fois pour ce monument de la peinture moderne dont l'auteur a dit à son modèle, peut-être déçu du résultat, qu'elle finirait par lui ressembler. Pendant ce temps-là, Fernande donne des leçons de français à Alice Toklas. Michael et Sarah vont repartir pour San Francisco, à la suite du tremblement de terre, prendre des nouvelles de la famille restée sur place et de leurs propriétés. On se passionne pour les nouvelles tendances qui sont apparues l'année précédente au Salon d'Automne, où dans une pièce, surnommée la « cage aux fauves » par le critique Vauxcelles, sont montrés les inséparables compères que sont Vlaminck et Derain, et leur déluge de couleurs, en compagnie d'un nouveau venu, qui ne manque pas d'attirer immédiatement aussi l'attention de Léo, Matisse.

Il a dix ans de plus que les artistes du Bateau-Lavoir et ne se mêle pas à leurs jeux turbulents et parfois désespérés. Il fait même presque partie de l'establishment puisqu'il est membre du comité d'accrochage du Salon. Il est marié, a trois enfants, vit bourgeoisement dans son studio du quai Saint-Michel avant d'emménager dans une annexe du Couvent des Oiseaux à Auteuil. Il travaille, jusqu'alors, sous l'influence et parfois chez son mentor, Signac. Il a peint l'été précédent, à Saint-Tropez, *Luxe, calme et volupté,* puisant dans ce vers de Baudelaire l'inspiration nécessaire pour transposer sur la toile une autre vision du monde qui, à travers les styles qui marqueront son évolution artistique, l'accompagnera toute sa vie, la recherche du Paradis sur terre, l'Age d'or.

Au Salon d'Automne de 1905, il n'expose qu'une dizaine d'œuvres, dont un portrait de sa femme avec un grand chapeau (elle est modiste). Des touches de couleurs vives se substituent aux ombres qui soulignent traditionnellement les formes du modèle pour préciser le contour et donner le modelé.

Léo Stein est tout de suite attiré par cet artiste qui a autant retenu les leçons de Cézanne que celles de Gauguin. Le dernier jour du Salon, Léo revient et s'adresse au secrétariat pour faire une offre : on lui répond que l'artiste en demande 500 francs, mais qu'il est d'usage de mar-

chander. Léo Stein se conforme à la règle, sans véritablement y attacher de l'importance. Deux jours après,
Matisse est informé de l'intérêt suscité par son tableau.
L'offre tombe à pic. Il est en proie à des difficultés
financières car il ne vend pas. Sa femme lui conseille
pourtant de ne pas baisser son prix. Il hésite, puis, inquiet
quand même à l'idée de rater une des rares opportunités
qui se présentent, suit finalement le conseil de sa femme :
« Si ces gens veulent ton tableau, ils accepteront d'en
payer le prix. » Et c'est vrai. Léo et Gertrude paient le
prix, demandent à faire la connaissance de l'artiste et lui
rendent visite dans son atelier.

Ainsi commence une nouvelle amitié suivie de nombreux achats. Sur les murs de l'atelier de la rue de Fleurus,
la *Femme au chapeau* est bientôt rejointe par le portrait de
Gertrude par Picasso qui sera accroché juste au-dessous.
Picasso et Matisse font connaissance là, sur les murs et
autour de la table, un soir d'avril 1906. Les deux géants
tout au long du XXe siècle marqueront la peinture,
héritiers d'une lignée qui remonte à Courbet et Manet, qui
se poursuit avec les impressionnistes puis qui se sépare en
deux puissants rameaux, l'un porteur de Cézanne qui
fleurira avec Picasso, l'autre de Gauguin et Van Gogh qui
s'épanouit avec Matisse. Picasso a bien fait un détour par
Lautrec et Matisse par Seurat. Ce dernier reconnaît aussi
son immense dette envers Cézanne, lorsqu'il est tenté par
le pointillisme avant de se fondre un instant chez les
Fauves. Leurs routes ont très tôt divergé, mais le point de
départ de leur quête est commun : l'abolition de la
perspective, initiée par Cézanne et Gauguin, et la découverte de nouveaux modes de représentation, en rupture
avec ce qui avait servi de code depuis le début du
XVe siècle à tous les artistes. Les volumes éclatés du

cubisme comme les aplats colorés de Matisse ne sont que les deux ultimes prolongements d'une même recherche : sortir d'une certaine logique géométrique pour transmettre une émotion, une perception personnelle de la réalité.

L'achat de la *Femme au chapeau* marque le début d'une amitié et la première étape de la reconnaissance internationale des mérites de Matisse. Aux Indépendants, six mois plus tard, Léo achète *La Joie de vivre,* non sans avoir attendu de son frère des nouvelles rassurantes de San Francisco, qu'il revendra juste après la guerre au collectionneur-marchand Tetzen-Lund, qui le revendra à son tour à Barnes par l'intermédiaire de Paul Guillaume. Aux Indépendants suivants, au printemps 1907, il acquiert le *Nu bleu, souvenir de Biskra.* C'est John Quinn, l'autre grand collectionneur américain d'art moderne de l'époque, qui l'achètera ensuite, après l'avoir vu, bien sûr, dans l'atelier de la rue de Fleurus. Après sa mort, le tableau ira rejoindre, à Baltimore, la collection d'Etta Cone, à cent kilomètres au sud de chez Barnes. La boucle était bouclée. En dix-huit mois, Léo Stein a donc acquis les trois tableaux majeurs de Matisse.

Gertrude et Léo rejoignent les Matisse durant l'été 1907 sur la Côte d'Azur. Ils descendent ensuite vers Florence et s'arrêtent à Settignano chez Berenson, sur les hauteurs de Fiesole. Les Matisse se lient à leur retour avec Michael et Sarah qui reviennent eux de San Francisco. Ceux-ci acquièrent *La Raie verte,* cet autre célèbre portrait de Mme Matisse où le visage est divisé verticalement par une épaisse ligne de couleur vert amande, mais aussi une grande étude pour *La Joie de vivre,* puis plus tard la première version des *Poissons rouges, Les Oignons,* le célèbre *Portrait de Derain* et l'*Autoportrait* de 1906.

A la veille de la guerre, ils accepteront, sous la demande pressante de Matisse, de prêter dix-sept tableaux pour une grande exposition qui se tient à Berlin à la galerie Gurlitz. Le conflit éclate. Les tableaux sont bloqués. En 1917, après l'entrée en guerre des États-Unis, les Stein craignent que leurs biens soient saisis. Ils acceptent alors la proposition de deux marchands nordiques, Christian Tetzen-Lund et Trygve Sagen, d'une vente fictive. Seulement, après la guerre, les deux hommes considéreront la transaction comme définitive et revendront les tableaux dans le monde entier, ce qui, d'une certaine façon, contribuera à la notoriété internationale de Matisse. Mais Michael et Sarah ne reverront jamais leurs chefs-d'œuvre. Pour les consoler, Matisse leur offrira en 1916 leurs portraits à tous deux.

En 1907, et grâce aux Stein, Matisse est lancé. Il vend et commence à surmonter ses difficultés matérielles. Habitué de la rue de Fleurus, et des samedis, il ne fait pourtant pas partie de la bande à Picasso, question d'âge, de mode de vie. Il préfère l'atmosphère familiale aux soirées fiévreuses et parfois embaumées par les volutes blanches de l'opium des compères d'Apollinaire. Bientôt, il attire l'attention de deux grands collectionneurs russes, Chtchoukine et Morozov, et reçoit la commande de la décoration du palais Troubetzkoï à Moscou, pour lequel il exécutera *La Danse* et *La Musique*. Avec l'argent, il peut déménager et s'installer dans une maison à Issy-les-Moulineaux.

Dès cette époque, Matisse est un peintre arrivé, trop cher par exemple pour Kahnweiler. Mme Matisse a pu enfin abandonner sa petite boutique de modiste. Il signe un contrat avec le marchand de la rue du Faubourg-Saint-Honoré, Bernheim de Villiers. Michael et Sarah Stein l'incitent à ouvrir une académie où il accueille des peintres allemands ou américains comme Hans Purmann et Alfy Maurer.

La notoriété du salon Stein croît non avec le succès des publications de son hôtesse, mais avec la célébrité, parfois sulfureuse, de ses peintres. Il n'est bientôt plus personne de passage à Paris qui ne lui « paye » une visite. Berenson reste interdit devant la peinture du Douanier Rousseau, mais s'intéresse à Matisse. Marie Laurencin minaude devant Apollinaire. Henri-Pierre Roché, le grand entremetteur, le futur poisson-pilote de John Quinn, tisse le précieux réseau de relations qui lui permettra après la guerre de devenir l'agent de nombreux amateurs américains. Les maîtresses de Picasso défilent. Léo, pourtant, lassé, décide de repartir pour Florence. Nous sommes en 1913. Alice Toklas et Gertrude Stein filent le parfait amour. La collection est donc partagée : Gertrude garde la plupart des Cézanne, les Picasso et le premier Matisse qu'ils ont acheté, la *Femme au chapeau*. Léo part avec les Renoir et le reste des Matisse — mais quels Matisse, *La Joie de vivre*, le *Nu bleu*.

La guerre bientôt disperse le cercle des fidèles. Matisse, trop âgé pour être mobilisé, s'installe à Nice. Apollinaire, Derain et Vlaminck sont au front. Leur vie aussi a changé avec la subite prise de conscience de la valeur marchande exceptionnelle de leurs tableaux. Léo et Gertrude en 1904 avaient acheté deux beaux Picasso pour 800 francs. En 1914, a lieu la vente de la Peau de l'Ours, cette association d'amateurs qui avait décidé, sous l'impulsion d'André Level, d'acquérir des œuvres contemporaines dans le but de les revendre au bout de dix ans. Ils voulaient ainsi démontrer que l'art pouvait aussi être un placement, notamment l'art moderne. *La Famille des saltimbanques*, un grand Picasso de la période bleue, est enlevée par la galerie Tannhauser de Berlin pour 10 000 francs. En dix ans la relation entre les Stein et leurs artistes s'est en quelque sorte inversée. Les revenus perçus des concessions de tramways de San Francisco ne suffisent plus pour leur donner les moyens de jouer au mécène. Au contraire, progressivement, c'est le prix atteint par les Picasso bleus ou roses qui permet à Gertrude de vivre.

La radicalisation des choix esthétiques a contribué également à séparer les trajectoires. Gertrude — et non Léo — s'engage résolument du côté du cubisme, qui a provoqué la rupture entre Braque et Derain, lesquels avaient l'habitude de passer leurs étés ensemble, sous le soleil et la lumière de la Méditerranée, à Céret ou à Collioure. Kahnweiler, qui reste jusqu'à la guerre un pilier de la rue de Fleurus, excommunie tous ceux qui osent exposer sous ce drapeau sans son approbation, comme Gleizes, Metzinger et surtout ceux qui en parlent. Il se brouille définitivement avec Apollinaire, qui vient de publier *Les Peintres cubistes*. Il le tient pour un poète génial mais un critique nul. En réalité, il lui reproche aussi son infidélité. Il avait publié en 1909 son premier livre, *L'Enchanteur pourrissant*, illustré par Derain. Cette fois le poète a donné *Alcools* au Mercure de France, avec un frontispice de Picasso. Kahnweiler est ulcéré. Ce faisant, et sans le savoir, il laisse sa place de défenseur de l'avant-garde à un jeune marchand audacieux et clairvoyant, Paul Guillaume.

Le salon Stein ne fut ni Guermantes, bien que situé à côté du faubourg Saint-Germain, et encore moins Verdurin. Proust l'ignora, tout comme il resta insensible à la naissance de l'art moderne, occupé à son œuvre et définitivement attaché aux choix de Ruskin, apôtre d'un néoclassicisme aux antipodes des mouvements de son temps mais qui avait séduit les collectionneurs anglo-saxons et dont il avait traduit les premiers livres en français. Ces deux mondes, le xixe siècle finissant et le xxe siècle naissant, se sont ainsi croisés en s'ignorant. C'est le salon Stein qui a contribué à donner, non une simple aisance matérielle, mais un rayonnement international rapide à ce groupe d'artistes qui a marqué le xxe siècle. C'est aussi le salon Stein, et pas seulement les marchands, qui a rendu accessible à des collectionneurs étrangers cet art nouveau. Les œuvres étaient au début bon marché. On les trouvait assez facilement dans les galeries de la rue Laffitte ou dans les ateliers de la Butte. Mais c'est l'exemple donné par les Stein surtout qui a incité d'abord les Russes Chtchoukine et Morozov puis Quinn, et juste après Albert Barnes, à suivre leur voie.

Le spectacle de cette assemblée cosmopolite, créative, audacieuse, aux mœurs souvent non conformistes ou non conformes aux usages en vigueur a, d'une certaine façon, convaincu ces étrangers de se lancer dans la même aventure, par collection interposée. Ils doivent aux Stein — Quinn d'abord qui fut immédiatement adopté par Gertrude, Barnes ensuite qui était plus proche de Léo — leurs succès de collectionneurs.

CHAPITRE 4

Albert Barnes à Paris

La mission qu'Albert Barnes, au début de 1912, a confiée à son camarade de collège est simple et précise : acheter, pour un montant maximum de 20 000 dollars, des tableaux impressionnistes à Paris. Le séjour doit être aussi bref que possible et on se doute, d'après les confidences que le peintre a faites à sa femme, que la question du coût de ce voyage a dû être étudiée de près. Il n'est pas organisé comme une partie de plaisir. Le comportement de Barnes est alors aux antipodes de celui des amateurs plus fortunés qu'éclairés qui faisaient défiler dans leur suite du Ritz marchands et joailliers avides de présenter leurs plus belles pièces.

Glackens lui a vanté le projet sous deux aspects : Barnes doit collectionner Renoir et les artistes de cette école, parce que ce sont eux qui seront demain reconnus comme les grands maîtres des temps modernes. Glackens n'est pas tout à fait objectif puisqu'il se définit lui-même comme un de leurs émules. Mais il ne s'est pas trompé. Ensuite, il y a à Paris un choix de leurs œuvres beaucoup plus vaste qu'à New York, et il peut s'en rendre propriétaire à meilleur marché, même s'il devra acquitter des droits de douane. L'écart de prix entre Paris et New York n'est pas lié à la faiblesse du franc, qui se tient bien, mais à une prime de rareté facilement compréhensible sur le marché américain. Entre 1900 et 1914, un dollar vaut environ cinq francs. En 1920, il monte jusqu'à douze francs puis quinze en 1923 avant la stabilisation de Poincaré. Pour obtenir l'équivalence en francs d'aujourd'hui, il faut encore multiplier par quinze environ.

En réalité, Barnes, quand il envoie son ami à Paris, ne se conduit pas uniquement comme un amateur d'art, mais aussi comme un homme d'affaires. La mission de Glackens est un test. Elle est organisée comme une opération commerciale. Il n'y a pas encore dans l'esprit de son commanditaire de séparation, de rupture entre sa vie d'industriel et sa démarche de collectionneur. Il n'y cherche pas l'évasion, le rêve, le délassement face à la vie des affaires; pour lui, cette activité en est presque une partie intégrante, en tout cas ne peut s'en détacher et doit obéir aux mêmes règles. Ce comportement singulier, atypique à ses débuts, évoluera avec l'âge, mais Barnes conservera toujours dans sa manière d'acheter et de collectionner une part de professionnalisme, de précision, de rigueur qui guide son rapport à l'art, dès le début, et qui ne fera que s'affirmer avec le temps. Barnes, lors de ses premiers achats, n'est pas un collectionneur comme les autres, parce qu'il n'en attend pas le même type de satisfaction que ceux qui se sont lancés dans cette aventure pour le prestige, le succès mondain ou le souci de faire oublier une origine sociale modeste.

Glackens embarque donc à New York sur le *Rochambeau* et accoste le 12 février 1912 au Havre. A bord, la veille de son arrivée, il écrit à sa femme Edith pour lui annoncer qu'il doit « rencontrer le lendemain à une heure, Alfy Maurer, qui va [le] présenter à un certain M. Stein, un homme qui collectionne Renoir, Cézanne, Matisse ». La jonction est donc faite instantanément avec le cœur de l'action, grâce à ce compagnon de route du groupe des VIII.

Alfy Maurer est un familier des milieux artistiques parisiens. Fils d'un peintre reconnu de Philadelphie, il a même entrepris une carrière académique. Il est distingué par le prix Carnegie en 1901. Puis il part pour la France. En 1904, il présente ses tableaux à la Nationale des Beaux-Arts, qui est une manifestation très classique, un Salon tout à fait conservateur. Il fait ensuite la connaissance des Fauves et tombe sous l'influence de Matisse dont il ne s'affranchira plus. En 1909, il expose à la galerie d'Alfred Stieglitz, à New York, mais il est littéralement éreinté par la critique qui ne voit ni santé mentale, ni beauté, ni harmonie dans son œuvre. Il a mal tourné, dit-on, lui aux débuts si prometteurs, sous l'influence de la France, et « il ferait mieux de rentrer à la maison ». Il ne rejoindra son pays qu'à la déclaration de guerre mais il ne connaîtra jamais le succès et se suicidera en 1932, ne pouvant surmonter la terrible contradiction qu'il portait en lui : la fascination du milieu parisien lui avait enlevé toute personnalité, toute capacité créatrice, mais il restait prisonnier d'une voie que ses inspirateurs avaient depuis longtemps abandonnée. Et il n'a jamais su rompre avec cette époque pour redevenir lui-même. Barnes, pour l'aider, lui confie plus tard la représentation de l'Argyrol en France. Il lui commande aussi un portrait de Laura qui est toujours à Merion, dans le hall d'entrée de la résidence, qui servait aussi de siège administratif à la Fondation. Très timide, Laura Barnes fit accrocher le tableau à gauche en entrant. Il est encore difficilement visible, masqué en partie par une collection de céramiques que Jean Renoir, avant qu'il ne devienne cinéaste, avait réalisées pour le collectionneur des œuvres de son père. Artiste, cultivé et brillant, américain, Alfy Maurer a, à cette époque, toutes les qualités requises pour fréquenter le salon Stein et y introduire Glackens.

Il y a là aussi Max Weber, autre exilé américain venu tenter l'aventure après avoir été, lui, à la pointe de l'avant-garde new-yorkaise. Ils sont tous deux, depuis longtemps, des habitués de la rue de Fleurus, de Montmartre et des galeries de la rue Laffitte, et parfaitement au courant des tendances les plus récentes qui agitent le Paris bouillonnant de ce début du xxᵉ siècle. Il n'est donc pas surprenant que Maurer suggère à Glackens de frapper d'abord à cette porte pour s'acquitter de l'étrange tâche dont il est chargé.

Mais si celui-ci s'est tout de suite adressé au bon endroit, les choses se révèlent plus difficiles que prévu en raison des prix. Renoir n'a jamais été un artiste bon marché. Il a même reçu une consécration officielle en 1894 avec la commande par l'État des *Jeunes Filles au piano*. L'artiste y attache d'ailleurs une telle importance qu'il en réalisera pas moins de six versions. Malgré une production abondante, les cours se tiennent bien. L'écart avec New York néanmoins reste sensible. L'opération, à condition de trouver des tableaux directement chez des particuliers, peut être intéressante. La mauvaise surprise vient de Cézanne. Le temps n'est plus où l'on pouvait trouver chez le père Tanguy pour quelques centaines de francs, ou chez Vollard à ses débuts pour quelques milliers, une nature morte ou un paysage. La grande rétrospective de 1907 est passée par là. La reconnaissance par la jeune génération aidant, la critique s'y est intéressée. Il y a en 1912 de gros collectionneurs, le banquier Camondo et surtout l'industriel Auguste Pellerin. Les œuvres importantes atteignent maintenant dix ou vingt mille francs, soit plusieurs milliers de dollars. Matisse est, lui aussi, déjà un peintre financièrement à l'aise, donc cher, grâce aux achats répétés de toute la famille Stein, et surtout aux grandes commandes de Chtchoukine pour Moscou. Même la cote de Picasso monte, malgré les controverses provoquées par le cubisme, pour les œuvres antérieures. Il a trouvé des amateurs. Les prix ont plusieurs zéros de plus qu'à l'époque héroïque du Bateau-Lavoir.

Cette montée spectaculaire est aussi la conséquence du climat de prospérité qui règne à la veille de la guerre. Degas, Monet et Renoir, grâce aux achats américains, ont été les premiers à devenir chers. Les postimpressionnistes ont suivi, Van Gogh et Cézanne, et nombre d'amateurs n'ont plus eu la possibilité d'acheter. Ils se sont alors reportés sur une peinture encore plus audacieuse pour leur temps. La condamnation des critiques, le précédent de Van Gogh aidant, ne constitue plus, au contraire, un obstacle à l'appréciation financière des œuvres, et cela se sait. Comme l'esprit de spéculation n'est jamais absent de la démarche du collectionneur, il y a un véritable engouement pour certains artistes, par ailleurs vilipendés par l'establishment mais cela n'a plus tellement d'importance. L'appréciation financière des tableaux, donc de la valeur d'une collection, devient un moyen de justifier des choix hétérodoxes, de passer pour un connaisseur. Il est de bon ton également, pour un homme d'affaires ou un industriel qui a réussi, même s'il n'a pas besoin de réaliser son capital, de montrer qu'il a été un acheteur avisé, qu'il a eu l'œil au bon moment. Ce raisonnement qui se répand vers 1910 était, vingt ans plus tôt, à peine imaginable. A l'inverse, il n'est pas possible de recevoir ses confrères ou ses concurrents, voire ses banquiers, en montrant une collection de tableaux dont la cote s'est effondrée. C'est une question de prestige. Ces principes sont encore plus valables, aujourd'hui où la publicité faite sur la valeur — ou le prix — des œuvres d'art s'est amplifiée.

Trois jours après son arrivée, Glackens a déjà acheté son premier tableau, un petit Renoir, la *Jeune Fille lisant,* qu'il paye 1 400 dollars chez Durand-Ruel, non sans avoir un peu marchandé. Il goûte aussi à la vie parisienne. C'est mardi gras. Avec Maurer, ils vont, masqués, au bal Bullier. Toute la journée, ils ont fait les galeries, exploré les ateliers, tenté de dénicher des particuliers prêts à vendre à meilleur prix que les marchands, car les consignes de Merion sont extrêmement strictes. Glackens retourne chez Durand-Ruel la semaine suivante pour acheter encore deux Renoir, de petit format, dont une *Vue de Montmartre* qui est toujours, comme la *Jeune Fille lisant,* à la Fondation. Puis, avec plus d'audace et sur le conseil de Gertrude Stein probablement, il va jusque chez Vollard où il choisit un Picasso datant de la période de Barcelone, avant son installation à Paris, pour 1 000 francs : *Jeune Femme tenant une cigarette.* Le 1er mars, éreinté, Butts informe sa femme que sa mission est achevée et qu'il est satisfait. Un Degas superbe lui est proposé mais il a déjà tout dépensé. Il lui faut dépasser le budget. Barnes, contacté par câble, donne son accord pour couvrir le supplément. Glackens reprend alors le bateau, le sentiment du devoir accompli.

D'après le compte-rendu qu'en a fait le peintre à son entourage, Barnes est dérouté par le résultat du voyage. Il était pourtant familier de ces artistes parisiens, Renoir, Degas, au moins, que l'on pouvait déjà voir dans quelques galeries new-yorkaises mais qu'il avait pour l'instant délaissés au profit d'une peinture plus proche des goûts de son épouse. Il hésite même à les accepter, au point que Glackens lui propose de les lui racheter. Après plusieurs changements de cadres et probablement d'accrochages, Barnes finit par décider de garder les œuvres et valide le choix de son ami. Il n'est plus question de rachat. Les acquisitions ultérieures se situeront dans une ligne conforme à l' « échantillon » rapporté par Glackens. Barnes n'accorda jamais une importance particulière à ces premiers achats. Mais ce qui est sûr, c'est qu'après les avoir minutieusement analysés, il passa du test à l'action en vraie grandeur.

Quelques mois plus tard, durant l'été, il se rend lui-même à Paris. Va alors commencer le rassemblement le plus massif et le plus spectaculaire d'œuvres d'art qu'on ait vu en Europe depuis Catherine II, cette impératrice vorace comme l'appelait Diderot, qui avait constitué en moins de quinze ans la fabuleuse collection de l'Ermitage. Les principes esthétiques qu'il a appliqués dès ses tout premiers voyages ne varieront pas pendant les trente années que dureront ses acquisitions et il restera constamment fidèle à son choix de base : Renoir, Cézanne, puis Matisse, dont il aura des œuvres dès le début mais auquel il ne s'intéressera à une grande échelle qu'à partir de son retour en France après la guerre.

A la différence des musées ou du collectionneur ordinaire, quels que soient ses moyens, il s'est intéressé à l'œuvre dans sa globalité, au processus créatif dans tous ses détails. Et c'est la raison pour laquelle, à Merion, on est parfois submergé, interdit, et même gêné pour apprécier certains tableaux qui nous semblent secondaires, ou inintéressants. C'est parce que nous ne suivons pas la même démarche que Barnes. S'il a acheté tel ou tel tableau apparemment mineur, c'est parce qu'il apporte une réponse, comme une pièce d'un puzzle, un exemple, un éclaircissement, à l'un des aspects de l'art de Cézanne ou de Renoir. Il s'inscrit en faux apparemment contre Poussin, pour qui le but suprême de l'art était la délectation.

Le but suprême de Barnes est alors avant tout réflexion et éducation, même si cela débouche sur un enrichissement intellectuel et moral. Il met en pratique dans son action de collectionneur, comme à l'atelier, les concepts de James. Pour favoriser l'épanouissement humain, l'art est une composante essentielle et le contact direct avec les œuvres est irremplaçable pour susciter l'intérêt, principe élémentaire de pédagogie. Pour apprécier Renoir ou Cézanne, il est donc nécessaire de disposer à portée du regard ou de l'esprit d'un ensemble suffisamment complet d'œuvres des deux artistes. Et rapidement. Voilà pourquoi l'accumulation de tableaux, qui apparaît aujourd'hui aussi spectaculaire qu'inégale et parfois inutile, a revêtu un tel caractère dès l'origine.

Barnes frappe aux mêmes portes que Glackens et débarque un samedi soir chez les Stein. Alice Toklas, alias Gertrude Stein, a donné de cette arrivée une description sans complaisance, au début de sa pseudo-autobiographie. Elle avait un soir surpris Alfy Maurer, son frère Léo et un inconnu dans l'atelier en train de regarder les tableaux.

« L'inconnu ne lui plut pas, ajoute l'auteur. " Qui est-ce ? demanda-t-elle à Alfy. — Je ne l'ai pas amené, dit celui-ci. — Il a l'air d'un juif, dit Gertrude Stein. — Il est pire que cela ", répondit Alfy. » Alfred Maurer était mort quand Gertrude Stein relate la scène et elle n'a jamais aimé Barnes, qu'elle décrira toujours brandissant son carnet de chèques.

En fait, Barnes et Gertrude Stein ne s'entendront et ne se fréquenteront jamais, même si dès 1912 elle lui cède un somptueux Picasso bleu, *L'Acrobate*. Barnes n'imagine une femme que dans la condition d'épouse ou de collaboratrice. Assurément Gertrude n'était faite pour être ni l'une ni l'autre. Son homosexualité affichée et assumée était aussi probablement intolérable pour le puritanisme de ce Philadelphien épris d'un certain ordre moral, avec lequel d'ailleurs il trouvait pour lui bien des accommodements. L'incident du carnet de chèques est aussi un peu symbolique. Elle a décrit avec cette image la réalité du comportement d'un homme dont le seul mobile, lorsqu'il visite Paris, du moins à ses premiers voyages, est d'acheter des tableaux au meilleur prix. Gertrude vend encore à Barnes un peu plus tard deux Matisse qu'elle avait achetés à la galerie Druet en 1907. Lui se sent beaucoup plus proche de Léo, esthète dilettante qui a accumulé, depuis son long séjour à Florence, une remarquable connaissance de l'histoire de l'art occidental. C'est à ce titre qu'il attire Barnes, au moins autant que comme introducteur dans le milieu parisien des marchands ou comme intercesseur auprès de sa sœur pour qu'elle accepte de lui vendre des tableaux. Mais il comprend vite que Léo a fort peu d'influence sur elle. Ils ont tous deux le même âge. Leurs relations passeront par des hauts et des bas, mais ils ne se perdront jamais complètement de vue.

C'est indiscutablement Léo Stein qui lui a fait comprendre l'importance de Cézanne, même si ce n'est pas le peintre préféré de celui-ci. Il lui fait aussi découvrir Matisse dont il a été, avec sa sœur, l'un des tout premiers clients. C'est encore lui qui l'introduit chez son frère et sa belle-sœur, Michael et Sarah. Leur jour de réception est également le samedi et les amateurs vont alternativement chez les uns ou les autres. La collection de Michael et Sarah est principalement axée autour de Matisse. Ils ont soutenu financièrement la création de son académie, dans une annexe du Couvent des Oiseaux rendue libre par l'expulsion des congrégations. Ils vont parfois en vacances ensemble dans le Var où ils se retrouvent à Cavalière ou au Rayas. Matisse leur vend beaucoup et même leur prête des toiles trop grandes pour être accrochées chez lui, comme le *Luxe*. Barnes ne fait pas davantage preuve de tact, quand il passe chez eux, qu'avec Gertrude. Il propose ostensiblement d'acheter et s'étonne que l'on invite pour voir des tableaux chez soi si l'on n'a pas envie de vendre. Mais le jeune couple ne cédera pas.

Barnes dès 1912 fréquente assidûment les marchands. Au mois de juin, il a acheté chez Bernheim un Gauguin (peut-être *Haere Pape*) et un Van Gogh. Il revient en décembre et est conduit par Alfy Maurer chez Vollard. Il lui achète trois Cézanne, le 10 décembre, une petite nature morte (fruits) pour 5 000 francs, des *Baigneuses* de 1888 pour 15 000 francs et un *Portrait de Mme Cézanne* de la même époque pour 40 000 francs. Vollard avait payé le portrait 300 francs au peintre une dizaine d'années plus tôt. Alfy Maurer, si on en croit les archives du marchand, recevra 4 500 francs de commission sur ces achats, ce que Barnes ne saura jamais. C'est à cette occasion qu'il se heurte pour la première fois à cet autre redoutable négociateur qui se vantera, dans ses mémoires, d'afficher un prix supérieur au prix annoncé chaque fois que le client fait mine de marchander ou se ravise, en revenant le lendemain, penaud. Il avait fait le coup à Matisse quand il avait voulu lui acheter l'*Arlésienne* de Van Gogh pour

600 francs. Le lendemain, lorsque le peintre lui en offrit 500, il répondit : 900 francs. C'est pourquoi Barnes évitera, par la suite, de traiter directement avec lui. Un quart de siècle plus tard, lors de sa visite à Merion, les deux hommes, dont les caractères n'étaient finalement pas très différents, se réconcilieront de façon spectaculaire devant la collection, enfin achevée.

Le grand événement de ce mois de décembre 1912, c'est la vente Rouart. Cet amateur exceptionnel avait rassemblé une collection comportant non seulement de la peinture classique française et espagnole des XVIIIe et XIXe siècles, mais aussi des impressionnistes de haute qualité et de la peinture moderne, des Gauguin et des Cézanne. Henri Rouart était devenu l'ami — ce qui n'était pas facile — de Degas qui venait parfois en villégiature dans sa propriété de La Queue-en-Brie. La collection était à la fois représentative du goût du XIXe siècle, avec la redécouverte de Goya et du Greco, et des audaces du début du XXe siècle. C'était surtout la première fois qu'à grande échelle étaient confrontés en même temps, au feu des enchères, les anciens, Delacroix, Chardin, Fragonard, aux nouveaux maîtres de l'impressionnisme, Degas, Manet, Monet, et à Picasso et à Cézanne.

La vente fut un succès financier considérable, puisqu'elle rapporta près de 6 millions de francs. Surtout elle fut le point de départ de l'envol de la cote des impressionnistes. Les *Danseuses à la barre* de Degas furent poussées jusqu'à 475 000 francs par Paul Durand-Ruel sur commission, contre le musée du Louvre qui avait débloqué spécialement une enveloppe de 400 000 francs. Ce prix était le plus élevé, pour un tableau peint par un artiste vivant, soit l'équivalent de plus d'un million de dollars d'aujourd'hui, mais à une époque où la richesse globale et

les moyens de paiement en circulation étaient probablement dix fois moindres.

Durant cette vente, l'État dépense plus d'un million
pour compléter sa collection de Corot, de Delacroix, de
Millet et acheter deux superbes Daumier, mais ne lève pas
le doigt pour la peinture réprouvée, fidèle à sa doctrine, et
laisse partir des dizaines d'œuvres majeures. Barnes
assiste à la vente. Il achète encore trois Cézanne, deux
petites natures mortes pour 10 000 francs et un nouveau
tableau des *Baigneuses* qu'il doit payer un peu plus cher
que celui qu'il a acquis chez Vollard. Mais voilà, il est un
peu plus grand. Vollard a fait monter les cours pour
arriver exactement au prix conforme à celui qu'il pratique
chez lui.

Barnes fait rapidement son apprentissage. A force de
brandir son carnet de chèques, de répéter à qui veut
l'entendre qu'il est acheteur, il court le risque de faire
monter les prix et il vient d'en faire l'expérience. Les échos
de sa réussite financière et de sa passion subite pour la
peinture ont traversé l'Atlantique. Et le petit monde des
marchands comme des peintres a vite fait de repérer
l'amateur argenté. Or c'est précisément ce qu'il veut
éviter. Il va donc changer de méthode et faire comme tous
les grands collectionneurs, avancer masqué, avoir recours
à un intermédiaire de façon à ce que le vendeur ne sache
pas à qui il a affaire, surtout si ce vendeur est lui-même un
marchand.

Louisine Havemeyer était passée par Paul Durand-Ruel
en exigeant l'anonymat lors de la vente Rouart. L'identité
de l'acheteur ne sera révélée que deux semaines après.
Barnes s'adresse alors à Georges Durand-Ruel, le fils du
légendaire marchand qui avait soutenu les impressionnistes dès leurs débuts. Il va entretenir avec lui pendant

près de dix ans, jusqu'à ce qu'il fasse la connaissance de Paul Guillaume, des relations très suivies, le chargeant systématiquement de négocier pour son compte. Le dépouillement des archives Durand-Ruel, entrepris par une équipe autour de John Rewald très récemment, montre la dureté de leurs discussions, le marchandage perpétuel, les coups de théâtre et les annulations. Rewald en tire la conclusion que Barnes était un « vilain Américain » et l'oppose à John Quinn, l'avocat d'affaires à succès, qui, avec moins de moyens, s'est engagé dans une démarche analogue, peut-être davantage tournée vers l'avant-garde.

En réalité, ce que John Rewald, quarante ans après les faits, reproche à Barnes, ce n'est pas sa rigueur et parfois sa rudesse en affaires, qui était le trait de tous les vrais collectionneurs, Quinn y compris, c'est ne pas avoir été reçu à Merion avec les égards qu'il estimait dus à sa grande connaissance de Cézanne. Il faut dire que la porte close qu'il a trouvée n'a pas dû le surprendre puisqu'il avait publié quelques semaines plus tôt un article hostile à la Fondation.

Les relations entre Barnes et les Durand-Ruel à l'époque sont le reflet de la volonté du premier de ne pas surpayer ce qui lui est proposé, et du souci des seconds de s'assurer les bonnes grâces d'un client dont ils ont perçu tout de suite qu'il pouvait devenir un collectionneur hors pair. En plus, cela ne doit pas trop déplaire au fils de la grande maison d'en faire rabattre un peu à Vollard, « Sa Majesté Vollard Premier », comme le surnomme déjà Barnes.

En avril 1913, le marchand écrit triomphalement à Barnes qu'il a pu faire baisser le prix d'un Cézanne de 30 000 à 23 000 francs, ce qui fait, avec sa commission de

10 %, un prix de 25 300 francs. Le collectionneur lui répond instantanément que, pour une telle transaction, une commission de 5 % est suffisante et il emporte le tableau pour 24 200 francs.

Deux mois plus tard, Barnes est à nouveau à Paris. Le 13 juin 1913, il bâtit un vaste programme d'acquisition et un plan de financement. Il confie au marchand une série d'ordres pour une vente importante qui se tient dans quelques jours, la collection Nêmes. Peu avant de conclure, Barnes appelle pour lui dire que tout est annulé, qu'il a un problème de trésorerie parce qu'il fait construire cinq maisons autour de sa propriété de Merion et que cela fait beaucoup d'argent immobilisé. Puis il se ravise. Vollard demande 50 000 francs pour deux Picasso, un Renoir et un Cézanne. Barnes mandate Durand-Ruel pour lui faire, toujours dans l'anonymat, une contre-proposition : 35 000 francs pour le Cézanne et les deux Picasso, payés en cinq traites de 7 200 francs chacune. Finalement l'affaire se fait. Les Picasso sont la grande composition de la période rose *Les Bœufs,* qui se trouve toujours à Merion dans la grande galerie, et un *Enfant* de la période bleue. Le Cézanne, c'est un paysage, *Maisons au milieu d'arbres,* que Vollard avait payé 200 francs au peintre. Vollard réinvestit immédiatement le produit de cette vente en achetant au fils de Cézanne la grande version des *Joueurs de cartes* pour la somme déjà très élevée de 100 000 francs. En avril de l'année suivante, Barnes achète, directement cette fois, à Durand-Ruel un Greco et sept Renoir. En mai, il fait exécuter un ordre pour la vente Wyzewa, un beau nu de Renoir encore, une *Femme à la toilette,* pour 40 000 francs.

La collection prend donc tournure. En février 1914, il a écrit à Léo Stein, à Florence, qu'il possède déjà vingt-cinq

Renoir, douze Cézanne et douze Picasso et qu'il a acheté en outre une série de dessins de l'époque des *Arlequins,* quand la bande du Bateau-Lavoir descendait de la Butte pour aller à Médrano. En juillet, il se ravise à nouveau, prétextant que le Greco est douteux et demande une indemnité parce que les cadres des Renoir ont été endommagés. Cette fois Durand-Ruel tient bon et donne toutes garanties sur le tableau. Pour les assurances, la guerre a été déclarée entre-temps. Il doute qu'elles acceptent de payer. L'année suivante, Durand-Ruel voit chez Vollard la *Femme au chapeau vert,* un des plus beaux portraits que Cézanne ait faits de sa femme vers 1885. Il en demande 35 000 francs. C'est la guerre et le marchand doit être réaliste. Il le lâche pour 33 000 francs et Durand-Ruel le propose alors à Barnes pour 40 000 francs qui l'accepte. Pour Barnes non plus, il n'est pas question de marchander. D'ailleurs, le cours du franc est en train de baisser et cela se révèle une excellente affaire.

Quand il vient à Paris, Barnes ne se contente pas de courir les galeries frénétiquement, comme l'ont conté ses compagnons de voyage. Il visite les musées, livres en main, ceux de Berenson, de Meier-Graeffe ou de Fry, et entreprend un travail en profondeur de réflexion sur l'histoire de l'art, le sens des mouvements qui se sont succédé. Il rassemble sur le terrain le bagage théorique et historique qui lui fait encore défaut et qui dépasse de loin le délassement d'un homme d'affaires à succès. Il veut comprendre, pour mieux apprécier, et il se prépare aussi à donner à sa vie une dimension nouvelle et à exposer les réflexions, donc les théories, qu'il échafaude à partir de son observation des chefs-d'œuvre. Déjà il semble obsédé par le jugement que l'on peut porter sur une œuvre d'art, donc sur la hiérarchie des maîtres, anxieux qu'il est d'éclairer ses propres choix. Pour l'instant il accumule des connaissances... et des tableaux. Cette période voit aussi le déclin du cercle Stein.

Gertrude a épousé complètement la cause des cubistes et reste extrêmement liée à. Kahnweiler, et c'est ce qui l'éloigne encore davantage de Barnes. Ce faisant elle se coupe progressivement aussi de toute une partie de l'avant-garde, celle qui va bientôt graviter autour du nouvel ami d'Apollinaire, le jeune marchand Paul Guillaume. Les choix de Barnes à cette époque sont ceux de Léo, voire de Sarah et de Michael dont il commence à partager la dévotion pour Matisse, mais pas ceux de Gertrude et encore moins ceux de Kahnweiler. Il n'achètera jamais un Picasso postérieur aux *Demoiselles d'Avignon,* mais sa collection d'œuvres des périodes bleue et rose est déjà exceptionnelle.

Car pour lui, un marchand doit rester un marchand, et ne pas devenir un gourou, imposer ses choix esthétiques, soutenir des artistes. Il doit offrir au client, au meilleur prix, ce qu'il recherche. Et Barnes respecte Vollard comme marchand ou Durand-Ruel, mais Kahnweiler l'horripile car il veut toujours avoir raison.

Barnes n'a pas non plus adhéré au cubisme uniquement en raison de l'absence d'affinités personnelles avec les tenants de ce mouvement. Depuis qu'il fréquente les peintres et le monde de l'art, son œil commence à s'exercer, ses références à s'affiner. Il recherche l'universel et, comme il le dira plus tard, les grands maîtres de demain. Dans Renoir, dans Matisse comme chez Cézanne ou dans les premiers Picasso, il y a une longue histoire, une généalogie, qui rattache ces maîtres qu'il découvre aux grands artistes admirés de tout temps et dont il cherche à savoir pourquoi. Et puis il y a la dimension d'un pari dans cette décision. Le cubisme ne durera pas. Ce n'est qu'un épisode, une parenthèse qui ne l'intéresse pas. Et l'avenir lui donnera raison, d'abord lorsque Picasso abandonne cette voie pour revenir à un ingrisme, certes caricatural, et plus tard, dans les années vingt, lorsque ce qui fut un moment de recherche d'une fécondité exceptionnelle devient un procédé décoratif.

On découvre à cette occasion un trait caractéristique de Barnes : il s'intéresse plus aux peintres qu'aux tableaux. Il cherche à trouver, à sélectionner ceux qui par leurs qualités propres se distinguent suffisamment pour acquérir à la fois personnalité et influence sur leurs condisciples qui leur confèrent le statut de chef d'école. En 1914 il n'a probablement pas encore en tête le projet de créer une fondation et de consacrer l'essentiel de sa vie et de sa fortune à enseigner ses propres théories esthétiques. Mais sa démarche est déjà très ambitieuse. Pourtant il ne lui confère dès le début aucune composante anthologique. Il pourrait être intéressant, compte tenu de ses moyens, de ne pas se concentrer exclusivement sur Renoir, de disposer d'une vision complète de l'impressionnisme. Tel n'est pas son choix et il n'en déviera pas tout au long de sa vie. Monet, Pissarro ou Sisley n'occuperont jamais qu'une place marginale dans sa collection. Il achète un peintre par réflexion, par raisonnement, plus qu'il ne choisit un tableau par émotion esthétique. Son plaisir est cérébral. Il a une approche rationalisante de l'art et non sensuelle.

Il ne va pas tarder à théoriser. Quand, plus tard il publiera dans une revue new-yorkaise une oraison funèbre du cubisme, il ne lui suffit pas d'avoir eu raison en n'achetant pas, comme un spéculateur boursier qui s'abstiendrait de prendre une position, il faut qu'il explique son raisonnement et qu'il justifie rationnellement sa décision ! Ce qu'il ignore, ou feint d'ignorer, c'est que même si le cubisme est mort, il est immortel. Il constitue une phase essentielle de l'histoire du xxe siècle, comme le fauvisme qu'il a également négligé, sauf, exception extraordinaire, *La Joie de vivre,* ce chef-d'œuvre incomparable que Matisse a peint au retour de Collioure, pendant l'hiver 1905-1906, mais qui est davantage la clef de toute une œuvre que la manifestation d'une adhésion à un mouvement auquel, pas plus qu'au cubisme, le peintre n'a cru. Barnes d'ailleurs après la guerre achètera de nombreuses figures de Lipchitz, sculpteur cubiste s'il en est, et lui commandera des bas-reliefs pour la Fondation. Revirement ? Non. Ce qu'il considère comme absurde sur un plan, sur un tableau, retrouve sa raison d'être dans l'espace.

Dans ce Paris de l'immédiat avant-guerre, il n'est pas non plus sensible aux bouleversements plastiques que va induire la découverte des arts primitifs africains et océaniens. Pourtant cet engagement aux côtés de la culture nègre aurait dépassé cette fois l'intérêt du collectionneur : toute sa vie il militera pour l'égalité des droits et pour la reconnaissance de l'apport de l'art nègre dans notre civilisation. Et on sait qu'il reviendra de ses premiers voyages d'après-guerre avec nombre d'œuvres importantes. Pourtant, entre 1912 et 1914, à Paris, l'intérêt pour la statuaire africaine, pour la culture nègre, est considérable et leur influence sur la peinture est déjà au moins aussi importante que l'avait été quarante ans plus tôt la découverte des estampes japonaises pour Manet, Monet et Van Gogh. Seulement le collectionneur n'a pas encore fait la jonction avec l'homme de conviction et il n'a peut-être pas non plus trouvé le moyen d'accès à ce monde-là.

C'est à qui d'ailleurs se dispute la paternité de la

découverte. Voici Vlaminck qui prétend, selon Carco, avoir acquis une statuette dans un bistrot de Bougival en échange d'une tournée de blanc. Il la montre à Derain qui la montre à Picasso. Max Jacob, lui, se souvient d'un dîner chez Matisse avec Salmon et Apollinaire. Picasso aperçoit une statuette d'ébène et joue avec toute la soirée. Le lendemain, dans l'atelier, le plancher est jonché de dessins sur papier Ingres, qui préfigurent les *Demoiselles d'Avignon*, ou, tout le moins, le groupe de droite. On est en 1907. Derain, lui, défend la thèse de la filière marseillaise et du fructueux commerce avec les colonies. Tous ces récits sont probablement un peu embellis. Apollinaire s'en fait le chantre dans *Alcools* :

> *Tu marches vers Auteuil, tu peux aller chez toi à pied*
> *Dormir parmi les fétiches d'Océanie et de Guinée.*
> *Ils sont les Christs d'une autre forme et d'une autre croyance.*
> *Ce sont les Christs intérieurs d'une autre expérience.*

Quant à Picasso, il semble bien que ce soit plutôt son intérêt pour les sculptures primitives ibériques, découvertes à Osuna et exposées au Louvre en 1906, qui a déclenché cette quête effrénée vers un nouvel univers des formes à partir de 1907, qui devait déboucher sur le cubisme. Il s'en est inspiré lors de son été à Osal, avec Fernande, où il produit tant de ces nus étranges et roses. Ces statuettes lui valent d'ailleurs bien des ennuis lorsque le secrétaire d'Apollinaire, un certain Géry-Pierret, qui lui en a vendu deux, doit avouer, en 1911, qu'elles ont été volées au Louvre.

Dès 1906 ou 1907 donc, dans tous les ateliers de Montmartre, comme chez Matisse, ces divinités domestiques sont aussi les symboles de la dérision et de l'icono-

clasme. On les trouve aussi beaux que la Vénus de Milo :
« Las de ce monde ancien, et en ayant assez des antiquités
grecques et romaines... » Comble de la provocation, vis-à-
vis de l'Académie, on oppose une antiquité à une autre.
Barnes, lui, n'en est pas encore là.

Pendant ce temps, un jeune homme, Paul Guillaume,
devient un des premiers spécialistes d'art primitif et
exposera bientôt ses découvertes à la galerie Devambiez.
Jamais à court d'emphase, il imagine un nouveau roman-
tisme dont la statuaire nègre serait l'inspiratrice et dont le
nouveau Byron serait Apollinaire.

A la fin de cette première période d'achats, et après ses
trois voyages à Paris, Barnes a donc arrêté l'ossature de sa
collection. Il s'est aussi formé et il a adopté un comportement tellement atypique pour son époque qu'il acquiert
dans ce domaine également la réputation d'un homme
tout à fait hors du commun. Il a choisi et il a aussi éliminé.
Il a parfois ignoré. Il ne reviendra jamais sur ses refus
initiaux, l'expressionnisme allemand, le futurisme et bien
sûr le cubisme, ses avatars et même les retours en arrière
de Picasso ou de Derain. Sa démarche n'obéit à aucune
pratique sociale connue en France ou aux États-Unis. Ce
n'est pas un pur amateur, qui ne s'intéresse aux œuvres
que pour elles, qui les garde chez lui et qui n'en recherche
aucun prestige, aucune plus-value. Il n'est pas comme
Victor Chocquet, qui n'a laissé à la postérité que ses
portraits, pleins d'affection, par Renoir et Cézanne et... le
nom de la manifestation annuelle qui rassemble les
artistes amateurs du ministère des Finances. Il n'est pas
non plus comme les grands capitaines de l'industrie, du
commerce et de la banque qui dépensent des sommes
considérables pour gagner encore en prestige, en considération et même en respectabilité, ce que l'argent, la

fortune et parfois la justice leur marchandent. Ceux-là s'intéressent en général à des œuvres anciennes, reconnues, à la provenance historique indiscutable, pour capter un peu de ce passé, de ce sang bleu, comme le dira bientôt Barnes avec dérision, qui leur fait envie, eux qui se sont faits tout seul, parfois immigrants de la première ou de la deuxième génération. Il n'est pas non plus comme ces épouses qui cherchent à meubler leurs loisirs ou ces arrivistes qui chassent les présidences de comité ou les organisations de bienfaisance.

Barnes ne s'apparente à aucun de ces profils. Il est le premier, et peut-être le seul, collectionneur théoricien. Sa collection est le terrain d'expérimentation de sa recherche. Les œuvres, il les rassemble à partir d'un schéma théorique préétabli. Il parcourt les musées pour comprendre pourquoi telle ou telle œuvre, tel ou tel artiste domine son époque, résiste aux fluctuations du goût, en quoi son travail est universel. Il applique les principes qu'il a dégagés de sa recherche à la production contemporaine pour faire ses choix. Puis il achète avec des méthodes d'homme d'affaires, ayant bien appris de son expérience industrielle que la marge se dégage au départ, en achetant bon marché et en réduisant les frais. D'où une apparente contradiction : d'un côté c'est un homme d'idées, de l'autre un homme d'argent.

Les témoignages de ceux qui l'ont côtoyé durant cette première période sont concordants : il adore parler esthétique, il étale un savoir récemment accumulé, mais il se plaint de devoir écouter les théories des autres, de Léo Stein en particulier, lequel a d'ailleurs peu d'intérêt pour les siennes. Au contraire ce qui l'intéresse chez Gertrude ou chez le couple Michael-Sarah, c'est de savoir s'ils vont enfin accepter de lui vendre des tableaux, et à quel prix.

Car c'est un acheteur extrêmement dur. Il s'implique très fortement dans la recherche d'un bon prix, et ne tarde pas à se réjouir ostensiblement s'il a fait une bonne affaire ou si, la cote d'un tel ayant brusquement monté, il a potentiellement réalisé une grosse plus-value.

C'est la juxtaposition de ces deux traits de caractère qui rend ses relations avec le milieu artistique difficiles. Les experts ne l'ont pas attendu pour avoir son jugement sur Renoir ou Michel-Ange, même si ce jugement se révélera par la suite souvent pertinent. Les marchands le toléreraient plus facilement s'il n'était pas aussi regardant sur les prix. C'est pourquoi le cercle de ses relations est finalement réduit. Parmi les marchands, avant guerre, essentiellement Durand-Ruel, parce que c'est lui qui a le stock de Renoir et que c'est un redoutable négociateur, lui aussi, de la taille de Vollard, qui a les Cézanne et les Picasso qui l'intéressent. D'une certaine façon, Barnes les respecte. Il a les mêmes goûts, ou plutôt il a les mêmes affinités esthétiques qu'eux. Tandis qu'il ne s'entendra jamais avec Stieglitz à New York ou avec Kahnweiler à Paris, lesquels sont davantage des partenaires des peintres qu'ils défendent, des promoteurs de leur propre goût que des marchands.

Son attitude lui coupe aussi toute relation avec les artistes, sauf avec son camarade de classe Glackens. Picasso ne voit en lui qu'un carnet de chèques. Renoir est beaucoup trop âgé et trop arrivé pour s'intéresser aux revenus qu'il pourrait tirer de sa fréquentation ou à la conversation d'un homme qui est en train de devenir le plus grand collectionneur de son œuvre. Seul Matisse le reçoit à Paris dans son atelier, amené par Léo Stein, mais leur vraie rencontre interviendra seize ans plus tard, à Merion, quand l'artiste visitera la Fondation et acceptera la commande de *La Danse*.

Personnalité hors du commun, collectionneur atypique, activiste infatigable, voilà Barnes en 1914. Il a quarante-trois ans quand éclate la guerre en Europe. Il doit donc interrompre ses voyages mais les achats considérables qu'il a effectués n'ont pas étanché sa soif d'acquisitions ni comblé les besoins de matériaux pédagogiques pour le grand projet, qui n'est pas encore clairement formé dans son esprit mais qui commence à poindre. Pendant la guerre son activité ne s'interrompt pas. Elle s'exerce seulement dans un contexte différent.

CHAPITRE 5

Un esthète engagé

Jusqu'à la guerre, le théâtre principal de l'activité d'Albert Barnes, c'est Paris. Chaque voyage en Europe est l'occasion d'un séjour prolongé dans la capitale. Il visite aussi les uns après les autres tous les grands musées du vieux continent, prenant fébrilement des notes. Mais ce n'est pas pour autant qu'il se désintéresse de ce qui se passe à New York.

D'abord il n'a pas renoncé à acheter sur place, surtout des Renoir, pour peu que la qualité soit assurée et le prix intéressant. Son premier Renoir, *Le Déjeuner,* une toile de 1890, il l'a trouvé bien avant 1912. Puis sont arrivées les acquisitions de Glackens. Peu après, il apprend qu'un nu superbe, *Le Torse,* peint par Renoir vers 1875, est à vendre. Le sujet est un peu osé pour le temps. Son propriétaire, un industriel de Chicago, souhaite s'en défaire. Il entre dans la collection en avril 1912.

Quand il écrit à John G. Johnson pour lui demander conseil, le 26 juin 1912, il évalue sa collection déjà à plus de 100 000 dollars. Glackens a réussi du premier coup à introduire Barnes dans les cénacles parisiens. Il est en mesure, en tant que membre du groupe des VIII, d'en faire autant, encore plus facilement, à New York où, avec un décalage de quelques années, est en train de se transporter la révolution parisienne. En 1905, un jeune marchand audacieux, Alfred Stieglitz, passionné de photographie, avait ouvert la Photo Secession Gallery, 291, Cinquième Avenue. Ce sera bientôt le rendez-vous de l'avant-garde. Trois ans plus tard, s'y tient la première exposition de dessins de Matisse aux États-Unis. C'est évidemment un tollé. La critique se déchaîne.

Berenson tente de défendre l'artiste qu'il a découvert chez les Stein et qu'il a reçu chez lui l'année précédente à Settignano. « J'ai la conviction, écrit-il, que Matisse après vingt ans de fructueuses recherches a enfin trouvé le grand chemin, emprunté par les meilleurs artistes de ces soixante années au moins... C'est un magnifique dessinateur... »

Rien n'y fait. Pourtant l'influence de la peinture française s'accroît irrésistiblement. La même année, Gertrude Vanderbilt Whitney, sculpteur, et surtout héritière d'une fortune colossale, ouvre le Studio Gallery sur la 8e Rue. Les peintres de Philadelphie, Henri, Sloane, Luks, Bellows, exposent, eux, quatre blocs au sud, au Studio Club. Tous revivent l'aventure des Refusés de Paris, un demi-siècle plus tôt. Max Weber est à ce moment-là un élève assidu de l'académie Matisse. Il établit la jonction entre les deux côtés de l'Atlantique. Stieglitz ne se décourage pas ! En 1910, il refait une exposition des dessins de Matisse et de photographies de ses tableaux.

Toute l'Europe est touchée par le vent qui souffle à Paris. A Londres, aux Grafton Galleries, en 1910 et 1912, deux expositions coup sur coup sont consacrées aux post-impressionnistes, catégorie qui va en fait de Cézanne et Lautrec jusqu'à Picasso... A Cologne, dans le nouveau palais des expositions au Sonderbund, une gigantesque rétrospective est consacrée à Van Gogh avec plus de cent tableaux, autour desquels sont présentés toutes les tendances de l'art contemporain, Gauguin, Cézanne et Picasso d'un côté, les expressionnistes allemands de l'autre. Dresde et Munich sont là avec Kirchner et Jawlensky, Munch le Norvégien aussi. A Paris, les futuristes italiens ont débarqué et projettent une exposition itinérante. Severini et Balla sont fêtés par Max Jacob et Apollinaire.

A New York, on ne peut rester inactif. Progressivement se forme le projet d'une grande manifestation qui regrouperait toutes les tendances en Europe et à laquelle serait confrontée la jeune peinture américaine. William Glackens, qui revient de Paris auréolé de ses contacts avec Picasso et Matisse rencontrés chez les Stein, est chargé d'organiser la partie américaine. Alfy Maurer à Paris, Max Weber qui a regagné New York entre-temps non sans que son départ ait donné lieu à une mémorable fête au Bateau-Lavoir, sont chargés de la partie internationale. Alfred Stieglitz s'occupe de l'intendance : il loue l'armurerie du 69ᵉ régiment d'infanterie, située à l'angle de la 25ᵉ Rue et de Lexington Avenue, pour 4 000 dollars. D'où le nom de la manifestation : l'*Armory Show*.

Un homme dans la coulisse va jouer un rôle essentiel : John Quinn. Cet avocat d'affaires, d'origine irlandaise, a commencé sa carrière comme assistant du gouverneur de l'Ohio. Il a à peine vingt ans quand son patron est propulsé secrétaire d'État au Trésor de l'administration démocrate et il l'accompagne à Washington. Il finit ensuite de brillantes études à Harvard et s'inscrit au barreau de New York. Son métier le fait beaucoup voyager mais son pays de prédilection est l'Angleterre. Il s'intéresse à la peinture, visite les musées et se rend aux deux expositions en 1910 et 1912 à Londres, où il achète un petit Manet. Il se lie d'amitié avec le peintre anglais,

Augustus John, dont il devient le principal client. Ensemble, ils partent découvrir le sud de la France, emmenés à vive allure par un chauffeur allemand au volant d'une Mercedes flambant neuve. Quinn ne parle pas l'allemand et est effrayé par la vitesse. Son compère lui suggère de donner alors au conducteur lui-même les instructions : « Schnell, Schnell... »

Il ne rend pas visite aux Stein cette fois-là et limite son activité de collectionneur à l'échange de son Manet contre une *Décapitation de saint Jean-Baptiste* par Puvis de Chavannes. Lui aussi connaît bien Alfy Maurer et lui a acheté la *Table en fer*, peinte à la manière des Fauves, qui a tant fait scandale en 1909 chez Stieglitz. Il profite d'une affaire qui doit à nouveau le conduire en Europe pour revenir à Paris en septembre 1912. Cette fois il va directement chez Vollard où il achète 25 000 francs un beau portrait de jeunesse de la compagne de Cézanne, Hortense Fiquet, qui sera le clou de l'*Armory Show* avec Duchamp, et qui est aujourd'hui au musée de Dallas. Il acquiert aussi un autoportrait de Van Gogh (maintenant à Hartford, Connecticut, au Wadworth Athenaeum) et un Gauguin de la période de Tahiti, plus quelques dessins de Matisse.

Il est très lié à Arthur Davies qui l'approche pour qu'il prête ses tableaux pour la grande exposition de New York. Quinn a pratiquement le même âge que Barnes. Il est né en 1870. Mais l'analogie s'arrête là. Collectionner, pour lui, au début n'est qu'un passe-temps agréable où il côtoie des artistes et d'autres collectionneurs qui deviendront peut-être des clients. Les deux hommes, qui, à des fins différentes, recherchent la même peinture, vont devenir rapidement d'implacables rivaux. Quinn milite ardemment pour la réduction des droits de douane sur les œuvres d'art. Ceux-ci ont été portés à 20 % en 1897 pour protéger les artistes américains. Le taux revient à 15 % en 1909 et ne s'applique qu'aux tableaux exécutés depuis moins de vingt ans. Le grand mouvement d'acquisition de maîtres anciens et impressionnistes en est facilité, comme l'essor des maisons parisiennes et londoniennes qui ouvrent alors des succursales à New York. John Quinn profite de ses relations politiques chez les démocrates pour aller témoigner en faveur de l'abrogation totale des taxes devant la Chambre des représentants au printemps 1913, juste après l'*Armory Show*. Il obtient gain de cause. Mais pendant l'été le Sénat revient en arrière, propose de relever les taux à 25 % et de taxer non plus les œuvres de moins de vingt ans d'âge mais de remonter jusqu'à cinquante ans. C'est tout le commerce d'œuvres impressionnistes qui se retrouverait alors frappé. Finalement, la Chambre des représentants a le dernier mot et Woodrow Wilson, le 3 octobre 1913, signe la loi qui exonère des droits de douane les œuvres d'art. Quinn à ce moment-là est fêté comme un héros. Cette réforme donnera néanmoins plus tard lieu à des scènes courtelinesques, l'imagination de nos surréalistes aidant. Quand Duchamp ou Breton se présenteront avec des roues de bicyclettes ou des porte-bouteilles cabossés, il sera bien difficile de convaincre le fonctionnaire de service qu'il ne s'agit pas là d'une tentative frauduleuse d'importations de produits industriels !

L'impact de l'*Armory Show* est considérable. La critique est évidemment partagée. L'establishment crie à la corruption des mœurs, qualifiant d' « explosion de tuiles » le *Nu descendant un escalier* de Marcel Duchamp, stigmatisant la volonté de laideur de Matisse, avec le *Nu bleu*. Son effigie sera même brûlée à Chicago par des étudiants contestant ces peintres contestataires. L'exposition connaît néanmoins un succès de curiosité et est visitée par plusieurs dizaines de milliers de personnes entre le 17 février et le 15 mars. On s'arrête devant la « chambre des Horreurs » où sont placés les Fauves et les futuristes. Ne manque à l'appel que le groupe du Cavalier bleu de Munich. Les Stein ont prêté certains de leurs plus beaux tableaux. Vollard aussi. Brancusi a envoyé ses marbres, dont *Mademoiselle Pogany,* acheté aussitôt par John Quinn et qui devient la figure emblématique de la nouvelle sculpture. Barnes vient également mais il n'est pas mûr pour de telles audaces. Il n'achètera qu'un Vlaminck fauve, *Les Figues,* pour 162 dollars.

Quinn publie, dans *Arts and Decoration,* un vibrant plaidoyer en faveur de ceux qui ont la tâche excitante de rechercher de nouveaux talents parmi les artistes vivants, de façon à anticiper le verdict du futur. La dimension financière ne lui a pas échappé. Il cite les résultats de la vente Rouart où les Cézanne se sont vendus cent fois, vingt-cinq ans après, le prix où ils étaient offerts chez le père Tanguy. Barnes prend certainement cela comme une pique puisqu'il faisait partie des acheteurs. Deux ans plus tard, dans la même revue, quand il passera en revue les plus importantes collections d'Amérique, Barnes se gardera bien de citer celle de son rival.

Les écrivains se joignent au mouvement. Gertrude Stein est remarquée par le critique Mabel Dodge pour avoir tenté avec des mots de faire ce que Picasso fait avec de la peinture. La plupart des tableaux cubistes présentés sont vendus, et l'*Armory Show* finalement se révèle être un succès commercial. L'importance de l'événement n'échappe évidemment pas à Barnes qui écrit à Léo Stein au début de 1914 : « L'académisme a reçu un coup dont il ne se remettra jamais complètement. » Quarante ans plus tard, le critique de la revue *L'Œil,* Guy Habasque, expliquait : « L'*Armory Show* fut le signal d'un réveil de la société américaine, soudain révoltée contre une forme de civilisation qui commençait à se figer et risquait de compromettre ainsi le développement du pays. » Ce jugement a posteriori était peut-être un peu exagéré. Mais quand Mabel Dodge écrit à Gertrude Stein que « cette exposition est la chose la plus importante qui s'est passée en Amérique, depuis la déclaration d'Indépendance, d'ailleurs elle est de même nature », elle témoigne de ce que l'Amérique est maintenant une nation culturellement majeure, un siècle et demi après avoir été politiquement indépendante.

Et il va se produire à New York un formidable engouement chez une poignée de collectionneurs à la suite de l'*Armory Show.* John Quinn amplifie ses achats de Matisse, qu'il fait venir de France ou qu'il trouve aux Montross Galleries, et de Picasso. En 1915 il achète en bloc six tableaux majeurs dont deux œuvres de la période bleue et deux toiles cubistes de 1909. Cette année arrivent là-bas Henri-Pierre Roché, qui a su se faire nommer officier de liaison auprès des autorités américaines, puis Pascin, ce jeune peintre bulgare, qui sera un des piliers de Montparnasse après la guerre. Après s'être réfugié à Cuba, celui-ci débarque à New York à court d'argent. Il propose ses dessins à Quinn qui en achète un lot important, tandis que Barnes, contacté, a refusé. Marcel Duchamp et Picabia quittent à leur tour Paris et rallient le cercle autour de Stieglitz et de Marius de Zayas, qui constitue le noyau de l'avant-garde. A eux quatre, ils fondent la revue *291,* qui leur sert de manifeste esthétique. Picabia, plus tard, par dérision éditera une revue qu'il intitulera *391,* en souvenir aussi de cette époque héroïque.

Gertrude Vanderbilt finance de Zayas qui ouvre la Modern Gallery, dont la vie sera éphémère, mais qui sera la première aux États-Unis à offrir aux collectionneurs de l'art primitif africain, en provenance le plus souvent de France et des réseaux d'Apollinaire et de Paul Guillaume.

Toujours autour de ce cercle gravite un couple de riches amateurs de Boston, Walter et Louise Arensberg, qui ont quitté la Nouvelle-Angleterre pour New York et sa vie culturelle. Il sont tous les deux des héritiers de grosses fortunes faites dans l'acier au siècle précédent et davantage passionnés par la littérature. Leur personnalité est assez proche de celle de Jacques Doucet, la couture en moins. Duchamp, au début, habite chez eux. Mais ses œuvres importantes, comme le *Nu descendant un escalier,* c'est Quinn qui les a depuis l'*Armory Show.* D'ailleurs l'artiste ne peint pratiquement plus. Il se consacre presque exclusivement aux objets les plus quotidiens qu'il « détourne » pour leur conférer — arbitrairement et non sans un sens aigu de la provocation — le statut d'œuvres d'art. Arensberg est ébloui. A la mort de Quinn, il rachètera tous les tableaux du peintre en sa possession puis il léguera sa collection au musée de Philadelphie en 1951, lequel, paradoxalement, se retrouve dépositaire de l'essentiel de l'œuvre de l'artiste le plus décrié de son temps.

Ceci étant, malgré ces mécènes fabuleux, les galeries d'avant-garde connaissent des difficultés. Stieglitz est obligé de fermer en 1917 la galerie 291, dont on a pu dire qu'aucune pièce aussi petite n'a contenu autant d'œuvres de grands artistes. Barnes ne lui achète rien, question d'alchimie personnelle d'abord, de goût ensuite. Stieglitz — comme Kahnweiler — est davantage un théoricien qu'un marchand. Il a en outre une conception élitiste de l'art aux antipodes de celle de Barnes. Il ne s'intéresse pas à l'éducation des masses pour lesquelles il a peu de considération ou d'intérêt. Il a une vision individualiste, voire aristocratique, du rapport à l'art. Le collectionneur n'est pas non plus mûr pour des formes d'expression aussi audacieuses. C'est trop tôt. Avant 1910, il en est à Corot. Deux ans après, Glackens lui fait sauter le pas : Renoir, Cézanne. Picasso, Matisse, c'est Léo Stein. La conversion est rapide. Picabia essaiera en vain de lui vendre et ne lui pardonnera jamais son indifférence. Des années durant, il le poursuivra de ses anathèmes.

Barnes ne suit pas Stieglitz, mais il le respecte pour son rôle dans l'animation artistique de New York, pour l'*Armory Show*, pour son combat contre le conservatisme esthétique. En 1947, il est question de réunir dans un livre des témoignages en son honneur. Barnes sera le premier à répondre, sur la sollicitation de Dorothy Norman, qui avait été élève de la Fondation et qui était très liée au marchand. Il lui rend hommage : « Il fut certainement le premier à permettre au public américain de voir, à 291, des œuvres de Picasso, de Matisse ou de Marcel Duchamp, et on peut dire à coup sûr que l'*Armory Show* de 1913, qui devait faire date, fut le résultat de la clairvoyance et du courage de Stieglitz. »

Barnes savait-il que Stieglitz avait écrit dès 1911 au Metropolitan Museum pour qu'il organise une exposition Cézanne ? Il n'en dira jamais autant de Marius de Zayas, dont la personnalité, proche de celle de Paul Guillaume, avait pourtant tout pour le séduire, et la galerie, un programme ambitieux en 1915 : peinture contemporaine, sculpture noire, photographie, art précolombien.

A cette époque-là, Barnes, coupé de la France mais toujours intime de Glackens, au lieu de rejoindre le groupe de New York, ou de réunir autour de lui un cénacle d'amateurs, choisit finalement de se consacrer davantage à la peinture américaine avec laquelle il peut entrer en rapport beaucoup plus facilement. Il y a d'abord son ancien camarade de classe John Sloane. Il lui a acheté en 1913 le premier tableau que le peintre ait vendu — à quarante ans. Mais les deux hommes sont trop différents pour que naisse entre eux la même complicité qu'avec Glackens par exemple. Il en est tout autrement de Maurice Prendergast, le frère du sculpteur, pour qui il se prend d'une vive affection. Prendergast n'a rejoint le groupe des VIII que tardivement et il a peu de succès. Barnes aime sa peinture et il se montre avec lui d'une surprenante tolérance. Un jour que les deux frères lui rendent visite à Merion, raconte la fille de Glackens, et que Barnes suivant son habitude faisait son numéro sur l'art, Maurice lui crie qu'il n'a aucun goût. Pointant son doigt sur le mobilier Tudor, il s'empare d'une chaise ancienne et la brise. Barnes ne réagit pas. Ce qu'ignorait peut-être Prendergast, c'est que le mobilier Tudor, c'était le goût de Laura, sa femme, celui qu'elle avait imposé pour meubler Lauraston.

Mais ce n'était pas parce que les deux hommes étaient amis que les négociations entre eux perdaient leur vivacité. John Quinn voulait bénéficier d'un droit de première vue, c'est-à-dire avoir la possibilité le premier de faire une offre sur tout ce que Prendergast faisait. Barnes aussi, bien sûr. La bataille s'envenima lors de la première exposition de l'artiste aux Carroll Galleries à New York en 1915. Quinn exigea de la directrice de la galerie, Harriet Bryant, qu'elle fasse savoir à Barnes qu'elle était la seule autorisée à vendre son œuvre et qu'il devait passer par elle, donc après lui, Quinn. Prendergast, un peu hypocrite, parce qu'il avait intérêt à entretenir la concurrence entre les deux hommes, fit répondre à Quinn qu'il était d'accord avec cette formule parce qu'elle le protégeait d'hommes comme Barnes qui était tout le temps à l'affût de bonnes affaires... La galerie tint bon. Barnes ignora le double jeu de Prendergast et dut payer le prix fort, mais cela ne l'empêcha pas de constituer une collection exceptionnelle de ce peintre postimpressionniste américain qui devait mourir en 1924.

Barnes, à cette époque, fait aussi la connaissance d'un autre artiste américain, Charles Demuth, qui se définissait lui-même comme un élève de Cézanne. Il avait passé plusieurs années à Paris avant la guerre, fréquentant les Stein. Une salle entière de la Fondation est aujourd'hui consacrée à ses aquarelles aux couleurs délicates.

Au fil des années donc, Barnes se passionne de plus en plus pour l'art. Les revenus de l'Argyrol continuent de grossir, et, visiblement, il a de moins en moins besoin de s'en occuper. Son affaire marche. Son centre d'intérêt principal est en train de basculer. Il ne lui suffit plus d'acheter et de contempler, chez lui, ses acquisitions. Il faut qu'il donne son avis. Les marchands qui ont besoin de sa clientèle pour vivre l'écoutent avec patience. Les autres, Stieglitz en particulier, ne cherchent pas sa compagnie. Les artistes le redoutent. Il leur explique leur art ! Mais là aussi, il faut vivre, et en ce temps de guerre, ce n'est pas facile.

Le critique Guy Pène du Bois, en juillet 1914, consacre, dans *Arts and Decoration,* un article sur l'art contemporain français en Amérique, et dresse de la collection Barnes une première description très flatteuse. Pour l'époque, il est indiscutable qu'il y a déjà à Merion beaucoup de Renoir et de Cézanne. Mais le titre conféré — la plus importante collection d'art français — est tout à fait usurpé. La collection Havemeyer, pour ne citer qu'elle, est alors infiniment plus importante en quantité et en qualité. *Arts and Decoration* est une des nombreuses revues luxueuses qui s'adressent aux amateurs à l'époque. Elle n'a ni l'autorité des publications scientifiques, ni l'audience de la grande presse. C'est pourtant une référence. L'année suivante, la revue, qui vit beaucoup des publicités des galeries, donc indirectement de l'argent des collectionneurs, accepte d'Albert Barnes son premier article. Le titre est ambitieux : « Comment juger un tableau ».

La notice de présentation de l'auteur est flatteuse : « Le docteur Barnes est un collectionneur bien connu. Sa maison à Overbrook contient la collection la plus complète de peinture moderne d'Amérique. Elle inclut cinquante Renoir. Son opinion devrait être d'un intérêt exceptionnel ! » En une dizaine de pages, Barnes, avec l'assurance que lui confère ce qu'il possède, donne son avis sur l'art, les historiens d'art, les collectionneurs du moment et leurs collections. On commence à entrevoir son tempérament à cette occasion tant ces considérations sont péremptoires.

Il règle d'abord leur compte aux écrivains et aux critiques par Degas interposé, lequel n'était pas non plus d'un caractère facile : « Je pense que la littérature n'a fait que du tort à l'art. » Il continue : « Un manuel sur l'art est une impossibilité », « Les œuvres qui font soi-disant autorité sont pour la plupart une compilation des traditions et des a priori qui encerclent l'art, mais l'atteignent rarement, écrits par des antiquaires, des experts, de mauvais peintres, des écrivains professionnels ou de parfaits zéros ! » La suite est de la même eau.

Il remet à leur place sans ménagement Berenson et Meier-Graeffe, les deux plus éminents experts du moment.

Au passage, il traite d'artiste frappé d'infirmité un certain Kerryon Cox, professeur d'histoire de l'art, qui est parti, comme bien d'autres, en croisade contre la modernité. Il dénonce le pompier américain alors en vogue, William Chase, au nom de son aveuglement, et il se range délibérément derrière la bannière de l'*Armory Show* et des Modernes, « Picasso, grand peintre et grand artiste jusqu'à ce qu'il se moque du public avec ses cubes », et « Matisse, lui, plus grand artiste que peintre ». Nous sommes en 1915, faut-il le rappeler?

Après avoir dénoncé le système — importé de France — des Académies et des Salons, il donne son avis sur les collections rivales de la sienne : Frick et Widener? ce sont des collections de millionnaires, consacrées à l'art du passé et fabriquées par des experts à coups de certificats destinés à délivrer des quartiers de noblesse. Johnson? c'est une bonne collection pour les étudiants. En écrivant cela, Barnes est d'ailleurs tout à fait fidèle à la pensée de l'avocat de Philadelphie. L'éloge de la collection Havemeyer n'est pas non plus surprenant. Elle ne comporte presque aucun tableau de ses peintres favoris, Renoir et Cézanne, mais elle fait une place exceptionnelle en quantité comme en qualité aux fondateurs de la modernité esthétique, Courbet, Manet, Degas, Daumier.

En 1914, Barnes avait demandé à Georges Durand-Ruel d'intercéder auprès de Louisine Havemeyer pour qu'il visite la collection. Elle l'avait vraisemblablement reçu, mais n'avait pas du tout été séduite par l'homme. En 1921, celui-ci croit savoir qu'elle serait prête à se séparer d'un superbe Renoir, *Sur le rivage*; il fait une offre de 10 000 dollars. Elle lui fait répondre sèchement que le jour où elle aura besoin de 10 000 dollars, elle lui fera signe !

Et, dans son article, l'auteur continue à décerner bons points et mauvaises notes. « Je n'échangerai pas la Madone de Raphaël que Widener a payée 700 000 dollars contre mon *Torse* de Renoir », clame-t-il. Ce n'est plus une leçon, c'est un manifeste. Et il y a à peine trois ans que Glackens lui a rapporté une vingtaine de tableaux, qu'il n'a d'ailleurs pas acceptés sans hésiter. Ce qui frappe aussi, c'est la formidable connaissance de la peinture et des écrits sur l'art qu'il a accumulée en si peu de temps. Il n'importe pas à ce stade que son plaidoyer, qui pourrait être signé de Maurice Raynal ou d'Octave Mirbeau, les deux défenseurs attitrés des Modernes à Paris, aujourd'hui sonne juste.

Mais c'est cet engagement personnel, total, dans sa nouvelle activité qui transparaît dans cette profession de foi. Il écarte tous les plaisirs mondains d'un revers de main, en comparaison de la noble et passionnante tâche de rechercher des chefs-d'œuvre pour en faire son cadre de vie. « Et quand un homme a su s'entourer de cette qualité, payée avec son sang, il est un roi. » Bien sûr, après cela, qu'on ne vienne pas parler des experts et autres historiens pour lesquels il affiche déjà le plus total mépris. Barnes n'apporte évidemment aucune réponse à la question qu'il a posée dans son titre : « comment juger un tableau », mais il fixe déjà sa ligne de conduite, sa méthode, avec ses excès, ses travers et ses intuitions géniales qu'il suivra toute sa vie de collectionneur. L'article est illustré par ce qu'il estime alors être la quintessence de sa collection, *Le Déjeuner,* son premier Renoir, un *Portrait de Mme Cézanne* — moins spectaculaire que la *Femme au chapeau vert,* qu'il acquerra quelques semaines plus tard, un nu de Degas et la *Chaumière* de Cézanne qu'il a achetée à Vollard l'année précédente par l'intermédiaire de Durand-Ruel après une discussion épique.

Les réactions face à ce déferlement de critiques, d'affirmations sans nuances et d'attaques parfois brutales sont évidemment, dans ce monde feutré, à peu près unanimement défavorables, plus d'ailleurs sur le ton que sur le fond. De quoi se mêle-t-il ? Il récidive au mois de janvier suivant, dans la même revue, en dressant le constat de décès du cubisme : « *Cubism : requiescat in pace.* »

Prudent, l'éditeur, qui le présente toujours comme ayant la première collection de peinture moderne, avec ses Renoir et la « trilogie moderne », Gauguin, Van Gogh, Cézanne, avertit que l'article précédent a créé une grande controverse. Controverse ! Le mot est lâché. Il ne quittera plus Barnes. Ces goûts, mais aussi son comportement, sont matières à controverses, de même qu'il cultive un penchant marqué pour la polémique.

Seulement, à Philadelphie, c'est quelque chose dont on a positivement horreur. Il n'existe pas de moyen plus radical pour s'exclure de la communauté que d'adopter une telle conduite. L'article sur le cubisme est moins intéressant parce que plus banal. En 1915, le cubisme est devenu un style, un tic de peintres se croyant obligés pour vendre de mettre des arêtes partout. C'est devenu, dit Barnes, « une peinture académique, répétitive, banale donc morte ». C'est vrai pour les suiveurs mais faux pour les initiateurs, ce qu'il reconnaîtra d'ailleurs plus tard. Il n'émane de leur œuvre rien de cette émotion esthétique chère à Santayana et que l'on retrouve chez Giorgione ou chez Renoir. Le paradoxe, qu'il dénonce, c'est que cet art repose sur la géométrie, qui est précisément la science la

plus objective, et qu'il fait appel à une réalité inobjective :
« Le *Nu descendant un escalier* pourrait fort bien s'appeler :
Vaches mangeant des huîtres. » Ainsi il éreinte la star de
l'*Armory Show,* s'aliénant les tenants de l'avant-garde, qui
mènent pourtant le même combat que lui, après avoir
révolté les classiques dans son article précédent.

Les deux textes se terminent malgré tout sur une
ouverture philosophique, sur une vision du monde qui
éclaire déjà et donne une formidable cohérence à l'homme
autant qu'au collectionneur : « l'hymne à cette éternelle
jeunesse, dans la nature glorieuse du mois de juin », qu'il
retrouve chez Renoir, et surtout cette préférence pour
Nietzsche contre Rousseau, dont il a trouvé la raison chez
William James mais qui inspire à cette époque Renoir,
Cézanne et Matisse avec leurs *Baigneuses* et leur *Joie de
vivre,* et donne à leur possesseur l'intense émotion qui lui
permet, comme il dit, d'être comme un roi.

Cette fois-ci, on lui répond. Marius de Zayas, principal
marchand des cubistes à New York, peut difficilement
accepter de laisser ainsi dévaloriser son fonds de commerce par un homme qui a la réputation d'être un grand
connaisseur d'art moderne. Il rappelle l'histoire du mouvement et réfute point par point les arguments de Barnes.
Celui-ci ne le lui pardonnera jamais. Il ne lui achètera
plus rien alors que de Zayas est notamment l'introducteur
de l'art nègre aux États-Unis et que Barnes peu après la
guerre s'y intéressera.

En 1923, la revue *The Arts,* en annonçant la création de
la Fondation, expose les projets de Barnes, et son souhait
de constituer une collection d'art primitif nègre. De Zayas
saute sur l'occasion pour proposer ses services. Et la revue
croit pouvoir annoncer qu'il présentera, dans le numéro
suivant, le programme de ce nouveau département de la

Fondation. L'article ne paraîtra jamais. Et tous les achats dans ce secteur seront réalisés par l'intermédiaire de Paul Guillaume.

La période de la guerre n'est donc pas — loin s'en faut — une période d'inactivité. Barnes au contraire se lance à corps perdu dans une recherche globale pour comprendre les grandes tendances de l'histoire de l'art, les mouvements, les influences afin de se doter de moyens de disposer de sa lecture personnelle. Il repart de zéro. Il ne veut rien devoir à personne. Si Berenson et Meier-Graeffe sont brocardés et écartés, c'est parce que, d'après lui, ils gênent l'accès aux œuvres, ils sont des intermédiaires inutiles, voire néfastes. Toute sa vie il pourfendra ces experts qui éloignent le public de l'art en dressant la barrière de leur faux savoir. Cela ne contribuera pas à le rendre populaire auprès d'hommes comme John Rewald ou Meyer Schapiro, qui longtemps après sa mort lui conserveront une solide rancune. Il a parcouru les musées d'Europe leurs livres à la main, clame-t-il. Et ils ne lui ont rien appris, au contraire, ils l'ont détourné de l'essentiel. Cela étant, le paradoxe, c'est qu'à son tour il va écrire et publier, notamment sur Matisse et Renoir, deux ouvrages qui au moment de leur parution, malgré leur approche difficile, sont plutôt bien accueillis par la critique.

En 1920, juste après la mort de l'artiste, il publie son premier texte sur Renoir dans *The Dial*. Il reprend mot pour mot les dernières phrases de son article de 1915, évoquant à nouveau l'Éden, l'Age d'or, le Paradis terrestre auquel conduit la contemplation de son œuvre. Il est présenté, dans le sommaire, non plus comme un industriel, mais comme un étudiant en peinture moderne, qui a la plus grande collection de Renoir hors de France... Singulier accès de modestie.

C'est vrai qu'à l'époque, dans sa collection, la quantité domine, résultat des acquisitions frénétiques du début. L'heure de la qualité ne va pas tarder à sonner.

Il n'était pas parvenu à convaincre Renoir de lui vendre l'autoportrait que le peintre avait mis en dépôt chez Durand-Ruel pendant la guerre, malgré la promesse — fausse — de léguer la collection à la ville de Philadelphie en prenant l'exemple de Johnson. Il n'y avait jamais songé.

Une autre grande affaire s'annonce. Un jeune et riche collectionneur hollandais, Cornelius Hoogendjick, avait acheté de nombreux tableaux modernes entre 1894 et 1900, et constitué un ensemble exceptionnel de Cézanne. En 1900, il tombe malade et est interné. La rumeur a couru, chez les marchands, que c'était sa famille qui l'avait fait enfermer parce que ses choix dénotaient une folie certaine et qu'il fallait empêcher qu'il dilapide son héritage. Pendant dix ans, jusqu'à sa mort, la collection est placée en dépôt au Rijksmuseum. Les héritiers se disputent. Une partie est mise aux enchères. De riches collectionneurs hollandais, les Kröller-Müller font de gros achats. Le reste est cédé ensuite au mécène allemand Karl Ernst Osthaus. Mais cette vente est contestée par certains héritiers puis gelée. La situation est bloquée jusqu'en 1920.

Pendant l'été, un syndicat de marchands français, comprenant Rosenberg, Durand-Ruel et Bernheim, emporte l'affaire. Durand-Ruel a les treize Cézanne, qu'il propose instantanément à Barnes pour 1 600 000 francs, qui accepte. Il est vrai que le franc a perdu la moitié de sa valeur depuis la guerre. Il y a là dix natures mortes et trois paysages dont une *Sainte-Victoire depuis la vallée de l'Arc* et une *Vue de l'Estaque*. Barnes possède, à ce moment-là, près de trente Cézanne.

La collection a pris des proportions considérables mais

reste toujours fidèle aux choix initiaux. Barnes a apprécié Matisse lors des séjours à Paris avant la guerre, et il cite la collection de Michael et Sarah Stein dans un de ses articles, mais il laisse le terrain entièrement libre à Arensberg et à Quinn qui font de gros achats (*Portrait d'Yvonne Landsberg, Les Cyclamens pourpres*) lors des expositions successives du peintre aux Montross Galleries à New York. Barnes reste encore fixé principalement sur Renoir et Cézanne, et sur la peinture américaine. Les liens avec Léo Stein ne sont pas rompus pour autant. Celui-ci, toujours à Florence, a besoin d'argent et il consulte Barnes pour vendre ses seize Renoir. Au bout de six mois, il lui retourne 30 000 dollars. Il a acheté les meilleurs et chargé Durand-Ruel d'écouler le reste.

L'immédiate après-guerre fut une période bénie pour les grands collectionneurs. Une quantité énorme de tableaux arrivait sur le marché à la suite de la disparition des artistes et de la première génération de collectionneurs. Renoir vient de mourir, comme Paul Durand-Ruel. L'atelier est encore plein et les stocks de la galerie sont tels qu'il va falloir vendre. C'est à ce moment-là que Barnes rate coup sur coup deux œuvres majeures de son peintre préféré. *Le Déjeuner des Canotiers* est d'abord cédé au collectionneur de Washington, Duncan Phillips. Puis une version tardive, mais considérée par le peintre comme son chef-d'œuvre, des *Grandes Baigneuses* lui échappe. Une fois de plus, Renoir a représenté, dans son Éden fleuri, sous deux poses, son dernier modèle, une grande et belle rousse. A sa mort, les héritiers voulaient que le Louvre l'achète en souvenir de leur père. Le musée se fit tirer l'oreille. Barnes se déclara preneur pour un montant exorbitant à l'époque : 800 000 francs. Il commet alors une erreur en se vantant d'avoir conclu l'affaire. Elle s'ébruite.

L'État réagit et débloque les crédits. A-t-il été utilisé pour faire pression ? C'est vraisemblable, mais il n'avait pas le choix. Il n'a pas non plus acheté les Matisse de Léo Stein, *La Joie de vivre* et le *Nu bleu,* notamment. C'est le marchand danois Tetzen-Lund, qui a déjà pris en option les tableaux bloqués à Berlin appartenant à Michael et Sarah Stein, qui les acquiert.

Barnes n'intervient évidemment pas aux ventes Kahn-weiler. L'effondrement de la cote des cubistes apparaît comme une confirmation — éphémère — de la condamnation du mouvement. Autre grande figure, le prince de Wagram, dépeint par Proust sous les traits d'un « amateur de peinture impressionniste et chauffeur », meurt en 1918. Il s'était mis à collectionner frénétiquement entre 1905 et 1908, en association avec le marchand Bernheim à des fins autant esthétiques que financières, des Renoir, des Van Gogh (il en aura jusqu'à cent !). Immédiatement après sa mort, et par l'intermédiaire de Durand-Ruel, Barnes depuis New York achète deux tableaux très importants, *La Source* et *La Sortie du Conservatoire.* Un autre grand Renoir, *Le Clown,* et de nombreux Van Gogh sont aujourd'hui à Otterlo, à la Fondation Kröller-Müller.

L'époque est également marquée par la multiplication des musées et l'ouverture des grandes fondations privées. Frick est mort au mois de décembre 1919. Il laisse à la Ville de New York une somptueuse demeure au bord de Central Park sur la Cinquième Avenue, et une collection de peinture de cent trente-huit pièces allant des Siennois du début du XIVe siècle à Renoir, avec une prédilection pour le XVIIe siècle hollandais et le XVIIIe siècle français, dont les célèbres panneaux que Fragonard avait réalisés à la demande de la du Barry pour son pavillon, dans le parc du château de Louveciennes. Les journaux évaluent la collection à vingt millions de dollars. L'ensemble est destiné à devenir une galerie ouverte au public afin d' « encourager et de développer l'étude des beaux-arts ». A Boston, les projets d'Isabella Gardner prennent finalement tournure. Le palais néovénitien de Fenway Park ouvrira ses portes au public en 1924. A Washington, Duncan Phillips a fondé la Phillips Memorial Gallery en 1918. Elle est ouverte au public en 1922. A Philadelphie, Johnson a légué sa collection lui aussi à la Ville, en 1917. Seul Peter Widener, décédé en 1916, n'a rien décidé. Ce sera à son fils plus tard de choisir le réceptacle de ce magnifique ensemble.

En Europe, c'est l'inverse. C'est la démarche du mécène allemand Osthaus, à Hagen dans la Ruhr, et surtout, à Moscou, des deux grands collectionneurs russes Chtchoukine et Morozov qui, dès 1910, reçoivent le dimanche les peintres qui viennent découvrir les grandes compositions de Matisse, les Gauguin et les Picasso. Avec la nationalisation des collections en 1917, ces œuvres seront accessibles au grand public. Ce n'est pas étranger au renouveau de la peinture russe de l'époque, même si tous — ou presque — avaient fait auparavant le voyage de Paris. L'engagement des artistes, la modernité qu'ils revendiquent pour servir la Révolution, pour changer le monde, découle de cette rupture parallèle des deux ordres esthétique et politique. C'est d'ailleurs cet amalgame qui fera taxer à la même époque à New York, en 1921, l'école contemporaine française de bolchevisme.

A La Haye enfin, dans un hôtel particulier donnant sur le Lange Voorhout, une des jolies promenades de la capitale, Anton Kröller et Helena Müller commencent à échafauder un projet analogue à ceux encore en pointillé de Barnes. Elle est l'héritière d'une grande famille de la

Ruhr, qui a établi une filiale à Rotterdam. Son mari en prend la tête ainsi que de la compagnie de navigation, la Batavia Line. Helena Müller prend les conseils de Karl Ernst Osthaus, car tout ce monde se connaît, s'écrit, se retrouve aux grandes ventes ou chez les marchands parisiens. Elle réunit autour d'elle un cercle d'artistes et d'amateurs et commence à collectionner sur une vaste échelle. Le premier achat important est un Van Gogh, une *Nature morte aux tournesols*. Ainsi a débuté la merveilleuse fondation que l'on peut voir aujourd'hui au milieu d'un vaste parc boisé près d'Arnheim, en Hollande, et qui contient, en plus de ses Van Gogh, *Le Chahut*, de Seurat, enlevé de haute lutte à Paris dans une vente aux enchères, contre John Quinn — toujours lui — en 1922.

Dès 1923, Helena Kröller donne des conférences à l'université de La Haye, au centre d'éducation des adultes, et publie un livre de réflexions sur l'art contemporain. Et le 14 mars 1928, l'année de leur quarantième anniversaire de mariage, une fondation est créée pour recevoir la collection. L'université a soutenu le projet, ce qui est un cas unique, surtout en Europe. Dans les statuts, il est explicitement indiqué que le parc dans lequel elle est logée et qui est planté, comme le sera plus tard l'Arboretum de Merion, d'espèces rares, doit être protégé et entretenu. Le principal objet de la donation est néanmoins la délectation du public, et non de servir de support à un projet éducatif.

Au début des années vingt, le monde des collectionneurs est donc marqué par ces nombreuses et spectaculaires initiatives. Il est temps pour Barnes d'agir. La maison de Merion est maintenant trop petite pour servir d'écrin aux deux ou trois cents tableaux que Barnes possède. Quel que soit le sort futur de la collection, il faut déménager. Laura Barnes, qui est toujours passionnée d'horticulture, lorgne depuis dix ans sur une vaste propriété, située dans Merion, à quelques pâtés de maison de chez eux. Elle appartient à un colonel en retraite, Joseph Wilson, qui partage sa passion pour les arbres et les plantes rares. Barnes a tout essayé pour le convaincre de vendre. Finalement celui-ci en 1922 accepte une dernière proposition : son Arboretum sera entretenu et développé par la Fondation qu'il projette de créer. Il sera même le directeur de ce département. En outre, il lui offre sa propre maison jusqu'à la fin de ses jours et de ceux de sa femme pour un loyer d'un dollar par an.

Sur les seize acres de la propriété, Barnes a désormais la place de faire construire un bâtiment suffisamment vaste pour abriter sa collection. Il a même la tentation de réaliser une opération immobilière autour de l'Arboretum. Il a acheté deux autres terrains mitoyens et il s'associe avec un promoteur local, John Mac Clatchy, pour lancer, autour du lot qu'il se réserve pour la Fondation, un programme de maisons de grand standing vendues 50 000 dollars l'unité ! Une annonce est publiée dans le *Public Ledger* du 5 mai 1922. Le docteur n'a pas perdu son sens aigu des bonnes affaires. Le style des maisons alentour est assez hétérogène. Cela va du Tudor en brique, aux poutres apparentes et aux volets vernis noir, jusqu'aux solides bâtisses de pierre grise.

Mais pour son grand projet, curieusement, et probablement sur le conseil de sa femme, Barnes opte pour le plus strict néoclassicisme, tel qu'il a cours pour les bâtiments publics à Philadelphie. Il choisit un architecte spécialisé dans les ouvrages officiels, Paul Cret, qui a à son actif la bibliothèque de Philadelphie et qui est précisément professeur d'architecture à Penn, l'université d'État de Pennsylvanie. Veut-il déjà se ménager de bonnes relations avec l'université? Cherche-t-il — pour une fois — à faire comme tout le monde? A priori non. Il se sent suffisamment fort pour décréter que ce qu'il fait est un acte officiel, ou au moins lui en donner l'apparence. Car, après tout, il est maître chez lui. Le choix du bâtiment effectué, restent deux formalités, l'établissement des statuts de la Fonda·tion et les modalités de son financement.

Il s'adresse alors au meilleur juriste de la ville, Owen J. Roberts, qui devait plus tard devenir le premier citoyen de Philadelphie à siéger à la Cour suprême des États-Unis. Ses exigences sont complexes : dès le début, il souhaite que la vocation de la Fondation soit éducative et non, comme toutes les institutions qui se créent à l'époque, la gestion dans l'intérêt du public d'un patrimoine artistique, susceptible éventuellement de servir au développement de l'intérêt pour l'art, comme à la Frick Collection. Les statuts sont donc sans ambiguïté : l'objectif prioritaire est l'encouragement de l'éducation et de la connaissance des beaux-arts ; à cette fin, la Fondation doit constituer et entretenir une galerie d'œuvres d'art et les bâtiments nécessaires pour exposer des œuvres d'art ancien et moderne. Mais cette galerie n'est pas principalement destinée au public, contrairement à ce que croit pouvoir affirmer Forbes Watson dans la revue *The Arts* qui annonce la création de la Fondation et en décrit les objectifs. En outre il est prévu d'entretenir et de développer l'Arboretum et un laboratoire d'arboriculture.

Le conseil d'administration comporte cinq membres : Barnes et sa femme, les sœurs Mullen et le colonel Wilson. Mais lui seul détient tous les droits sur la collection elle-même : acheter, vendre, échanger, prêter, reproduire, etc. jusqu'à sa mort.

La politique d'admission est extrêmement rigide puisqu'elle est limitée à deux jours par semaine, hors les mois d'été, et sur présentation de cartes délivrées par le conseil d'administration. En réalité, la collection n'est pas ouverte au public puisqu'il faut une délibération du conseil, même pour les périodes d'ouverture théorique, pour chaque admission. Ce n'est qu'après sa mort et celle de sa femme, que Barnes, qui à l'époque a cinquante ans, prévoit de laisser le conseil maître de fixer les règles générales d'admission, toutefois limitées à deux jours et demi par semaine, dont le dimanche après-midi de 1 heure à 5 heures. Le conseil, après sa mort, devra prendre toutes dispositions nécessaires pour que « le peuple, c'est-à-dire les hommes et les femmes qui gagnent leur pain quotidien à l'usine, à l'école, dans les boutiques, puisse y avoir accès gratuitement ». Ainsi naît officiellement la Fondation Barnes, qui sera le grand dessein et la raison d'exister de cet homme jusqu'à la fin de sa vie. Après sa mort également, Penn aura le droit de désigner deux membres du conseil d'administration sur cinq et prendra ainsi progressivement le contrôle de la gestion de l'institution.

Barnes et ses juristes avaient à résoudre une délicate contradiction : les institutions éducatives ont généralement un patrimoine très limité. Il suffit de prévoir des moyens de fonctionnement suffisants, ce qui ne pose aucun problème d'exonération fiscale, tant l'intérêt public est évident. Les collections ont le problème symétrique : des frais de fonctionnement limités mais un patrimoine considérable. La justification des exonérations fiscales réside alors dans l'ouverture des galeries pour en faire profiter le public. Le système que Barnes essaye de bâtir doit pouvoir bénéficier du statut fiscal des collections érigées en fondations sans la servitude associée à l'ouverture au public. Il pense résoudre la contradiction en conférant un caractère éducatif à sa Fondation, bien que son patrimoine artistique soit déjà considérable — et ne cessera de croître — et tout à fait disproportionné avec les besoins réels d'une institution éducative. C'est cette faille qui donnera lieu à plus de soixante ans de controverses juridiques, qui ne sont d'ailleurs pas terminées.

Il est difficile d'imaginer qu'Albert Barnes, convaincu de bâtir la plus importante collection du XXe siècle, n'ait jamais songé à ce qui se passerait le jour où, conformément à son projet, elle serait effectivement reconnue comme telle. A ce moment-là, elle ne serait plus d'aucune utilité pédagogique, puisque tous les musées du monde auraient des tableaux, certes de moins bonne qualité que les siens, de ses peintres préférés. Il serait pourtant, de par sa volonté, toujours impossible au grand public, celui qui doit être à l'abri des préjugés des académies et des critiques, d'y avoir accès.

En d'autres termes, ou bien ses choix sont validés par l'avenir, et il a eu raison, et la Fondation doit s'ouvrir, ou bien « ses peintres » tombent dans les oubliettes de l'histoire de l'art, comme ses détracteurs le prédisent, et la question n'a plus aucune importance. Il faudra quand même plus d'un demi-siècle pour lever cette contradiction interne au raisonnement initial de Barnes.

La seconde formalité est la plus simple à accomplir : la donation. Albert Barnes établit une liste manuscrite de plusieurs centaines d'œuvres et un chèque de 6 millions de dollars. Les revenus de cette dotation placée en obligations municipales ou en chemins de fer serviront au fonctionnement de la Fondation. Le 4 décembre 1922, l'État de Pennsylvanie enregistre la Fondation Barnes, au titre des institutions à but éducatif.

CHAPITRE 6

Le Paris de Paul Guillaume

La nature a horreur du vide, le marché de l'art aussi. La guerre a disloqué le cercle Stein, déjà affaibli par son engagement inconditionnel derrière le cubisme et le départ de Léo pour Florence. Les artistes ont été mobilisés, du moins les Français ; plusieurs ont été blessés. Mais leur rayonnement à l'étranger s'est amplifié. Les clients se faisant rares à Paris, les marchands ont essayé de faire organiser des expositions à Londres et à New York. Les impressionnistes puis Picasso et Matisse commencent à jouir d'une renommée internationale. Ils n'ont pas été au front, le premier parce qu'il est espagnol, le second parce qu'il est déjà trop âgé. Ils restent les chefs de file de la nouvelle génération dans ce climat de retour à l'ordre esthétique qui caractérise l'immédiate après-guerre. Paul Guillaume, « ce jeune marchand, selon Gimpel, son confrère, qui n'achète que des extrémistes », a déménagé de la rue de Miromesnil au 208, rue du Faubourg-Saint-Honoré, où sont désormais installées les grandes maisons parisiennes, Bernheim et Durand-Ruel. Il lance une petite revue, *Les Arts à Paris*, dont Apollinaire et André Salmon sont les chroniqueurs attitrés, qui donne un fidèle reflet de la vie artistique de l'après-guerre qui se reconstitue.

La revue publie aussi des petites annonces étonnantes :
« Amateur étranger de passage à Paris serait acheteur des
maîtres modernes suivants : Renoir, Monet, Cézanne,
Toulouse-Lautrec, Van Gogh, Gauguin, Pissarro, Sisley,
Daumier, Matisse. S'adresser à la galerie Paul Guil-
laume. »

Nous sommes en 1918 !

A part Picasso, il ne manque personne. Cet amateur a
décidément un œil exceptionnel. Louis Vauxcelles, le
critique qui n'avait pas de mots trop durs pour la
débauche de couleur des Fauves, cette horde sauvage qui
avait animé le Salon de 1905, est maintenant convaincu
par Matisse : « Son style à lui est plus spontané, plus
direct. Ah ! l'étrange et profond peintre, le plus doué, le
plus sensible de tous. Prodigieux mélange d'émotion et
d'intellectualité », écrit-il dans le premier numéro des *Arts
à Paris* à propos de la double exposition qui marque
l'ouverture de la galerie.

Apollinaire meurt le 9 novembre, deux jours avant
l'armistice. Paul Guillaume lui rend hommage dans le
numéro suivant. Il lui doit tout. Il l'a présenté au grand
monde, il l'a introduit à vingt ans dans celui des artistes. Il
a soutenu les efforts du jeune marchand débutant. Il l'a
lancé. Avec lui meurt plus qu'un poète : le héros de
Montmartre, le chantre de l'avant-garde, le ciment de
cette incroyable bohème qui a transformé l'histoire de
l'art. Sans racines, ces artistes n'avaient aucun mal, dans
ce Paris qui apprécie encore Bouguereau et Cabanel, à
faire de Cézanne, le solitaire, le méconnu, le réprouvé, leur
maître à tous. La relève est prête.

André Breton, Philippe Soupault, Blaise Cendrars
cherchent encore des lecteurs mais ont trouvé leur
mécène, le couturier Jacques Doucet. Lui, c'est un collec-

tionneur classique au début. En rassemblant chez lui un splendide ensemble de meubles et de dessins du XVIIIe siècle, il vise à sortir de sa condition sociale. On aime être prié à dîner chez lui, rue Spontini. Mais on y reste entre hommes. L'idée que son épouse pouvait encore l'après-midi essayer un modèle sous l'œil professionnel, mais sous l'œil quand même de ce magicien qu'est Doucet est intolérable à l'homme du monde. Magicien, le mot restera. Barnes est pour toujours un docteur doté d'un caractère difficile. Doucet, lui, est un magicien. En 1912, il revend l'ensemble de ses collections. Ces deux jours de vente à la galerie Georges Petit sont un événement mondain majeur. Ce qui est plus important, c'est qu'il a décidé de réinvestir le produit de cette vente dans l'art contemporain. A la différence de Barnes, il ne projette pas de constituer une fondation, mais songe sérieusement à cesser son activité professionnelle et il met en vente sa maison de couture.

Jacques Doucet est passionné d'histoire de l'art. Parallèlement à sa collection de meubles et de dessins, il avait rassemblé un fonds de documentation considérable. A la veille de la guerre, et malgré les inévitables tracasseries administratives qu'un tel projet suscite, il le lègue à l'université de Paris. Il entreprend aussitôt de constituer un fonds littéraire. Il s'entoure de poètes — André Breton et André Suarès seront un temps ses secrétaires — qu'il rémunère en échange de leurs manuscrits et qui achètent pour lui des tirages limités, des éditions originales, des livres illustrés par les artistes contemporains. Il recrute même des relieurs : Pierre Legrain, Rose Adler transformeront pour lui cet art séculaire et habilleront de façon révolutionnaire ses précieux exemplaires de tête, en concevant un décor en harmonie avec le texte, telle une introduction esthétique. Doucet a aussi décidé de faire construire un hôtel à Neuilly, son « studio », pour abriter ses collections. Il fait dessiner des meubles par les grands créateurs du moment, acquiert des statues nègres et achète des tableaux. Comme pour ses manuscrits et ses éditions originales, André Breton lui a établi un programme.

D'abord Picasso. Il lui fait acheter en 1923 les *Demoiselles d'Avignon*, pour 25 000 francs, payables en un an. Pour Breton, ce tableau c'était le nœud du drame, l'entrée de plain-pied dans le laboratoire de Picasso. L'artiste l'avait exposé une première et dernière fois au Salon d'Antin en 1917, manifestation collective d'avant-garde organisée par André Salmon. Puis l'œuvre autobiographique, le manifeste cubiste avant la lettre, l'exorcisme, Picasso l'avait rangé, roulé au fond de son atelier. La toile déménagea autant de fois que son auteur changeait de compagne. Après Fernande, Éva, qui meurt de tuberculose pendant la guerre. Puis Olga, la belle ballerine pour qui il avait peint le décor de *Parade*. La première au Châtelet fait scandale en 1917. Satie, Cocteau et Picasso ! Mais tout Paris est là, c'est-à-dire, bien sûr, Doucet. Les *Demoiselles* seront néanmoins accrochées dans la salle de bains pour ne pas choquer Mme Doucet. Picabia, qui, on l'a vu, détestait Barnes parce que celui-ci le négligeait, opposa la démarche des deux hommes. D'un côté une entreprise massive systématique à coup de billets de banque, de l'autre une union profonde des trésors artistiques et de l'inspiration poétique dont ils étaient le reflet, de la bibliothèque littéraire et des tableaux. En réalité le projet de Barnes était d'une nature radicalement différente. Jacques Doucet fut un mécène hors pair. Il n'eut jamais pour ambition de faire connaître et encore moins de faire aimer ce qu'il cultivait. D'ailleurs tout cela devrait être un jour vendu « au profit de la lune » !

Toujours sur le conseil d'André Breton, il a acheté à Robert Delaunay pour 50 000 francs *La Charmeuse de serpents,* qui est peut-être l'œuvre emblématique du Douanier Rousseau. Son dépositaire lui fait jurer de la léguer au Louvre. Ce sera fait, enfin presque, puisque la *Charmeuse* est au musée d'Orsay. Doucet achète aussi des Modigliani, des Soutine, à Paul Guillaume, et un superbe Matisse, *Les Poissons rouges,* aujourd'hui à Chicago, ainsi que l'esquisse finale du *Cirque* de Seurat. Quelles que soient leurs différences, Jacques Doucet et Albert Barnes ont alors le privilège de posséder chacun le chef-d'œuvre des deux peintres les plus importants de leur époque, Picasso et Matisse, avec les *Demoiselles d'Avignon* et *La Joie de vivre.*

Picasso s'est détourné du cubisme parce que, estime aujourd'hui l'un de ses biographes, Pierre Daix, il regrette de n'avoir su, autrement que par des « Ma Jolie » calligraphiés sur de savantes compositions architectoniques, laisser un témoignage de son amour pour Éva. Le retour à l'ordre pour Picasso, c'est donc le retour au classicisme, à une peinture tellement ingresque qu'elle en constitue une caricature formidable et ironique. Picasso est maintenant sous contrat avec Léonce Rosenberg, à l'Effort moderne. Le retour à l'ordre, c'est aussi la chute des prix de la peinture contemporaine, initiée par la vente forcée par l'État des stocks de la galerie Kahnweiler.

En quatre vacations, de 1921 à 1923, et avec une stupéfiante obstination à se spolier lui-même, l'État met sur le marché plus de mille cinq cents œuvres de la période 1908-1914, des Picasso et des Braque en quantité, mais aussi des Gris, des Vlaminck, des Derain. Le résultat est prévisible. Les cours s'écroulent. D'habiles collectionneurs en profitent, comme le banquier suisse La Roche, dont les tableaux font aujourd'hui l'orgueil du musée de Bâle ; quelques courtiers acquièrent à bon compte de la marchandise pour l'étranger, mais globalement c'est la réputation de cette avant-garde qui reçoit un coup mortel, donc sa capacité à vendre, à trouver des clients et à survivre. Barnes ne s'en plaint pas, lui qui a sévèrement condamné le mouvement. D'ailleurs il n'achète pas. Et pourtant il n'a jamais laissé passer une bonne affaire. Les musées français n'achètent pas non plus, on s'en doute. En 1982, le Musée d'art moderne racheta pour plus de 8 millions de francs un Braque dont le Trésor public s'était défait en 1921 pour 2 400 francs, l'*Homme à la guitare*.

Une avant-garde s'est épanouie en Russie puis est venue à Paris ouvrir des champs nouveaux à la création, mais sans beaucoup de succès. Cette peinture-là était tout aussi invendable. Il a fallu donc renouveler l'intérêt commercial pour l'art contemporain, relancer l'art risqué ! C'est tout le sens de la démarche de Paul Guillaume. Si Léonce Rosenberg a su capter les repentis de chez Kahnweiler, le jeune marchand, lui, a repris sa fonction de défenseur de la modernité, mais d'une modernité vendable, acceptable, qui conserve l'audace et qui ne frustre pas l'amateur du prestige qu'il tirera si ses choix sont validés par la suite. Ainsi naît et se développe autour de Montparnasse, de la Ruche, une colonie d'artistes émigrés d'Europe centrale qui se réunit au Dôme où à la Rotonde et où se côtoient le meilleur et le pire. C'est ce Paris-là que Paul Guillaume fera découvrir à Barnes dès ses premiers voyages d'après-guerre.

Pendant ce temps-là, le salon Stein est déserté. Gertrude a des ennuis d'argent. Elle n'arrive toujours pas à se faire éditer et elle vend les uns après les autres les chefs-d'œuvre qui ornaient l'atelier de la rue de Fleurus. Man Ray lui rend un jour visite et la photographie en compagnie de sa fidèle Alice. Au-dessus de la cheminée, le mur est maintenant nu, l'enduit s'écaille. Quelques dessins sont là pour rappeler que dix ans plus tôt *La Joie de vivre*, les *Deux Arlequins*, le *Nu bleu* et tant de Cézanne avaient trouvé ici leur premier domicile.

Les choix des Stein ont été reconnus par quelques critiques comme par certains grands collectionneurs. Le plus important de tous est Auguste Pellerin, le roi de la margarine, qui, à Neuilly, dans son hôtel particulier non loin de chez Doucet, a cent Cézanne. A l'époque, c'est le seul rival de Barnes, mais lui, il n'est pas avare d'invitations. Quiconque est intéressé peut se faire annoncer. Gimpel raconte dans ses souvenirs ses impressions quand il s'y rend, en septembre 1922 : « Les Cézanne de Pellerin. Il doit en avoir au moins cent, c'est dur à regarder... C'est cent coups de cymbale sur la tête. Pellerin envoie des cartes à qui veut les visiter... Il faudrait les décrire tous. On sent dans sa peinture sa fatigue, son effort, et sa peine, et pourtant il apparaît de plus en plus complet. » Aucun collectionneur n'en possédera jamais autant. Quand il mourra en 1930, Mme John D. Rockefeller refusera de payer 120 millions pour le tout, ce qui prive le Musée d'art moderne de New York, qui vient alors tout juste d'être constitué en étage dans le centre de Manhattan, et bien loin du superbe bâtiment actuel, d'une collection inestimable. Autre immense collectionneur, Maurice Gangnat, qui meurt en 1924, et laisse un ensemble considérable de Renoir qui sont dispersés en ventes publiques successives.

L'immédiate après-guerre voit donc la conjonction d'une nette inflexion du goût, qui tend à marginaliser à

nouveau les créateurs, et d'une concentration énorme
d'œuvres de la période précédente chez quelques collectionneurs et bien sûr dans les stocks des marchands qui
n'ont pas réussi à vendre. A tous ces éléments, il faut
ajouter la faiblesse du franc, qui file de dévaluation en
dévaluation jusqu'à la réforme Poincaré et qui rend
infiniment attractive l'acquisition d'œuvres d'art en
France. Le Paris de 1920, celui où va débarquer à
nouveau Albert Barnes, est donc caractérisé par ces
deux facteurs dont la simultanéité est tout à fait unique
dans l'histoire de l'art et qui provoquera la fuite de tous
ces chefs-d'œuvre vers l'étranger.

Le temps n'est d'ailleurs plus aux grandes controverses, aux querelles entre les Anciens du Salon et les
Modernes, éternellement refusés. Il n'est plus, non plus,
aux scandales. La scène est apaisée. Les collections
publiques se sont définitivement, semble-t-il, fermées
aux acquisitions audacieuses. Le legs Caillebotte a été
refusé une seconde fois. Le legs Moreau-Nélaton est
exilé dans une aile du Louvre suffisamment loin de la
grande galerie. Et il faut toute l'insistance de Clemen-
ceau pour que *Les Nymphéas* de son ami Claude Monet
soient installés dans le petit pavillon de l'Orangerie. La
persévérance des conservateurs à tenter toutes les
manœuvres pour les en déloger ne faiblit pourtant pas
jusqu'à la guerre. N'imagine-t-on pas, parce qu'on a
besoin d'espace pour une exposition, de les recouvrir
par des tapisseries flamandes ?

L'époque n'est pas non plus exempte de quiproquos.
Quand l'État songe à décerner à Matisse la Légion
d'honneur, les services des Beaux-Arts remplissent le
dossier au nom d'Auguste Matisse, peintre de batailles
navales, et conservateur du Musée de la marine au

Trocadéro. C'était pour éviter cette confusion que Matisse se faisait alors appeler « Henri-Matisse ».

Les indignations de la critique face aux audaces des Fauves, des cubistes, des futuristes sont aussi oubliées parce qu'elle n'a plus rien de révolutionnaire — ou presque — à se mettre sous la dent. Dada a rendu l'âme ! Deux mondes coexistent pacifiquement. Le monde de l'art officiel continue d'attribuer des médailles, des prébendes et des commandes à une coterie tragique d'artistes oubliés aujourd'hui, les héritiers de Cabanel et de Carolus-Duran, les Ducos de la Haille, les Besnard, les Zubiaurre ou les Kamir dont les œuvres décorent encore tant de mairies ou de préfectures. Le monde de l'art, lui, se trouve dans les galeries et chez les collectionneurs privés, soumis aux fluctuations de la cote, à la versatilité du goût. Mais il ne se vend que très peu et très mal. Les incidents des ventes Kahnweiler, où Derain en vient presque aux mains avec les experts nommés par l'État, les frères Rosenberg, n'émeuvent que quelques initiés. Et comme les francs-tireurs d'hier, les Picasso, les Derain reviennent à un classicisme rigoureux, qui oserait alors soutenir que la glorieuse période de 1860 à 1914 a été autre chose qu'une parenthèse, une parenthèse féconde certes, une brèche mais qui s'est vite refermée et qui aujourd'hui, c'est-à-dire en 1920, fait déjà partie d'un passé déjà oublié ? Il est vrai que les audaces sont ailleurs. Les poètes occupent le devant de la scène, avant bientôt les philosophes avec toutes les grandes controverses que la révolution d'Octobre ne manquera pas de faire naître.

Désintérêt de l'État, prix faibles, stocks abondants. Les conditions sont réunies pour que des collectionneurs avisés en profitent. Barnes sera le plus actif, suivi par John Quinn pendant une brève période.

La France s'apprête donc à laisser partir la quasi-totalité des principales œuvres dites postimpressionnistes à l'étranger, au point qu'aujourd'hui il n'est pas possible de voir en France la production de Seurat, de Cézanne, de Van Gogh, de Gauguin, de Matisse et même du Picasso d'avant la Première Guerre. Il n'y a pas d'exemple, dans l'histoire, d'un État qui ait avec autant de constance lutté contre la production artistique de son temps parce qu'il en avait perdu le contrôle.

La période qui va de 1860 à 1914 est notre Siècle d'or à nous. Elle se comparera un jour avec la Renaissance florentine, avec les fastes de la Venise de Titien et de Bellini, avec le Madrid de Vélasquez ou l'Amsterdam de Rembrandt, et où Hals, Vermeer et Ruysdael venaient, de leurs villes voisines, vendre leur production.

Aujourd'hui *Les Ménines* de Vélasquez sont au Prado ; *La Ronde de nuit* de Rembrandt est toujours à Amsterdam, même si elle fut sévèrement critiquée à l'époque ; *La Naissance de Vénus* est encore tout près, aux Offices de Florence, de ces villas des cousins Médicis desquels Botticelli avait reçu cette somptueuse commande ; les Turner sont à Londres, comme les Van Eyck à l'Hôpital Saint-Jean de Bruges et la célèbre *Vue de Delft* de Vermeer au Mauritshuis de La Haye.

Les œuvres emblématiques de cette fin du XIXe siècle et du début du XXe siècle ont été créées à Paris. Aucune d'entre elles n'est plus visible en France. *L'Après-midi à la Grande Jatte* et *Les Poseuses* de Seurat sont à l'Art Institute de Chicago et à la Fondation Barnes. *Les Joueurs de cartes* et la version finale des *Grandes Baigneuses* de Cézanne sont tous deux à la Fondation Barnes comme *La Joie de vivre* de Matisse. Les Van Gogh de la période d'Arles sont à Amsterdam et à Otterlo. Le fameux testament de Gauguin, *D'où venons-nous ? Que sommes-nous ? Où allons-nous ?* est au musée de Boston. Les *Demoiselles d'Avignon* sont au Musée d'art moderne de New York. Ces œuvres majeures ont toutes quitté la France à partir de 1920, et sur une période d'une douzaine d'années. Leurs acquéreurs finaux sont des collectionneurs de la deuxième génération, qui les achètent à des marchands et non aux artistes eux-mêmes ou à leurs premiers collectionneurs.

Paris, sur le plan du marché de l'art, est donc une ville ouverte, une ville offerte. D'un côté les créateurs s'assagissent, de l'autre les stocks se gonflent. Il y a d'abord les stocks des marchands. A la mort de Paul Durand-Ruel, on prétend qu'il a plus de mille tableaux impressionnistes. Duncan Phillips, mais aussi Samuel Courtauld, le grand industriel anglais qui a fait fortune en créant un groupe textile, en profitent. Ce dernier achète notamment *La Loge* de Renoir et une version plus petite que celle de Barnes des *Joueurs de cartes* de Cézanne.

Ambroise Vollard n'a jamais révélé l'état de ses stocks. Mais les centaines de Cézanne, de Derain, de Vlaminck ou de Picasso, qu'il avait achetés directement aux artistes pour quelques milliers de francs, sont pour la plupart encore là. Il a réalisé de tels bénéfices sur ce qu'il a vendu qu'il est maintenant à l'aise. Après vingt-cinq ans dans la minuscule galerie de la rue Laffitte, dont la cave servait autant à conserver les toiles qu'à donner des banquets qui resteront mémorables où se côtoient artistes, critiques et les premiers amateurs, il déménage enfin, non pas vers les Champs-Élysées, la rue La Boétie ou le faubourg Saint-Honoré, où le monde des galéristes s'est déplacé, mais rue de Martignac, derrière l'église du Gros-Caillou, complètement à l'écart, fidèle à son tempérament secret et peu avenant.

Il a fallu toute son habileté, son sens de la dissimula-
tion, à lui comme à d'autres, pour que les cours des
artistes ne s'effondrent pas comme pour la peinture
cubiste. Quand on se souvient de l'incroyable mise en
scène qu'il déploie lors de la première visite des Stein rue
Laffitte, on mesure l'exceptionnelle maîtrise de cet homme
qui a réussi à accréditer l'idée suivant laquelle Cézanne
était un peintre dont les œuvres étaient rares, donc chères,
alors qu'il en a plusieurs centaines dans sa cave depuis
vingt ans qui ne trouvent pas preneur.

Face à ces marchands ou à ces grandes collections qui
apparaissent et qui inondent le marché, qui achète ? En
France, à peu près personne, si l'on excepte Jacques
Doucet. L'exportation vers les États-Unis bat en revanche
son plein, grâce aux efforts conjugués des marchands
parisiens et des galéristes new-yorkais.

En Europe, après la guerre, avec Samuel Courtauld,
Oskar Reinhart fait également exception. Fils d'une
famille de négociants en chocolat, en textile et en café, très
liée au milieu artistique suisse, il côtoie dès son enfance
Rilke et Ferdinand Nodler. Son père reçoit les peintres de
l'École suisse dans sa grande maison, au Rychenberg près
de Zurich. Durant sa formation, en stage à Londres, il
fréquente davantage le British Museum et les cabinets
d'amateurs privés que les austères bureaux de la maison
de commerce internationale Volkart Frères. En 1911, il
réalise qu'il est moins fait pour les affaires que pour les
beaux-arts. Mais la guerre approche. Et il consacre toutes
ces années à étudier les grandes collections publiques et
privées et à former son propre goût. Son père meurt en
1919. Il laisse la direction de l'affaire familiale à ses deux
frères.

En 1924, peu après Barnes, il saute le pas. Il achète une

superbe propriété sur les hauteurs qui entourent Winter-thur, à vingt kilomètres de Zurich, au milieu d'une forêt de sapins, Am Römerholz, et se retire définitivement des affaires. Comme Barnes, il a un peu plus de quarante ans et envisage de consacrer le reste de son existence à étudier et collectionner des œuvres d'art qu'il va trouver lui aussi à Paris. Mais c'est le seul point commun entre les deux hommes. Oskar Reinhart, comme P. A. B. Widener à Philadelphie ou Gertrude Vanderbilt à New York, est un héritier. Il a déjà une place dans la société zurichoise. Il ne compte pas sur les artistes qu'il fréquente ou sur les œuvres qu'il accumule pour acquérir un statut ou pour proposer une théorie esthétique. Il est, bien entendu, en parfaite harmonie avec les mondes suisse et français des musées et les institutions officielles qui le couvrent d'honneurs. Sa collection est à la fois classique et audacieuse : Bruegel l'Ancien, Cranach, Gérard de Saint-Jean et Gérard David pour la tradition flamande et alémanique, Watteau, Chardin et Boucher pour le XVIIIe siècle fran-çais, et surtout un incomparable ensemble d'œuvres de Courbet, Daumier et Delacroix pour le XIXe siècle. Mais il rejoint Barnes dans ses choix très tôt : huit Cézanne exceptionnels, quatre Van Gogh, douze Renoir, dont le portrait plein d'affection et de tendresse de Victor Choc-quet, une des plus belles versions de *La Grenouillère*, l'établissement de bains près de Bougival où, les dimanches d'été, on venait canoter, et le *Portrait de Mateu de Solo*, l'ami des débuts de Picasso.

Oskar Reinhart mourra, couvert d'honneurs, en 1965. Il a donné ses collections en 1951 à une fondation qui porte son nom. Un acte de donation de 1958 étend celle-ci au domaine, à la bibliothèque et au mobilier. Mais la Confédération helvétique accepte des servitudes extrêmement strictes : elle renonce à tout prêt, à toute vente, à toute nouvelle acquisition, ainsi qu'à l'acceptation de toute nouvelle donation. La collection doit être maintenue dans les locaux aménagés pour elle et elle doit être exposée de façon permanente au public.

Barnes et Oskar Reinhart, tous les deux vers quarante ans, ont ainsi décidé de consacrer le reste de leur vie à leur passion, l'art. Ils ont chacun constitué une fondation qui perpétue leur nom. La structure des deux collections est très différente, si leurs moyens étaient comparables, les achats importants d'œuvres anciennes d'une qualité exceptionnelle et d'une authenticité indiscutable ont limité les acquisitions d'œuvres contemporaines pour Winterthur. Surtout, il n'y a chez Oskar Reinhart aucune volonté d'accumulation, d'exhaustivité. Même si l'accrochage à la fondation comme à Merion mélange les écoles et les époques suivant le propre goût de l'amateur, cette confrontation vise à accroître le plaisir du spectateur et non à lui faire une démonstration.

L'autre grand collectionneur qui retourne à Paris, après la guerre, c'est John Quinn, l'avocat new-yorkais, qui fréquente l'avant-garde et qui a contribué par ses prêts au succès de l'*Armory Show*. A la différence de Barnes, John Quinn est une figure du monde l'art américain. Il a établi de sérieuses connexions avec le milieu parisien lors de sa première visite en 1912.

Pendant la guerre, Pascin, réfugié à New York, accueille Henri-Pierre Roché et le présente un soir à Quinn, et ils évoquent pendant des heures Montmartre, Montparnasse, Apollinaire, Picasso ; à sa démobilisation, Roché écrit à Quinn pour lui proposer d'être son agent à Paris, de le conseiller et d'expédier les œuvres qu'il a choisies pour lui. Dès le mois de septembre 1919, il reçoit mandat d'acquérir des œuvres de Brancusi, dont Quinn a déjà plusieurs sculptures, qu'il a achetées à l'*Armory Show*.

Les recommandations de Quinn sont très claires : il souhaite poursuivre dans la voie initiée en 1911. Il ignore l'École de Paris et Montparnasse, ainsi que les expressionnistes allemands, Nolde, Kirchner, et leur compagnon de route épisodique, Kandinsky, tout autant que les futuristes italiens. Roché doit se concentrer sur Rousseau, Matisse et Picasso, Derain, Cézanne et surtout Seurat. Pour ce dernier, il fait aussi intervenir Marius de Zayas. Il se rend propriétaire de la petite version des *Poseuses*, qui ira ensuite chez les Mac Ilhenny de Philadelphie, de la *Femme se poudrant*, que Samuel Courtauld achètera après sa mort pour léguer le tableau ensuite à la Tate Gallery de Londres, d'une jolie *Vue de la Grande Jatte (un jour gris)*, qui est encore dans la collection de Walter Annenberg et surtout du *Cirque* en 1923. Cette dernière et superbe composition, pas tout à fait achevée, appartient alors à Signac. A sa mort, John Quinn lègue le tableau à la France. C'est le seul tableau important du maître encore en France. En revanche, il se fait souffler *Le Chahut* qui part pour Otterlo, au musée Kröller-Müller. Grâce à Roché, qui est intervenu auprès de Robert Delaunay, Quinn acquiert également en 1924 *La Bohémienne endormie*, du Douanier Rousseau, qui est aujourd'hui au Musée d'art moderne de New York.

Il vient passer l'été 1921 à Paris. Roché le pilote partout. « C'était un juriste renommé, impérieux, méfiant, tyrannique, naïf, généreux. Il avait l'air d'un corsaire », confiera-t-il quarante ans plus tard. Quinn rend visite à Auguste Pellerin et à Jacques Doucet. Il joue au golf à Fontainebleau.

Roché a raconté cette partie mémorable : « Quinn eut

l'idée d'emmener Brancusi et Satie jouer au golf avec lui et moi dans un club chic. Brancusi désirait essayer et Satie suivait Brancusi. Leurs manquements à l'étiquette engendrèrent un sketch comique dont Quinn ne parla jamais sans rire. Pour son swing, Brancusi se créa sur-le-champ une technique sans accepter aucun conseil. Il visait la balle de loin et frappait un premier coup approximatif, violent, sans jamais la toucher. Mais il corrigeait à l'instant et frappait un deuxième coup sans jamais la manquer... Satie, avec son melon, son pardessus et son parapluie, préféra ne pas jouer lui-même, pour mieux regarder Brancusi. Et grâce à l'habitude de la hache et du marteau, et à sa précision de sculpteur, il faisait des progrès et des découvertes. Quant à moi, conclut Roché, sans connaissances musicales, sans ambition en sculpture, j'avais un tel besoin des bronzes polis de l'un et des *Gymnopédies* de l'autre que je les mettais à égalité dans une reconnaissance sans mesure. »

Roché est modeste. Il avait aussi le sens des affaires. Quand il voit que le rythme des achats de Quinn faiblit, il n'hésite pas à le relancer : « Barnes dévalise Paris... » Il n'y avait pas de meilleur stimulant.

Quinn rencontre Fénéon, qui dirige toujours le département d'art moderne chez Bernheim, et Vollard ainsi que Rosenberg. Il visite les ateliers, celui de Picasso d'abord. Et il suggère, suivant son habitude, au peintre de lui vendre directement en court-circuitant sa galerie, l'Effort moderne, avec laquelle il est sous contrat. Mais il se fait éconduire. Puis toujours avec Henri-Pierre Roché, il part pour l'Italie, pour Florence où il retrouve Léo Stein, dont il vient d'acheter la seule œuvre importante de Matisse encore en Europe qui a échappé à Barnes, le *Nu bleu*, peint en 1907, qui évoque la lumière violente du Maroc, les palmiers et qui est d'une certaine façon la réponse de Matisse à la période africaine qui s'échauche chez Picasso.

Barnes est tenu informé des achats de son rival. Mais Quinn n'a ni les mêmes moyens, ni la même disponibilité que lui. Il a beau vendre en 1923, après son second — et fécond — séjour à Paris, sa collection d'éditions originales et de livres illustrés pour dégager de nouvelles ressources, il sait qu'il ne peut pas lutter et s'en ouvre avec une certaine amertume à ses amis. Il meurt en octobre 1924, sans avoir pris aucune disposition particulière pour assurer la pérennité de sa merveilleuse collection, moins riche que celle de Barnes, mais plus audacieuse. Plus représentative des différents mouvements de l'art contemporain, elle contient un ensemble unique d'œuvres de Seurat, de Duchamp et de Brancusi, par exemple, avec de magnifiques Matisse et surtout au moins cinquante Picasso.

Les héritiers sont désarmés. Il n'est pas question d'organiser une grande vente. Le marché est à peine remis des vacations Kahnweiler, il demeure fragile. Il faut prendre son temps, suivre l'exemple de Vollard. Et l'héritage Quinn s'écoule doucement. Barnes ne s'y intéresse pas. Trois ans après, deux ventes à Paris et à New York permettent d'achever la dispersion. Mais les œuvres les plus importantes — sauf le *Nu bleu* — n'y figurent pas. Elles ont été négociées une par une. Duchamp réussit à récupérer plusieurs de ses tableaux, dont l'étude pour le *Nu descendant un escalier*, qu'il léguera au Philadelphia Museum of Art, et il s'associe avec Henri-Pierre Roché pour racheter les vingt-deux sculptures de Brancusi de la collection. Certaines pourront ainsi revenir en France.

Le Paris de l'immédiate après-guerre est donc paradoxal. La scène des arts est apaisée. Les controverses, même à propos des audaces musicales des compositeurs contemporains, se sont adoucies malgré Stravinski et Honegger. Et si on dresse toujours procès-verbal devant la galerie de Berthe Weill qui expose les nus trop suggestifs de Modigliani en vitrine, on est maintenant loin du chahut de *Parade* et des anathèmes des tenants de l'Académie qui condamnaient Cézanne au nom de la morale, et non de la pudeur.

Paris est toujours libéral et cosmopolite. L'Allemagne est dans une situation de quasi-anarchie, de prérévolution peu propice à la sérénité et à l'audace qui président aux grandes œuvres. L'Angleterre reste victorienne et l'Amérique, hormis cette petite communauté new-yorkaise, organisée autour de Stieglitz et de Gertrude Vanderbilt, puritaine. D'ailleurs quand, en 1921, le Metropolitan Museum se risque à organiser une exposition d'œuvres contemporaines, mêlant la production importée de Paris et ses émules de New York, la critique se déchaîne avec une rare violence, comme en 1913 après l'*Armory Show*. C'est à cette occasion qu'est né, semble-t-il, le vocable d'art dégénéré. La France ne se contente plus de pervertir les artistes qu'elle accueille. Elle est devenue le foyer de ces déviances, dont on dira avec le plus grand sérieux, quelques années plus tard — ce qui fera exploser de fureur Barnes — qu'elles témoignent de la raison déficiente de ses auteurs. Et elle exporte dans l'Amérique saine et pure les signes de la décadence et de la dégénérescence de la nature humaine.

Seulement ce climat général de répression ne fait que renforcer l'attrait de Paris, qui, bien plus encore qu'avant-guerre, devient véritablement le principal centre de création de toute l'Europe. C'est toujours le Paris de Montmartre et de Montparnasse, chanté par Apollinaire, le Paris des Ballets russes de Diaghilev et des audaces architecturales des frères Perret, du théâtre des Champs-Élysées, de Brancusi et de Cendrars, c'est le Paris où s'entrechoquent les cultures et les civilisations, où l'on s'éprend de l'art nègre comme des compositions suprématistes, où les poètes sont édités par les mécènes et où les soirées littéraires accueillent Breton, Suarès ou Drieu.

Ce Paris n'est plus celui, austère et rigoureux, des impressionnistes, des Fauves ou des cubistes qui se battent contre la critique et l'establishment, car, même si celui-ci continue à sévir, il n'a plus comme auparavant la même capacité de nuire. Plus personne n'expose au Salon, enfin plus personne qui compte. Le marché a pris le relais, le marché, c'est-à-dire les marchands. Et il en est un prodigieusement doué, Paul Guillaume, qui a compris que l'avant-garde, non seulement pouvait fort bien se vendre, mais aussi se produire, être encouragée et promue comme telle. Déjà on fait miroiter les substantielles plus-values réalisées par les premiers acheteurs de Cézanne, de Van Gogh, ou de Picasso. Paul Guillaume a donc à sa disposition l'argument financier. Il y ajoute avec un remarquable talent, le flair, l'audace suffisante, le don de la mise en scène pour séduire celui qui sera bientôt son premier et son seul vrai grand client, Albert Barnes.

Sa carrière a été fulgurante. Il l'attribue lui-même à l'amitié — réelle — d'Apollinaire et à la découverte de l'art nègre qu'il s'attribue. Vers 1910, prétend-il, chez une blanchisseuse de Montmartre, qui est aussi la femme de ménage de Marcoussis, dont le fils fait son service aux colonies, il découvre une idole provenant du Soudan. Il la montre à Apollinaire. Il a à peine dix-huit ans. Il entreprend des recherches à la bibliothèque du Musée ethnographique du Trocadéro, ce lieu désert et poussiéreux que Picasso et Derain hanteront dès 1907. Très vite la compagnie des artistes et l'amour de l'art lui dictent sa vocation. Il sera marchand. Il commence comme courtier en appartement, avenue de Villiers. Et en 1914, à vingt-trois ans, il ouvre sa première galerie, 6, rue de Miromesnil (près l'Élysée... note-t-il), avec une exposition de Natalia Gontcharova, l'auteur des décors du *Coq d'or,* et de Mikhaïl Larionov, chef du mouvement moderne en Russie, du 18 au 30 juin 1914. Les vernissages, est-il précisé, sont les mercredi 17 et 24 juin.

Paul Guillaume est mort jeune, en octobre 1934, ce qui l'a empêché, à la différence de Vollard, de Gimpel, de Kahnweiler ou de Pierre Loeb, d'écrire ses souvenirs. On ne connaît donc pas, sauf à travers quelques chroniques de la revue de sa galerie, *Les Arts à Paris,* sa propre version de son itinéraire esthétique, son regard sur les artistes qu'il a fait connaître et son jugement sur le goût des collectionneurs qu'il a fournis. Il a lui-même fait l'objet de peu d'études, tant les sources sont rares et les témoignages superficiels ou intéressés. Pourtant, à chaque étape de sa vie, chacun de ses artistes, à sa façon, a dressé de lui un portrait qui illustre sa saisissante évolution. De Chirico le voit en jeune intellectuel un peu poseur (musée de Grenoble). Pour Derain, à trente ans, c'est presque un dandy. Quand Modigliani voyait en lui le *Novo Pilota,* le marchand à la fois bienveillant et un peu hautain qui le soutenait (musée de l'Orangerie) alors qu'il avait à peine vingt-cinq ans, mais déjà un feutre. Paul Guillaume choisit bien sûr Van Dongen pour témoigner de son ascension sociale, de sa Légion d'honneur et de sa position dans le monde qui dépasse, à quarante ans à peine, celle d'un simple galériste. Il demandera quand même à Vollard de la lui remettre.

Il réussit l'exploit, à la fin de la guerre, de réunir

Matisse et Picasso dans une même exposition puis Van Dongen. Apollinaire a rédigé la préface du catalogue quelques semaines avant de trouver la mort. « Aujourd'hui, tout ce qui touche à la volupté s'entoure de grandeur et de silence. Elle survit parmi les figures de Van Dongen aux couleurs soudaines et désespérées. » Ce jugement du grand poète n'a pas dû rehausser l'opinion que Kahnweiler avait du critique... s'il l'a lu !

Même si Guillaume tient avant tout à sa place dans le monde, il ne dédaigne pas la fréquentation des ateliers maudits de Montparnasse, mais il est au second plan, derrière Zborowski, Zbo comme on le surnomme, ce sympathique réfugié polonais qui vit parmi eux. Guillaume a connu, par l'intermédiaire de Max Jacob, Modigliani en 1914. Il polémique avec Carco qui lui contestait la paternité de la découverte. Guillaume l'a aidé à trouver un atelier à Montmartre, qu'il délaissera bientôt pour les environs du Dôme. Et il inclut le jeune Italien dans ses expositions de groupe, avec Picasso, De Chirico et Vlaminck notamment en 1918. C'est l'époque où Henri-Pierre Roché, avant de partir pour l'Amérique, donne 100 francs à un ami pour qu'il lui achète une de ses toiles. A son retour, en 1919, l'ami lui apporte le *Portrait de Max Jacob* avec la monnaie...

Alors qu'il recherche, chez Zborowski, des toiles de Modigliani qui vient de mourir à l'hôpital, au début de 1920, de pauvreté et d'orgueil, mais aussi de la drogue, de l'alcool et de la tuberculose, Paul Guillaume tombe sur le portrait d'un apprenti pâtissier et il découvre Soutine, cet émigré, lui aussi, juif lituanien, venu des faubourgs de Minsk. Plus jeune de trois ans que Guillaume, il est l'archétype de l'artiste maudit : une santé fragile, un caractère instable, une phobie de l'eau qui fait qu'il ne se lave presque jamais. Il est à lui tout seul un symbole de cette époque et de cette École de Paris.

Il est arrivé en France vers 1911 et a connu Lipchitz, le seul sculpteur qui restera fidèle au cubisme toute sa vie, et Modigliani. Il est d'une incroyable pauvreté. Un jour, il n'a plus un sou mais il veut absolument peindre une poule vivante. Un paysan accepte de la lui louer deux francs par jour. Or il n'a que cinq francs. L'éleveur lui consent alors un rabais, à condition qu'il nourrisse le volatile. Il peindra pendant trois jours, sans manger... la poule non plus d'ailleurs. Sa santé est fragile et il doit faire de fréquents séjours à Cagnes ou à Céret. Et c'est à cet homme que Guillaume devra sa fortune, car il achète ce petit pâtissier de Cagnes, pour une bouchée de pain.

Un an plus tard en faisant la tournée des galeries lors de son premier voyage en France au lendemain de la guerre, Barnes tombe en arrêt devant le tableau : une pâte lourde, des couleurs violentes, une déformation de la réalité pathétique, une intensité dans l'expression exceptionnelle. « Quel choc ! » s'exclame-t-il. A ce moment-là, Soutine peint depuis près de dix ans sans vendre. Zborowski achète, conserve, en désespoir de cause et moyennant une maigre pension, l'essentiel de sa production. Opportuniste comme toujours, Guillaume propose instantanément à Barnes de voir d'autres Soutine et il l'emmène chez Zborowski. Il y a là cinquante, peut-être cent tableaux. Le docteur ne fait pas de détail. Il achète le tout pour 3 000 dollars, soit 60 000 francs de l'époque, et bien entendu demande à rencontrer l'artiste. Soutine tombe des nues. Il vient de gagner dix fois plus d'argent que depuis son arrivée à Paris, mais faut-il qu'il se lave, qu'il cherche le seul costume à peu près présentable pour recevoir cet amateur excentrique qui vient d'un coup d'acheter toutes ses œuvres ?

Rendez-vous est pris, néanmoins, pour le lendemain. La rencontre est un échec. Barnes est trop civilisé, habitué à ses discussions avec Glackens, qui représente pour lui l'archétype de l'artiste. Il se rend instantanément compte que Soutine est un marginal, animé d'une force intérieure étonnante, qui lui permet de projeter dans son œuvre des émotions, des sentiments absolument bouleversants, mais c'est aussi un anxieux, un timide, brûlé du désir de peindre mais incapable de communiquer autrement. Les deux hommes n'ont rien à se dire.

Il y a eu plusieurs versions de cette rencontre symbolique, le milliardaire américain en visite à Paris et le peintre malheureux, ce héros maudit. La plus fiable fut donnée par Soutine lui-même qui trouva Barnes ennuyeux et qui regretta, peut-être avec une pointe de coquetterie, d'avoir changé ses habitudes, de s'être lavé, pour cet homme qui le fixait d'un œil assez distant. Il venait pourtant, non pas de le changer en or, mais de faire d'un artiste sans le sou un peintre envié et admiré. Car la nouvelle se répand comme une traînée de poudre dans la petite communauté de Montparnasse et Soutine acquiert instantanément une certaine cote.

Barnes découvre à l'occasion, non sans une certaine ivresse, une nouvelle forme de pouvoir, celui de peser de façon décisive sur le destin d'un artiste. Il n'avait jamais éprouvé auparavant cette sensation. Ses achats de Renoir et de Cézanne, non seulement n'influaient en rien sur la vie des deux hommes, dont l'un était mort depuis plus de dix ans et l'autre un artiste déjà reconnu, ni sur l'opinion qu'on se faisait d'eux. Et lorsqu'il achetait des tableaux, à Glackens, à Sloane ou à Prendergast, il ne donnait au cours de leur vie qu'un peu plus d'aisance matérielle.

En somme, à Philadelphie ou à New York, le fait que le docteur de Merion s'intéresse à un peintre passait tout à fait inaperçu. L'achat des Soutine à Paris fit instantanément la réputation du peintre et la sienne. Cela, par la même occasion, il le devait à Paul Guillaume. Il lui en sera reconnaissant en en faisant non seulement son principal fournisseur de peinture française durant l'après-guerre, mais aussi le correspondant à Paris de la Fondation. Si la rencontre avec Apollinaire avait ouvert à Paul Guillaume les portes du monde des artistes de Montmartre et de Montparnasse, la clientèle du docteur Barnes lui apporte la richesse, lui permet d'offrir à la belle Juliette Lacaze, son épouse, Hispano-Suiza et hôtel particulier, où le Tout-Paris des arts et de la politique se donne rendez-vous, d'Albert Sarraut à Édouard Herriot, et non plus simplement les poètes et les artistes fauchés des deux rives de la Seine.

Pierre Loeb, le fondateur de la galerie Pierre, qui avait fréquenté tous les grands collectionneurs de l'entre-deux-guerre, lui rendit visite, un jour de 1932, et le surprit fixant un planisphère accroché au mur. Lui demandant s'il cherchait quelque endroit au cœur du Pacifique pour y monter une succursale, il l'entendit répondre d'une voix tragique : « Non, il va se passer des choses terribles, je cherche un refuge. » Il mourut en 1934 des suites d'une intervention chirurgicale, laissant non pas une galerie, mais une superbe collection de tableaux. Barnes lui avait fait gagner tant d'argent que, sur la fin, il était devenu de moins en moins marchand et de plus en plus collection-

neur. Était-ce sous l'influence de son client ? Il s'était mis
à acheter des Picasso, des Matisse et des Renoir et, bien
sûr, des Soutine pour son compte. Sa femme, après sa
mort, enrichira la collection de plusieurs Cézanne importants.

L'ensemble constitué avant sa mort par Paul Guillaume
est donc proche dans ses choix de la collection Barnes, à
une exception majeure près, les vingt-huit Derain, peintre
à propos duquel les deux hommes resteront toujours en
désaccord. La collection, grâce à une donation, est
aujourd'hui propriété de l'État et exposée à l'Orangerie
des Tuileries. Avec ses douze Picasso, dont plusieurs
œuvres de la période rose, ses dix Matisse, dont un
exemplaire des *Trois Sœurs*, ses Renoir, avec une des
esquisses de *La Leçon de piano*, ses quinze Cézanne et un
ensemble unique du Douanier Rousseau, elle est beaucoup mieux qu'une petite réplique de ce que l'on trouve à
Merion. Mais l'influence mutuelle des deux hommes
pendant la dizaine d'années où, parfois deux fois l'an,
Albert Barnes venait en France y est tout le temps
présente.

CHAPITRE 7

Le docteur Barnes à la Rotonde

Le 16 juillet 1922, Albert Barnes et sa femme étaient de retour à Paris. Ils restaient fidèles à l'hôtel Mirabeau, au 8, rue de la Paix, et l'appartement 31 leur était toujours réservé, au prix de 1 075 francs la semaine. C'était le tarif d'une nuit dans une suite au Ritz, non loin de là. Le réseau de relations constitué avant-guerre avait permis au collectionneur de poursuivre ses achats depuis Merion et surtout de conserver tous ses contacts.

Georges Durand-Ruel est là pour l'accueillir. Dès son arrivée, il les accompagne à une vente où Barnes achète plusieurs Picasso. Il retrouve huit ans après un homme qui a beaucoup mûri. Maintenant que son projet éducatif prend corps dans son esprit, il faut donner une nouvelle dimension à la collection qui va en être le support. Barnes n'est plus cet amateur débutant, au goût incertain, toujours à l'affût d'une bonne affaire, préférant finalement sous-payer une toile secondaire d'un de ses maîtres favoris que surpayer un de leurs chefs-d'œuvre. Et c'est vrai que si la collection, dès 1914, est déjà impressionnante par son volume, elle ne semble pas encore contenir, pour autant qu'on ait une idée précise de la chronologie des acquisitions, les œuvres essentielles qui la rendent aujourd'hui aussi importante.

En 1922, l'homme dispose aussi de beaucoup plus de moyens. Les vertus de l'Argyrol en marge des champs de bataille ont généré des profits substantiels. Surtout, la guerre a ralenti le rythme de ses acquisitions au moment où précisément ses revenus s'accroissaient. Les difficultés monétaires du moment en Europe, comme l'abondance des œuvres de grande qualité sur le marché, rendent plus accessible une peinture qui était déjà relativement chère en 1914. Barnes désire sans doute également renouveler son réseau de correspondants, déceler les tendances qui émergent, maintenant que le cubisme « repose en paix ».

On ne sait pas de façon précise dans quelles circonstances Barnes fit, durant ce premier séjour, la connaissance de Paul Guillaume. On peut toutefois supposer qu'il avait le projet de constituer une collection d'art primitif africain. Guillaume était l'homme tout désigné pour l'aider, et ce d'autant que Barnes entretenait de mauvaises relations avec Marius de Zayas à New York et qu'il s'était délibérément fermé cette porte. Guillaume avait publié en 1917 un ouvrage sur ce sujet avec de nombreuses reproductions de sa propre collection et il avait peut-être ainsi attiré l'attention de Barnes.

Peu après leur rencontre, Barnes conclut deux transactions importantes, le 8 août 1922, une jolie composition de Renoir de 1882, *Scène de plage à Guernesey*, et surtout un grand Matisse, *Les Trois Sœurs*, qui se révèle être la partie droite d'un triptyque, qu'il mettra plus de dix ans, et avec maintes péripéties, à reconstituer.

Il n'a plus besoin non plus d'un guide, d'un Alfy Maurer ou d'un Glackens pour lui ouvrir les yeux sur les tendances du moment. Il recherche plutôt un homme disponible, introduit dans tous les milieux, fin négociateur et susceptible d'adhérer à son projet.

Paul Guillaume est tout cela à la fois. Il a alors à peine trente ans. Les deux hommes s'entendront rapidement. Il n'est pas un marchand comme Vollard qui n'a pour seul objectif que de réaliser une vente au meilleur prix possible. Il n'est pas non plus un théoricien comme Kahnweiler ou Stieglitz. Qui dit théorie dit école, et Barnes n'a rien de plus en horreur que les écoles, les académies, les discours convenus réservés aux initiés d'une religion artistique, qu'elle soit vénérable et reconnue, ou d'avant-garde donc systématiquement provocatrice et fermée au plus grand nombre. Guillaume est en outre fin psychologue. Il laisse parler Barnes. Il ne discute avec lui que pour lui donner finalement raison ou pour avancer un point qu'il sait son interlocuteur prêt à lui concéder. Paul Guillaume est également un grand amateur et un fin connaisseur d'art nègre. Comme il fut l'un des premiers à s'intéresser à cette nouvelle forme d'expression, qui devait tant influencer l'art moderne naissant, il a quelque crédit aux yeux de son client.

Enfin Paul Guillaume a un carnet d'adresses digne des grands marchands, et il peut emmener Barnes visiter des collections privées, approcher tel ou tel fils de famille dans le besoin pour lui acheter une belle pièce au meilleur prix. Il est en contact avec les artistes, avec Montparnasse, avec cette bohème cosmopolite réfugiée à Paris après les remous en Europe centrale et la révolution russe. Modigliani est mort, mais Pascin est revenu. De son vrai nom Julius Pinkas, natif de Vilno, en Bulgarie, de mère italienne et de père juif espagnol, celui-ci exerçait, avant la guerre, ses talents de caricaturiste pour la revue *Simplicissi-*

mus. Puis il fila à La Havane, d'où il a ramené des croquis savoureux, et enfin à New York où il passa une partie de la guerre.

Pascin est déjà de toutes les fêtes à Montparnasse. Ses amours et ses multiples ruptures avec Hermine David, Lucie Krogh et même la femme de Foujita défrayent la chronique. Il se suicidera en 1930, le matin d'une exposition qui devait lui être consacrée. Barnes, prévenu, se joint à la cohorte silencieuse qui se dirige vers le cimetière de Saint-Ouen et pleure en écoutant le rabbin. Il l'avait reçu à Merion en 1926 et l'avait bien embarrassé en lui demandant de faire un discours.

Il y a Lipchitz, le Lituanien, qui est là depuis 1909. C'est le compagnon de route des cubistes, dont il a transposé la technique à son art, la sculpture. Il y a Giorgio De Chirico, le Piémontais, et Kisling, le Polonais. Il y a Soutine, qui survit dans un dénuement incroyable depuis son arrivée en 1912. Il y a enfin Utrillo, toujours entre deux cures de désintoxication et bien d'autres encore.

Paul Guillaume en 1922 n'est pas leur marchand, ou plutôt pas encore, car ces artistes ne vendent presque rien, et Guillaume, lui, est un marchand de peintures à la mode, de peintres à succès, comme Matisse et Picasso, comme les Russes, comme Van Dongen et Derain, pas le Derain Fauve, mais le Derain du retour à l'ordre. Leur marchand à eux, c'est plutôt Léopold Zborowski, polonais et poète à ses heures, qui n'est pas plus riche qu'eux et qui n'a pas davantage de succès.

Le flair de Guillaume, quand il fait la connaissance de Barnes, c'est de comprendre qu'il est mûr pour se voir proposer quelque chose d'autre que ce qu'il trouve habituellement chez ses grands confrères, Durand-Ruel et

Vollard, avec lesquels, faute de moyens, et surtout de stock, il ne pourra jamais lutter. Il a compris que son nouveau client n'est pas un collectionneur comme les autres. Il a une volonté de puissance, un orgueil, une force en lui qui peut le conduire aux acquisitions les plus audacieuses, et il a des moyens à peu près illimités pour l'époque, en tout cas à l'échelle des tableaux que vend habituellement Guillaume.

L'encre des statuts de la Fondation à peine sèche, le 4 décembre 1922, Barnes est à nouveau à Paris. Là, une surprise l'attend. Guillaume lui propose *La Joie de vivre*, qu'il a pu récupérer auprès du marchand danois Tetzen-Lund, lequel l'avait acheté à Léo Stein. Barnes sort une fois de plus son carnet de chèques beige à l'en-tête de la National City Bank à Paris. Il note à l'encre noire sur le talon, d'une écriture régulière et assurée : « *Joy of Life*, Paul Guillaume, 52 500 francs », soit probablement 50 000 francs plus une commission de 5 %.

Quelques jours plus tard, lors d'une visite rue du Faubourg-Saint-Honoré, où est maintenant installé son marchand, il tombe en arrêt devant *Le Petit Pâtissier* de Soutine. On connaît la suite. Toujours par l'entremise de Guillaume, il retourne chez Zborowski et achète plusieurs Modigliani dont le célèbre *Haricot rouge*, la *Jolie Ménagère* et un *Nu couché* voluptueux, des Kisling, des Pascin.

L'un des objectifs du voyage est aussi de choisir les pierres de taille pour la construction des bâtiments de la Fondation. Guillaume l'accompagne dans le val de Loire où ils trouvent des calcaires blonds qui ressortiront bien, l'été, sous le soleil de Pennsylvanie, au milieu des arbres et des fleurs qui entourent la propriété. Guillaume a instruction de veiller à ce que la carrière n'accepte plus aucune commande en provenance d'Amérique et en particulier de Philadelphie.

Il demande aussi à Guillaume de l'emmener chez Lipchitz qui est alors, comme tous les cubistes obligés d'abandonner Kahnweiler, sous contrat chez Léonce Rosenberg. Il commence à être apprécié aux États-Unis. Katherine Dreier, pour la Société anonyme, a acheté chez Marius de Zayas, l'*Homme à la mandoline*, une belle sculpture en pierre de taille où l'artiste joue, déjà, de l'intégration des formes du corps du modèle et de l'instrument de musique. Depuis 1918, il se consacre à des bas-reliefs, toujours en pierre, où il reprend les thèmes cubistes traditionnels, des natures mortes aux guitares notamment. Lipchitz est de toutes les batailles artistiques du moment. A la première du *Sacre du printemps*, il reçoit un coup de parapluie de son voisin d'orchestre pour avoir applaudi bruyamment. Il est même déjà un peu connu en Russie, où Trotski écrit sur lui, dans la *Pravda*, un article élogieux, mais, dira plus tard l'artiste, sans avoir compris grand-chose à son œuvre.

Seulement il faut vivre, et il n'échappe pas à la tendance générale au retour vers un certain réalisme. Cocteau, Radiguet, Gertrude Stein lui commandent leur buste. Coco Chanel s'intéresse à lui, et, pour rire, le met au défi de gagner de l'argent. Avec les 1 000 francs d'acompte d'une commande, il lui assure qu'il est capable en quelques jours de gagner 5 000 francs. Pari relevé. Il a remarqué chez un antiquaire un ivoire ancien, vendu pour 1 200 francs comme une pièce espagnole du XIXe siècle de la collection Radziwill. Il y a aussi un vieux candélabre dont il a chez lui un exemplaire qui fera la paire. Il offre au marchand, pour l'ivoire, son candélabre et 1 000 francs, lequel, trop heureux, accepte. Et il arrive triomphalement, en compagnie de Mlle Chanel, dans sa Rolls, chez Guillaume. Notre marchand consulte ses catalogues, lui indique, devant elle, que l'œuvre vaut bien 18 000 francs, mais qu'il ne peut lui en offrir que 3 000 francs-or. Chanel sourit. Elle a perdu son pari. Lipchitz garde son ivoire, qui se révélera être une coupe ancienne du Bénin.

Il racontera l'histoire à Barnes. Pour l'heure, le docteur lui achète plusieurs sculptures en pierre avant de l'inviter à dîner. La conversation se déroule dans un mélange d'allemand et de français, que le sculpteur parle avec un accent effroyable. Barnes lui propose alors d'orner le bâtiment de la Fondation de bas-reliefs. Lipchitz a raconté dans ses mémoires qu'il a commencé par refuser, arguant du style néo-Renaissance du bâtiment qui s'accommoderait mal de ses propres audaces. Il demande à son client s'il aura entière liberté. Barnes accepte et finalement le sculpteur se laisse convaincre. C'est la première commande directe du collectionneur à un artiste. Il franchit une nouvelle étape : après avoir beaucoup acheté et constitué un ensemble exceptionnel en moins de dix ans, après avoir « découvert » Soutine, le voilà directement associé à la création, à l'égal, croit-il, de ces princes de la Renaissance ou de ces grands bourgeois hollandais. Il est surpris du résultat : Lipchitz a encore accentué le parti pris cubiste. Barnes, qui n'aura jamais un tableau de cette école, orne deux façades du bâtiment, le couloir extérieur qui le relie à sa résidence et les façades de celles-ci de sept bas-reliefs cubistes.

Barnes se lie avec Lipchitz. Les deux années que dure la construction de la galerie, il vient souvent à Paris suivre le travail de son ami sculpteur. La commande pour Merion est la bienvenue, non seulement pour des raisons matérielles, mais parce que Lipchitz, en ce début d'année 1923, éprouve le besoin de se ressourcer. Quand, à la fin de sa vie, on lui demandera à quel moment il a abandonné le cubisme, il répondra fièrement : « Jamais. » Le cubisme est sa grammaire et il profite des sept reliefs pour revenir à son inspiration traditionnelle, l'étude des formes, leur invariance. Il réalise de nombreuses maquettes, joue au maximum sur les effets d'ombre et de lumière qu'il peut tirer de l'orientation des façades. Il reprend le thème du modèle et de son instrument de musique pour jouer sur la synthèse des contours et le dialogue entre la géométrie de l'instrument et le corps ou le visage.

Les sept reliefs s'inscrivent chacun ou par paires dans une forme différente pour donner encore à l'exercice un raffinement, une variété supplémentaire. Un nu allongé avec une mandoline est inscrit dans un losange étiré en longueur sur la façade semi-aveugle de la grande galerie, au recto de laquelle dix ans plus tard sera accrochée la grande décoration de Matisse, *La Danse*. De l'autre côté du bâtiment, Lipchitz a prévu une paire de reliefs rectangulaires de part et d'autre de l'entrée, évoquant eux aussi la musique. Malheureusement ceux-ci, à cinq mètres environ du sol, sont presque invisibles pour le visiteur. Les quatre autres sont plus facilement accessibles. Une paire, inscrite dans des demi-cercles, est juste au-dessus de deux fenêtres de la résidence. Ce sont des groupes de femmes, autour l'un d'une guitare, l'autre d'une flûte. Sur une troisième face de la résidence, Lipchitz a placé dans un ovale un visage de femme se détachant sur des formes géométriques. Ce relief est au-dessus d'une niche destinée à recevoir un piédestal en pierre, dessiné par l'artiste, sur lequel doit prendre place une composition florale. Enfin, un dernier relief, de forme carrée, orne le couloir, au premier étage qui relie la galerie à la résidence. Il représente peut-être un accordéoniste.

Le parfait mariage des pierres ne gomme pas entièrement le contraste des styles. Celui-ci est amplifié par le choix de tuiles romanes pour les toitures légèrement inclinées, et non strictement horizontales comme dans les plans initiaux tels qu'ils ont été publiés en 1923. Globalement, le résultat est un peu décevant surtout pour le corps de bâtiment principal. La disproportion est trop importante entre les parois et les décors imaginés par le sculpteur qui finalement sont un peu perdus dans l'ensemble.

Barnes et Lipchitz parcourent souvent ateliers et galeries, dissertant sur les mérites comparés de tel ou tel artiste. Mais le collectionneur souffre aussi d'être constamment sollicité. Lipchitz commet l'erreur, plutôt la faute de tact, de le placer dans une situation embarrassante. La femme de l'un de ses amis proches, peintre, est très malade, et il faut de l'argent pour l'opération. Lipchitz demande à Barnes d'acheter des tableaux à l'artiste. Il le fera, à condition de ne pas le rencontrer. Il paye. Mais lors de son voyage suivant, il ne fait pas signe au sculpteur. Il ne le reverra plus jamais. Il ne lui pardonne pas de s'être servi de lui, et surtout d'avoir exposé sa générosité en usant de son goût pour l'art. Il lui refusera même, dix ans plus tard, la possibilité de venir voir ses sculptures.

Lipchitz, dans son autobiographie, ne lui en tiendra pas rigueur. Il se souvient de son commanditaire dans des termes finalement très flatteurs : « Barnes était un homme merveilleux, extraordinaire mais extrêmement exigeant. Il était arrivé par lui-même et avait un formidable appétit de pouvoir. Néanmoins, il a mérité ce qu'il a obtenu parce qu'il avait un œil excellent et qu'il fut extrêmement courageux dans ses paris en faveur de jeunes talents inconnus. »

Très vite, en moins de trois semaines, Barnes est devenu à Paris un personnage de légende. Menant toujours ses affaires à un rythme infernal, déployant une activité incessante, épuisant ses compagnons, il a non seulement rassemblé une centaine de tableaux et de sculptures représentatives d'une certaine avant-garde parisienne, mais il s'y est fait accepter. L'argent, bien sûr, a facilité les choses. Mais rien n'aurait été possible sans l'habileté de Paul Guillaume. Les deux hommes, pendant près de huit ans, ce qui est une performance, quand on connaît le caractère susceptible et difficile de Barnes, vont se voir, s'écrire et faire des affaires ensemble. Ils en arrivent même a un degré d'intimité étonnant. En mai 1924, Barnes veut avancer son arrivée d'une semaine. Cela tombe en plein pendant les Jeux Olympiques. Il demande à Guillaume de se déplacer lui-même pour s'assurer, à son hôtel, que les réservations ont bien été modifiées et qu'il aura l'appartement 31 comme d'habitude, et pour Laurence Buermeyer, qui l'accompagne, la même chambre que l'an passé.

Les Arts à Paris ne paraît plus depuis deux ans. Barnes propose à Guillaume de la relancer. Un numéro spécial est tiré, en janvier 1923, presque exclusivement consacré à la visite à Paris de l'homme de Philadelphie, ce Médicis du Nouveau Monde. Guillaume en fait trop. Dans un style digne de Mme de Sévigné, il décrit un personnage d'Offenbach (« Je suis de Pennsylvanie... et j'ai de l'oseille ») :

« Le docteur Barnes vient de quitter Paris. Il a juste passé trois semaines ici... Cet homme est extraordinaire, démocratique, ardent, inépuisable, imbattable, charmant, impulsif, généreux, unique. Il a tout visité, tout vu ce que lui montraient les marchands, les artistes et les amateurs d'art ; il a plu, déplu, il s'est fait des amis et des ennemis, le tintement aurifère des dollars précédant ses pas. » Guillaume poursuit, en s'adressant à cette communauté fascinée : « Peintres de la Rotonde, vous avez vécu deux semaines de fièvre, vous avez eu la sensation qu'un prince de l'or se penchait amicalement sur vos destinées, et vous avez eu raison. Il vous a beaucoup acheté, mais ce n'est pas tout. Ce distingué ambassadeur de l'art français vous défendra là-bas, contre ceux qui rient, les imbéciles, les ignorants, les impuissants. Il se souvient de vos noms et de l'histoire de vos vies. » Et il conclut : « Docteur Barnes, les artistes jeunes de France vous applaudissent, ils vous saluent largement et vous disent merci. »

On se souvient de ce roi légendaire de Phrygie, Midas, à qui Dionysos avait accordé ironiquement le privilège de changer en or tout ce qu'il touchait. Il avait aussi déplu à Apollon en accordant un prix à Pan qui jouait de la flûte à son détriment, alors qu'il jouait de la lyre. Pour se venger, Apollon lui fit pousser des oreilles d'âne, symbole de son mauvais goût. En l'occurrence, Barnes a changé les œuvres de Soutine en or. Mais l'establishment qui l'attend à Philadelphie ne va pas tarder à lui décerner un bonnet d'âne pour avoir introduit aux États-Unis un art aussi contestable et contesté même en France.

Paul Guillaume est nommé dès le 16 janvier 1923 secrétaire étranger de la Fondation Barnes à Paris par un « décret » signé de son président et de Nelle Mullen, la secrétaire. Et les numéros suivants des *Arts à Paris* seront largement consacrés à ses activités, reproduisant des œuvres de la collection, rendant compte de son activité ainsi que des visites et des achats en France de Barnes, et surtout publiant de nombreux et importants articles du docteur.

Paul Guillaume ne croit pas si bien dire en annonçant les combats esthétiques que le collectionneur va devoir mener à Philadelphie pour imposer non seulement ses vues sur l'art, et son enseignement, mais aussi son propre goût. Car l'Amérique, comme la France, est restée très conservatrice. On se souvient des manifestations qui ont accompagné l'*Armory Show* et qu'à cause de son *Nu bleu*, Matisse avait été brûlé en effigie à Chicago en 1913. La situation n'est pas meilleure après la guerre. En 1921, deux expositions déclenchent les foudres des bien-pensants. A New York, le Metropolitan Museum a organisé une rétrospective de la peinture européenne contemporaine. La critique est assassine. On accuse la France de pervertir la jeunesse américaine. On n'a pas oublié le mot de Theodore Roosevelt : « Le cubisme est un art paléolithique », ou encore, « Quant au *Nu descendant un escalier,* il évoque un tapis navajo... » On veut protéger l'Amérique de ces excès. Même Duncan Phillips, qui constitue à ce moment précis sa collection aujourd'hui à Washington, s'en mêle en qualifiant cette production d' « indécente, grotesque, stupide ».

L'art est à la mode dans les années 20. Les musées fleurissent dans toutes les grandes villes d'Amérique. Mais le goût reste extrêmement conservateur, sauf pour une infime minorité de collectionneurs audacieux et, finalement, assez mal vus. John Quinn, Lizzie Bliss, Walter Arensberg prêtent néanmoins leurs meilleures toiles et quelques sculptures au Metropolitan Museum. Une pétition circule contre cet art dégénéré assortie d'une terrible profession de foi : « Il est compréhensible que le musée décide de prêter ses salles pour l'exposition de telles monstruosités afin de donner au public l'occasion de voir des spécimens d'un soi-disant art dont la notoriété a été gonflée en Europe et maintenant ici, par les méthodes publicitaires les plus vulgaires, les plus artificieuses et les plus cyniques. Mais les administrateurs devraient publiquement démentir toute intention d'associer le prestige du musée à une propagande pour l'art bolchevique qui est rejeté par la majorité de nos artistes et de nos concitoyens. » « Monstruosités, bolchevisme », voilà de bien sinistres présages. C'est pire à Philadelphie, ville encore plus conservatrice que New York.

A ce moment-là, un groupe de psychiatres prétend trouver dans les œuvres exposées tant à New York, qu'à l'Académie des beaux-arts de Philadelphie, qui montre presque en même temps l'avant-garde américaine, les preuves de la dégénérescence de leurs auteurs. A la tête de ce groupe, un certain docteur Dercum. Il y voit « non seulement une tentative malsaine de gagner l'intérêt du public sans beaucoup travailler, mais aussi les symptômes de troubles de la perception et de beaucoup d'autres facultés mentales ».

Barnes, pour la première fois, monte publiquement au créneau et publie dans une importante revue, *The Arts,* qui le soutiendra presque toute sa vie, une violente réplique. Cela fait de lui le défenseur de l'art le plus radical. Suivant une méthode à laquelle il restera fidèle, et qui explique la formidable impopularité dont il jouira par la suite dans sa propre ville natale, il commence par des attaques personnelles brutales : « L'Alliance pour l'Art — qui a offert un support aux déclarations du docteur Dercum — est largement composée d'arrivistes qui ne voient dans l'art qu'une marche de l'échelle sociale qui mène au genre de notoriété conférée par les rubriques mondaines de la presse quotidienne... », déclare-t-il. Et le reste est de la même eau. C'est la première d'une longue série de diatribes contre l'establishment de Philadelphie.

Comme Dercum, qu'il a mis au défi de démontrer scientifiquement ses assertions, ne répond pas, il lui jette un nouveau défi dont l'enjeu est la donation de la totalité de sa propre collection à la Ville de Philadelphie s'il est en mesure de répondre à huit questions de psychologie. Comme on peut s'y attendre, Dercum ne répond toujours pas et laisse Barnes s'enferrer dans une polémique stérile.

Le 13 janvier 1923, Barnes, qui a traversé l'Atlantique à bord du *Paris,* est de retour à Philadelphie. L'*Enquirer* annonce à la une que Merion va abriter un temple de l' « art radical », et publie des photos de la maison de Latch's Lane ainsi que le plan de la nouvelle galerie. Mais l'article est précédé d'un encadré ironique rappelant le défi resté sans réponse lancé au docteur Dercum. La description des projets de Barnes est néanmoins flatteuse : les chiffres d'abord sont jugés considérables. La Fondation, est-il rappelé, est dotée de 6 millions de dollars. Le coût de la construction de la nouvelle galerie est annoncé pour 500 000 dollars, en vue d'abriter une collection déjà estimée à 3 millions de dollars.

Philadelphie devient ainsi un des foyers de l'avant-garde. Paul Cret, l'architecte, indique que les premiers travaux commenceront à la fin de l'hiver. Mais c'est déjà la personnalité de Barnes qui retient l'attention, presque autant que l'importance de la collection. Le docteur est présenté comme un homme résolument engagé en faveur des tendances les plus modernistes de l'art et qui se tient délibérément à l'écart des milieux académiques de la ville. D'ailleurs, il ne laisse lui-même aucune ambiguïté sur son état d'esprit. Dans sa déclaration, il indique que « son objectif et son espoir est que chaque personne quelle que soit sa position sociale ait la possibilité de réagir en toute liberté à ce que la Fondation propose. Cela signifie que l'académisme, le conformisme à des traditions éculées, ne pourront avoir aucune place dans les projets d'activité de la Fondation ». On ne peut être plus clair... et moins diplomate.

Cela étant la collection est immédiatement considérée comme la plus belle des États-Unis. Il est remarqué qu'elle comporte un ensemble unique de Renoir, plus complet que dans n'importe quelle collection au monde, même en France. « Pour ceux qui s'intéressent aux écoles récentes, postérieures à 1875, date à partir de laquelle les rebelles français ont conduit le mouvement, la collection Barnes, riche de quatre cents peintures, deux tiers d'œuvres françaises et un tiers d'œuvres américaines, est une véritable Mecque », conclut le journaliste.

La collection de primitifs africains est également saluée mais elle n'en est encore qu'à ses débuts. Aucune pièce ne figure d'ailleurs dans l'inventaire manuscrit en annexe à la donation. Les projets architecturaux de Paul Cret sont jugés intéressants, son choix d'éclairage par des fenêtres, au lieu de l'éclairage zénithal à la mode à ce moment-là, pour reconstituer la lumière de l'atelier, est bien accueilli, comme les dispositifs, révolutionnaires, visant à assurer une température et une hygrométrie constantes.

Parallèlement, la revue *The Arts* publie un long article de Forbes Watson, qui en a repris la direction. Il présente les projets de Barnes ainsi que de nombreuses reproductions d'œuvres de Renoir, Cézanne, Goya, Daumier, Monet, Van Gogh, Picasso, et de quelques artistes américains contemporains comme les frères Prendergast, Demuth ou Eakins. Ces reproductions donnent une bonne idée de l'état de la collection à cette époque. Mais elles ne confèrent pas encore le sentiment que l'on éprouve aujourd'hui devant les toiles majeures réunies dans la grande galerie centrale, *Les Baigneurs* et *Les Baigneuses, Les Poseuses* et *Les Joueurs de cartes,* etc. et qui seront acquises entre 1924 et 1936, conférant à l'ensemble son réel prestige.

L'article de Watson est également intéressant en ce qu'il confirme l'interprétation donnée par la presse lors de l'annonce faite par Barnes à la fin de 1922 : il s'agit d'un musée ouvert au public, comportant également des activités éducatives. Et l'auteur de se féliciter, tout comme les multiples journalistes qui ont commenté la nouvelle : Philadelphie va bénéficier, en plus de l'Académie des beaux-arts dont les collections contiennent des œuvres anciennes importantes qui contribuent au renom culturel de la cité, du premier musée d'art moderne des États-Unis, musée, dès 1923, appelé de leurs vœux par toute une partie de la critique et de l'intelligentsia new-yorkaise qui ne s'embarrassent pas des hurlements des réactionnaires.

Forbes Watson s'est forcément entretenu avec Albert Barnes de son projet et celui-ci n'a pas, à la fin de 1922, au moment de sa décision, écarté l'ouverture au public, bien que les statuts soient très clairement ceux d'une institution éducative et que tout pouvoir, pour les admissions, soit entre les mains du donateur.

La politique ultrarestrictive mise en place dès 1925 et qui, de facto, aboutira à interdire, non seulement aux spécialistes, mais aussi à l'immense majorité du public, l'accès de la collection n'est en fait que la réponse aux critiques dont il va bientôt faire l'objet. Le projet éducatif n'était pas a priori incompatible avec une politique d'admission et de prêt, voire de publication relativement libérale. Il est vrai que le site de Latch's Lane n'est pas fait pour recevoir la foule. Mais à l'époque, il ne s'agit pas de cela. Le cercle des amateurs potentiels est forcément restreint, même s'il est profondément juste et généreux, comme se propose de le faire Barnes, de l'étendre à tous sans exclusive ni considération de classes sociales ou de races. Seulement l'accueil fait par le public comme par la critique à l'exposition des œuvres que Barnes ramène de sa visite à Paris est désastreux, et il va en prendre ombrage.

Du 11 avril au 9 mai 1923, la très conservatrice Pennsylvania Academy of the Fine Arts accueille soixante-quinze acquisitions récentes de la Fondation dont sept sculptures de Lipchitz, dix-neuf Soutine, sept Modigliani, cinq Matisse et cinq Derain, quatre Pascin, deux Picasso et deux Utrillo et quelques œuvres de Marie Laurencin ou de Giorgio De Chirico. Si l'on excepte les Matisse, les Picasso et surtout les Derain néoclassiques, aucun de ces artistes en France ne connaît alors le moindre succès. On sait l'isolement dans lequel est mort Modigliani et la totale incompréhension, même à deux pas de la Rotonde ou du Bateau-Lavoir, à laquelle se heurtait Soutine. Or, ce dernier est le peintre le plus représenté dans l'exposition qui se tient dans le temple du conservatisme de l'une des villes les plus hermétiques des États-Unis aux traditions venues d'ailleurs.

Il y a dans la démarche de Barnes, en plus d'un goût naissant pour la provocation, une absence réelle de lucidité. Il a probablement été grisé par ses trois semaines un peu folles à Paris où il a découvert Soutine, au point de perdre complètement le sens des réalités. Il n'aurait pas dû ignorer l'accueil fait à des artistes contemporains originaires de Philadelphie dans leur propre ville deux ans auparavant et qui avait été à l'origine de sa polémique avec le docteur Dercum.

Dans sa préface au catalogue de l'exposition, il avait pourtant pris quelques précautions oratoires : « Ces hommes ont moins de trente-cinq ans. Ils viennent de toute l'Europe et se sont retrouvés à Paris. Chacun d'eux connaît les grands maîtres du passé, qu'ils ont étudiés avec assiduité dans les musées européens. » Puis il continue à les défendre : « Ces modernes sont aussi sincères dans l'expression de ce qu'ils croient constituer l'essentiel des arts plastiques que n'importe lequel de leurs prédécesseurs. Cela donne à leur travail le droit au respect et à notre attention pour ce qu'il est en lui-même. »

Durant cette longue introduction, il présente ces hommes et leurs œuvres, tente d'expliquer la genèse de leurs recherches et prévient toute critique au nom du respect du travail d'autrui et de la tolérance. Il fait aussi un parallèle avec la musique. Il y a dix ans, Philadelphie a sifflé Schönberg. Maintenant il est apprécié sans que cela remette en cause la vénération pour les maîtres du passé. Pourquoi, questionne Barnes, n'en irait-il pas de même pour la peinture ? Il rencontre peu d'échos favorables.

Parallèlement l'Académie organise une exposition d'estampes japonaises, aux couleurs flatteuses, et une rétrospective des portraits de famille de l'une des plus prestigieuses et anciennes lignées de peintres de Philadelphie, les Peale. Le contraste entre les trois manifestations amplifie encore l'incompréhension, voire la franche hostilité, qui marque les réactions non seulement de la critique, mais du public. Il ne se trouve personne pour défendre ou même pour essayer de s'intéresser à cet art radical importé d'Europe, au cosmopolitisme douteux, à l'esthétique discutable et aux intentions incompréhensibles. « C'est laid, ces peintures pourraient être faites par un enfant de six ans... : ce n'est pas de l'art. »

Bien entendu, c'est Soutine qui est le premier dans le collimateur, non pas parce que c'est une pure découverte du généreux organisateur de l'exposition mais parce que c'est à la fois l'artiste le plus représenté et celui qui s'éloigne le plus des conventions. C. H. Bonte, le critique de l'*Enquirer,* condamne ses pâtes lourdes et ces accumulations de peintures qui prétendent représenter un paysage, ou pour lesquelles il faut vraiment faire preuve d'imagination pour reconnaître un être humain. « C'est la glorification de l'affreux », s'exclame un autre. Seuls Picasso et Matisse sortent relativement épargnés. Il est vrai qu'il y a là *La Joie de vivre* ! Le coup de grâce est donné par le compte-rendu du *Record* qui indique : « Ces peintures sont particulièrement désagréables à contempler. C'est de l'art dévalué, dans lequel la recherche d'une forme originale d'expression débouche sur la dégradation des formes passées et non sur la création de quelque chose de nouveau. »

Barnes est touché au vif par cet accueil. Dans son introduction, il cite James qui, en substance, considère que tout ce qui est neuf, de prime abord, a toutes chances de susciter une réaction de rejet. Mais comment pouvait-il en être autrement ? Cézanne est à peine connu en France de quelques collectionneurs. S'il est adulé par toute une génération d'artistes depuis près de vingt ans et par quelques critiques ou historiens d'art comme Élie Faure, les autorités officielles dans son pays font tout pour lui interdire l'accès aux musées nationaux. Et voilà que Barnes organise à Philadelphie, dans le cadre le plus traditionaliste possible, celui de l'Académie des beaux-arts, une quasi-exposition Soutine qui se veut annonciatrice de la politique d'acquisitions et du programme pédagogique de la Fondation qu'il vient de créer. Et il en rajoute en répondant, sur un ton virulent, à tous les plumitifs qu'ils n'ont rien compris à l'art, à la peinture, à Soutine et à la Fondation Barnes. Sa polémique avec Dercum l'avait rendu un peu ridicule, mais pas franchement antipathique. L'acharnement avec lequel il prétend imposer au public son goût le rend, d'un seul coup, aussi impopulaire que la peinture qu'il veut promouvoir est incompréhensible pour ceux dont la référence reste les grands portraitistes anglais du XVIIIe siècle.

De là date sa rupture avec le monde officiel de l'art, à Philadelphie comme à New York d'ailleurs, monde auquel il refusera, sa vie durant, l'accès à ses collections avec un acharnement, une délectation et parfois en plus un sens raffiné de la provocation qui accentueront encore les traits du portrait peu flatteur qui commence à se dessiner de lui. Profondément déçu par l'accueil fait à ses découvertes, Barnes retourne en France en juin 1923 et ne cessera plus une, voire deux fois par an, de rechercher, et parfois de trouver dans notre pays, les honneurs, la considération et même quelques franches amitiés qu'il n'a pu rencontrer chez lui.

Ces voyages deviennent progressivement un rite. Il débarque au Havre ou à Cherbourg d'où le train le conduit à Paris, où il descend au Mirabeau. De là, pendant deux ou trois semaines, à un rythme infernal, avec sa femme au bras, ou parfois avec ses collaborateurs, dont Violette de Mazia qui deviendra au fil du temps de plus en plus assidue, il visite galeries, musées, expositions particulières, collections privées, toujours accompagné de Guillaume, ou au début de Lipchitz, ou même de Waldemar George, le critique qui soutient Paul Guillaume et ses peintres contre vents et marées.

La journée, a-t-il raconté dans une lettre à William Schack, son premier biographe, commençait à 9 heures. « L'Hispano-Suiza venait chercher Barnes rue de la Paix, à son hôtel. Nous faisions cinq à dix musées ou collections privées. Puis, les antiquaires et les galeries et les studios. Paul Guillaume et sa jeune femme étaient toujours avec nous. Parfois, vers 11 heures du soir, Barnes demandait à Guillaume de rouvrir sa galerie rue La Boétie qui était fermée depuis longtemps et nous entrions par la porte de service. Nous restions là jusque vers 1 heure du matin, à discuter des sculptures africaines ou à regarder les peintures de Soutine. Quelquefois Barnes demandait à Guillaume d'appeler un jeune artiste et de le faire venir pour qu'il explique sa peinture, qu'il justifie l'harmonie de ses couleurs ou le rythme de ses lignes. » Barnes raconte lui-même qu'une fois, il s'était engagé dans une discussion tellement passionnée avec Lipchitz qu'ils ne s'étaient pas rendu compte l'un et l'autre qu'ils étaient assis par terre !

La notoriété du collectionneur américain continue de s'accroître. Tous les marchands, tous les artistes rêvent de le rencontrer, de lui proposer leurs œuvres. Paul Guillaume veille, écarte les intrigants et accepte d'introduire l'un ou l'autre, à condition qu'il ne soit pas un rival potentiel et probablement moyennant un solide intéressement. Sa frénésie d'acquisitions, sa quête permanente d'émotions esthétiques n'empêchent pas Barnes d'être un bon vivant et même une fine gueule. On le voit dans les meilleurs bistrots, à l'Escargot d'or, près des Halles, par exemple. Puis après deux ou trois semaines à Paris, il descend vers la Côte d'Azur, où une année, il passera presque un été avec les Matisse à Cagnes. Mais il n'oublie jamais de s'arrêter à Saulieu, chez le grand Alexandre Dumaine où il commande invariablement la célèbre poularde.

De là, il rayonne dans la région, non pour dénicher chez un antiquaire un tableau rare, mais pour rendre visite aux négociants de Beaune ou de Nuits-Saint-Georges et commander des meilleurs crus pour la cave de Merion. Plus tard, il ira régulièrement passer plusieurs semaines en Bretagne, l'été, à Port-Manech d'où il rapportera un bâtard, à la croupe tachetée, qu'il baptisera Fidèle de Port-Manech et dont on dit qu'il y avait toujours, dans la pièce où il couchait, une carte de son pays natal pour qu'il puisse retrouver son chemin...

L'admiration de Guillaume pour Barnes n'est pas à sens unique. Celui-ci se plaît à montrer à ses médiocres concitoyens que ce qui se passe d'important, dans le monde de l'art, se passe à Paris et qu'il en est. Il éprouve aussi une réelle sympathie pour le marchand, qu'il considère autant comme un compagnon que comme un fournisseur. Le jour où sa correspondance sera publiée, peut-être s'apercevra-t-on aussi qu'à un certain moment il a vu en lui ce fils qu'il n'avait jamais eu.

Barnes publie en mai 1924 dans le magazine *Opportunity* un article dithyrambique à la fois sur la galerie et sur son propriétaire. Le titre est explicite : « Le Temple ». Et le maître de maison, Guillaume, en est le grand prêtre. Sa description est un témoignage intéressant sur l'intensité et le cosmopolitisme de la vie artistique parisienne et à n'en pas douter, en contrepoint, une attaque implicite contre l'étroitesse de vues de ceux qui prétendent régenter la vie culturelle à Philadelphie et qui ont réservé un si mauvais accueil à l'exposition de 1923. Barnes écrit :

« En une seule semaine, j'ai rencontré chez Paul Guillaume des artistes anglais, japonais, norvégiens, allemands, américains, italiens, des peintres, des sculpteurs, des compositeurs de musique, des poètes, des critiques que je ne connaissais que de nom. J'ai entendu là les jugements les plus pénétrants et les plus pertinents que je n'avais jamais entendus. » Et il poursuit : « Pratiquement tous les peintres et les sculpteurs francais importants visitent régulièrement le Temple. Stravinski, Satie, Auric, Milhaud, Honegger ont été depuis longtemps des admirateurs de l'art nègre qui a tant inspiré leur belle musique. Un après-midi d'été, quand la chaleur était insupportable dehors, je suis venu au Temple et j'ai trouvé Roger Fry discutant d'art nègre avec Paul Guillaume. J'ai écouté un moment puis j'ai abordé Roger Fry et nous avons eu une discussion sur Cézanne et Renoir dont je me souviendrai toute ma vie. »

Quand il vient à Paris, Barnes est donc bien plongé au cœur de l'action. Il n'est plus, comme en 1912, cet Américain un peu maladroit qui arrive chez les Stein son carnet de chèques à la main et qui s'étonne que Picasso ait fait cadeau à Gertrude de son célèbre portrait. Ce qui vaudra, bien plus tard, cette repartie savoureuse de Picasso : « De toute façon à l'époque, au prix où je vendais, cela aurait été un cadeau ! » Il est même honoré, considéré, plus uniquement pour son argent. Et il recevra en 1926 la Légion d'honneur, probablement sur la suggestion de Vollard et de Paul Guillaume qui sait qu'il y sera sensible et qui vante, auprès de l'administration des Beaux-Arts, son rôle de promoteur de l'art français à l'étranger.

Le plus surprenant dans cette décision, c'est qu'elle émane d'une institution qui fait précisément tout, en France, pour que l'art contemporain soit ignoré. D'ailleurs Guillaume lui-même raconte l'accueil désastreux que fera, au collectionneur américain, le directeur des Beaux-Arts, Paul Léon, en juin 1923, lorsqu'il s'endort au milieu de la conversation. En réalité Barnes n'en a cure. Pour lui le monde de l'art, ce n'est pas celui des musées, des fonctionnaires, des critiques et de tous les parvenus qui s'en servent pour satisfaire leur volonté de promotion sociale, leur arrivisme. C'est celui des artistes que, grâce à Guillaume, il a découverts.

Les artistes qui lui sont présentés sont-ils les meilleurs ? Qui peut savoir ? D'ailleurs il en éliminera beaucoup au fur et à mesure. Qui se souvient de Lotiron, de Per Krogh, l'infortuné mari de Lucie, ou d'Irène Lagut, que Barnes prenait pour une nouvelle Marie Laurencin ? Leurs œuvres sont aujourd'hui reléguées au purgatoire de la Fondation, dans l'ancienne bibliothèque, avec le dernier Soutine qu'il a acheté, comme s'il avait admis à la fin certaines de ses erreurs. Ceux qu'il retient parmi la production du moment représentent-ils autre chose que le goût d'Albert Barnes ? Pas forcément. Il reste que, parmi les centaines de peintres qui travaillent à cette époque à Paris, seule la poignée d'audacieux qui ont su séduire durablement Barnes recevra le label d' « École de Paris ».

Cela n'est pas sans susciter bien des jalousies et bien des critiques. Le plus en flèche est Picabia, peut-être déçu de ne pas avoir été choisi. Dans *Paris-Journal,* en 1927, il reproche à l'Américain son goût immodéré pour Renoir et Cézanne, « témoins de la décrépitude de l'art d'une époque finissante ». En réalité la cible est plutôt Guillaume, accusé d'avoir transporté le Veau d'or à Montparnasse. La « véritable » avant-garde, les surréalistes, les dadaïstes, a d'ailleurs peu de considération pour Soutine et encore moins pour Utrillo ou Pascin. Picabia ajoute, avant la prochaine visite de celui qui est maintenant une véritable célébrité dans cette communauté : « Cher Monsieur Barnes, vous allez revenir, vous êtes attendu avec impatience, on parle de vous dans les boutiques comme dans les cafés de Montparnasse et la seconde cargaison, qui vous accompagnera vers la libre Amérique, est déjà en train d'être préparée, sous la supervision de Guillaume Premier... »

Guillaume est aussi son grand pourvoyeur de chefs-d'œuvre. Entre deux voyages de Barnes à Paris, il parcourt toute l'Europe, à la recherche des tableaux qu'il sait intéresser son client. Il le tient régulièrement informé par lettre de ses trouvailles et reçoit les consignes pour négocier.

A son arrivée à Paris, Barnes trouve la moisson et la paye, parfois en plusieurs tranches. En juin 1923, pour se consoler de s'être laissé souffler *Les Grandes Baigneuses* par le Louvre, Guillaume lui trouve une belle composition de *Baigneuses* de la même époque, 1916. En janvier 1925, il acquiert pour son compte trois Matisse extraordinaires, *Le Madras rouge*, peint en 1908 et qui avait appartenu aux Stein, le volet de gauche du triptyque des *Trois Sœurs* et le *Riffain assis*, grand tableau de la période marocaine, qui sera accroché dans la grande galerie, entre deux fenêtres, et en pendant d'un Picasso qu'il a acheté par l'intermédiaire de Durand-Ruel en 1913.

Le 22 décembre 1925, quand il revient une fois de plus, il trouve un fabuleux cadeau de Noël : la grande version des *Joueurs de cartes* de Cézanne. Le vendeur est Vollard. Le prix fut astronomique pour l'époque : 1 million de francs, soit 75 000 dollars. Barnes réalise son coup de maître, l'année suivante, avec l'acquisition des *Poseuses* de Seurat, la dernière grande composition du peintre accessible depuis que *Le Cirque* a été légué à la France par John Quinn. Le tableau était à Londres à la galerie Lefèvre. Barnes le paye 75 000 francs en deux fois, le solde le 20 août 1926, vraisemblablement avant son retour aux États-Unis. Son marchand a servi d'intermédiaire auprès de la galerie Hodebert où le tableau sera exposé pendant un mois.

André Salmon, dans *L'Art vivant,* rapporte l'événement et conclut : « Dans les ateliers modernes, d'humbles clichés font voisiner Ingres et Seurat, le maître du *Cirque* et des *Poseuses,* l'inventeur scrupuleux et ailé mort à trente-deux ans qui redit le mieux ce qu'il convient d'entendre encore de la leçon de Raphaël. » Au critique Octave Maus, qui en 1889 lui demandait un prix pour son tableau, Seurat répondit : « J'ai mis plus d'un an à le faire. Alors, tu vois, à raison d'un franc par jour... »

Durant cette période d'une exceptionnelle activité, Barnes n'a vraiment échoué qu'une fois, lorsqu'il a en vain tenté d'acquérir la dernière grande composition des *Baigneuses* de Renoir. Cet échec fut une bonne leçon pour le collectionneur qui apprit ainsi que, tant qu'un tableau n'est pas expédié et payé, il ne peut crier victoire. Cela étant, *Les Baigneuses* — ou *Les Nymphes* — n'auraient rien apporté d'essentiel à la collection, même si le tableau est aujourd'hui en bonne place au musée d'Orsay. Il y avait déjà à Merion de nombreux — les détracteurs disent : de trop nombreux — tableaux de cette période tardive que le collectionneur a massivement achetés chez Durand-Ruel immédiatement après la guerre, à la mort de l'artiste, quand les stocks du marchand étaient d'autant plus abondants qu'il avait fallu vider l'atelier et que les acheteurs étaient rares. Renoir a défendu cette période « rose », aujourd'hui décriée, en indiquant qu'il avait forcé sur la couleur parce qu'il avait remarqué, en regardant ses premières toiles, qu'elles pâlissaient avec le temps. Dans *L'Art de Renoir,* qu'en collaboration avec Violette de Mazia Albert Barnes publiera en 1935, le collectionneur laisse néanmoins percer ses regrets en concluant son étude du tableau : « Le tableau est un bel exemple de la manière dont la couleur peut exprimer le sentiment abstrait de la volupté qui accompagne toujours l'émotion esthétique quand elle atteint cette hauteur. »

Pendant qu'il parcourt la France, et sans cesser de s'occuper de ses affaires, les travaux progressent. Finalement, la Fondation ouvre en mars 1925. La cérémonie d'inauguration rassemble plusieurs centaines de personnes, mais la presse ne s'en fait pas l'écho puisque aucun journaliste n'est invité. Le maître de maison, visiblement, n'a toujours pas digéré les articles acides parus moins de deux ans auparavant au sujet des Soutine et des sculptures de Lipchitz.

Paul Guillaume ne sera pas le dernier à accepter les rares invitations que lance son client et ami et il se rend à Merion au printemps de 1926. *Les Arts à Paris* publient instantanément le compte-rendu de cette mission dans le style flamboyant si caractéristique de son éditeur.

Il campe d'abord le personnage, au centre de ce projet éducatif révolutionnaire, en train de donner une leçon devant un parterre d'étudiants subjugués dès que le docteur Barnes paraît : « Il répond, développe lui-même la question soumise, l'étudie, l'éclaire, la plie, la déplie, la roule, la tortille, s'en amuse, donne l'explication satisfaisante à l'interlocuteur, à l'auditoire qui, l'heure venue, abandonne la salle à regret comme si le charme de la parole dont les échos retentissent encore sous les hautes voûtes refusait de se rompre... » Et Guillaume poursuit, à propos de la Fondation : « N'était le sens éminemment démocratique de ses desseins, avec ses richesses naturelles immenses, ses réserves d'intelligence, son activité considérable... l'entreprise de la Fondation Barnes se présente à mes yeux émerveillés parée du caractère grandiose de générosité puissante d'une véritable création pharaonique. » Auparavant, l'historiographe, on voudrait dire l'hagiographe, a fait le parallèle avec l'Égypte et les projets de Ptolémée Philadelphe — l'allusion est claire — quand il conçut la bibliothèque d'Alexandrie.

Les considérants excessifs de Guillaume ne doivent pas faire perdre de vue ce que le projet de Barnes a d'extraordinairement novateur pour l'époque.

Entre 1912 et 1926, il a réussi à constituer une collection de tableaux unique au monde par son importance et maintenant sa qualité. Elle est centrée sur une période, sur des écoles qui n'ont leur place dans aucun musée ouvert au public sauf les palais de Morozov et de Chtchoukine que Lénine a nationalisés en 1917. Le Musée d'art moderne de New York n'ouvrira, faut-il le rappeler, et encore, dans un appartement en étage du centre de Manhattan, qu'en 1929, dans l'indifférence générale. Le propos de Barnes n'est pas ou n'est plus de faciliter l'accès du grand public à ses collections — il y a renoncé depuis la folie qu'a suscitée sa première exposition — mais de s'en servir comme support d'un programme éducatif libre. Ce faisant, Barnes s'apprête à transgresser trois tabous :

Il prétend dire ce qui est de la bonne peinture sans se référer ni à ce que la tradition considère comme de la bonne peinture et encore moins à ce qu'en disent ceux qui officiellement sont, du moins le croient-ils, chargés de juger.

Il prétend développer son enseignement de l'art à partir d'œuvres qu'il a choisies en toute liberté et qui ne sont évidemment pas conformes au support officiel de ceux dont c'est la profession d'enseigner.

Il prétend enfin et surtout dispenser son enseignement sans contrôle et l'ouvrir à tous ceux qui désirent y assister sans distinction de diplômes, de milieu social ou de race.

Là réside le formidable paradoxe d'un homme dont tout peut laisser penser qu'il ne vise, comme bien d'autres, qu'à une reconnaissance sociale éclatante après une jeunesse difficile et laborieuse. Fortune faite, il se lance, pour la deuxième moitié de son existence, dans une nouvelle aventure qui est susceptible de lui occasionner bien plus de déconvenues que de satisfactions, dans un domaine où tous ceux qui l'ont précédé ont précisément adopté une démarche opposée.

CHAPITRE 8

La naissance de la Fondation

L'année 1925 est, à bien des égards, une année char-nière dans la vie du docteur Barnes : la Fondation, en tant qu'institution éducative, ouvre ses portes et Albert Barnes publie *L'Art dans la peinture,* l'ouvrage auquel il travaille depuis au moins cinq ans et qui expose ses réflexions esthétiques. Et ce n'est probablement pas tout à fait un hasard si la dualité de son projet se révèle à peu près au même moment :

— l'art, l'amour de l'art, la délectation, voire la satisfaction de posséder et de faire partager ses émotions en les ayant exposées, rationalisées, justifiées ;

— l'éducation esthétique, parce que l'art fait partie de la vie. Son accès ne peut être réservé à une élite, non seulement parce que ce serait profondément injuste mais surtout parce que l'art n'est pas destiné à une élite, formée, choisie, sélectionnée. Il est par nature accessible. Chacun à son contact peut en tirer un puissant enrichisse-ment personnel à condition de sortir cette relation du contexte académique traditionnel.

La Fondation sera le cadre de cette révolution pédago-gique. *L'Art dans la peinture* en sera le support.

Jean-François Revel, quand il rendit hommage dans

L'Œil en 1966 à Paul Guillaume à l'occasion de la présentation au public de la donation Walter-Guillaume, rappela ce que le brillant marchand devait au collectionneur de Philadelphie et qualifia la Fondation de « Première Maison de la Culture », institution dont André Malraux venait de doter la France.

Il est, bien sûr, très difficile de faire un parallèle entre deux démarches qui s'exprimaient dans un environnement si différent à quarante ans de distance. Mais philosophiquement elles relèvent de préoccupations finalement assez voisines : rapprocher l'art et la vie, casser les barrières dressées par le savoir et la richesse. Les deux projets ont subi les mêmes critiques de ceux qui avaient prétendu régenter non seulement l'accès à l'art, mais s'attribuer le monopole de la qualification des œuvres dans chaque discipline. Soutine à Merion, l'avant-garde musicale ou chorégraphique dans les années soixante, ou l'art minimal, se sont vu de la même façon dénier leur qualité de création artistique. Les Maisons de la Culture, comme Merion, sont localisées hors des lieux consacrés pour n'être que plus proches des populations que l'on souhaite atteindre.

Seulement il y a une différence de taille : l'extraordinaire collection. C'est le prodigieux succès de Barnes collectionneur qui occulte le théoricien de l'éducation et qui rend parfois dérisoires ses activités pédagogiques. La collection, dès 1925, écrase tout le reste. Alors aujourd'hui !

Pourtant le projet éducatif sera mené avec une formidable détermination. Soixante ans plus tard, alors que certaines sessions ne rassemblent toujours que quelques poignées de fidèles, d'oisifs ou de curieux, il reste à peine vivant. Tout visiteur, aujourd'hui encore, reçoit à l'entrée

Pennsylvania Museum of Art.
Temple University Libraries. Urban Archives.

Le Collège de Bryn Mawr. *Photo de l'auteur.*

Léo, Gertrude et
Michael Stein au
27, rue de Fleurus.
*Cone Archives,
Museum of Art,
Baltimore.*

Claribel Cone,
Gertrude Stein et
Etta Cone à
Settignano, en 1903.
*Cone Archives,
Museum of Art,
Baltimore.*

L'atelier de Léo et
Gertrude Stein au
27, rue de Fleurus.
Photo D.R. ▽

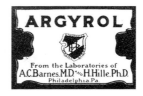

Etiquettes de l'Ovoferrin et de l'Argyrol.

La Fondation Barnes à Merion, Pennsylvanie.
À gauche, l'entrée de celle-ci.
Photos de l'auteur.
Ci-dessous, bas-relief de Lipchitz.
*The Barnes Foundation, Merion,
Pennsylvania.*

L'entrée de l'«Armory Show».
Archives of American Art, Detroit. △

Vue intérieure de l'exposition.
Museum of Modern Art, New York. △

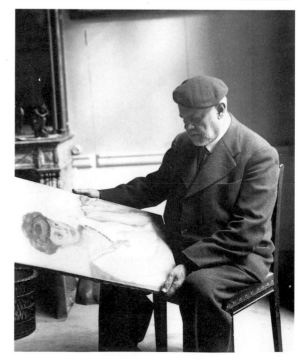

Ambroise Vollard. ▷
Photo Harlingue-Viollet.

Paul Guillaume et Albert Sarraut.
Photo Harlingue -Viollet. ▷

« La Rotonde » en 1929. *Photo Keystone.* ▽

Modigliani, Picasso
et André Salmon à
Montparnasse, 1916.
*Collection Jeanine Warnod,
Paris.*

Albert Barnes et Bertrand Russell à la Fondation Barnes en 1941.
Temple University Libraries. Urban Archives.

Paul Cézanne devant «Les Baigneuses». Aix, 1904. *Photo D.R.*

Charles Laughton visitant la collection Barnes, 1940.
Temple University Libraries. Urban Archives.

Matisse travaillant à la première version de «La Danse» à Nice, 1931.
The Barnes Foundation, Merion, Pennsylvania.

Vue de «La Danse» à l'intérieur de la Fondation. *The Barnes Foundation, Merion, Pennsylvania.*

Laura Barnes (ci-dessous) et
Violette de Mazia (ci-contre)
allant déposer au procès en 1962.
Temple University Libraries.
Journalism Collection.

un petit fascicule présentant la Fondation comme une institution à but éducatif avec un programme de travail régulier, organisé par classes, animé par une équipe d'enseignants expérimentés. Il est précisé, vestige d'une époque où tout cela n'allait pas de soi, surtout en Pennsylvanie, que les cours sont ouverts à des étudiants de toute race, couleur de peau, nationalité et de toutes origines ethniques. La Fondation, est-il ajouté, ne fait aucune discrimination sur la base de la race, de la couleur de la peau, de la nationalité ou de l'origine ethnique dans l'organisation de sa politique pédagogique, dans ses admissions, ni dans ses programmes. Aucune formation particulière n'est requise pour suivre les cours. Une assiduité et une ponctualité très strictes sont requises ainsi qu'un esprit ouvert et le désir sincère de prendre une part active aux travaux et aux lectures qui sont recommandés.

Ces trois principes traduisent toujours la pensée du fondateur :

L'étude de l'art nécessite un effort organisé et méthodique au même titre que le droit, la physique ou la chirurgie.

L'art est partie intégrante de la vie. Toutes les caractéristiques qui donnent à l'art sa valeur sont celles que l'on trouve dans les différents moments de la vie quotidienne.

Il n'y a pas de différence entre l'art du présent et l'art du passé.

On retrouvait déjà implicitement ces principes dès 1923 quand Albert Barnes rendait compte dans la revue *The Arts,* au moment où celle-ci annonçait la création de la Fondation — mais sous forme d'un musée d'art moderne ouvert au public, c'était juste avant l'accueil très hostile fait aux œuvres ramenées de Paris — du dernier livre de Percy Moore Turner, justement sur le jugement esthétique.

La thèse du livre, du moins ce que Barnes en a alors retenu, est qu'il existe chez chaque homme une capacité d'émotion esthétique, mais que chez la majorité d'entre eux elle reste latente. Il faut donc permettre à celle-ci d'éclore, de se développer, ce que chacun peut envisager avec un peu d'effort et de persévérance. « En ce sens, le livre y contribue, parce que c'est un livre pour débutant, accessible, écrit par un homme d'expérience qui réussit à s'affranchir du jargon et de la pédanterie habituelle de ce type d'ouvrage », conclut le commentateur. Même si Barnes reproche à l'auteur — nous sommes en 1922 — de ne pas avoir mentionné Picasso et Matisse, il admire ce travail qui en deux cent trente-six pages fait le tour d'un sujet aussi vaste, d'une façon aussi lumineuse qu'accessible.

Aucun des ouvrages de Barnes n'aura cette concision et cette élégance, bien sûr, mais tous partiront de cette prémisse : il n'y a pas de hiérarchie des écoles et des sujets. Il y a à chaque moment, dans chaque civilisation, quelques hommes capables de transmettre une émotion, d'exprimer leur propre vision du monde, de l'âme, du beau, et des milliers d'autres tout juste bons à reproduire un enseignement, une pratique, une tradition et qui ne sont que des tâcherons sans intérêt. L'art s'arrête où commence l'imitation, aurait-il pu ajouter.

En février 1923, John Dewey avait accepté de prendre la direction des études de la Fondation. Le philosophe était au sommet de sa notoriété aux États-Unis et son prestige rejaillit instantanément sur l'entreprise. Dewey allait être l'un des plus fidèles soutiens de Barnes durant toute sa vie, même lors des polémiques les plus violentes provoquées autant par son caractère irascible que par le fossé qui devait forcément se creuser année après année entre les institutions de toutes natures et de toutes obédiences et la Fondation.

Barnes recrute aussi Laurence Buermeyer, toujours assistant de philosophie à Princeton et qui l'avait présenté à Dewey, et Thomas Munro qu'il avait connu lors des séminaires Dewey à Columbia et qui abandonne la célèbre université new-yorkaise pour rejoindre Merion. À côté de ces prestigieux universitaires, Mary Mullen, la fidèle collaboratrice de la firme Barnes and Hille, de l'époque héroïque de la découverte de l'Argyrol. Elle avait débuté comme comptable et était totalement autodidacte. Elle est nommée en 1925 directeur de recherches associé. Son expérience d'enseignante était limitée aux séances de discussion quotidienne avec le personnel de la compagnie. Son *Approche de l'art* est une esquisse de ce qui allait devenir la méthode de Barnes, fondée sur le pragmatisme et l'empirisme dans l'enseignement de l'appréciation des œuvres d'art et des artistes.

Afin d'accroître l'audience de la Fondation auprès du grand public et de la presse, Barnes essaya de s'assurer la collaboration des rares critiques influents qui n'avaient pas pris de position hostile lors de l'exposition de 1923. Comme il exigeait de son équipe une totale soumission intellectuelle ou, à tout le moins, une étroite concordance de vue, non seulement sur la méthode d'enseignement, mais aussi sur les choix esthétiques et les goûts, ces tentatives échouèrent, parfois de façon brutale. Cela créa de nouvelles inimitiés, tant, par nature, les critiques sont indépendants d'esprit. Howard Greenfeld pourtant raconte qu'il faillit bien réussir à séduire Francis Hackett, le chroniqueur de *The New Republic*.

Il le reçut un jour à Merion avec sa femme et déploya tout le charme dont il était capable pour le convaincre.

Autant les deux hommes s'entendirent bien, autant le comportement de Barnes vis-à-vis de la femme de Hackett, elle aussi écrivain, Sigve Toksvig, fut d'une telle maladresse qu'elle indiqua à son mari en revenant que ce serait Barnes ou elle. Hackett aimait sa femme et déclina l'offre du docteur. Furieux, celui-ci menaça Hackett et le poursuivit de sa rancune, des années durant. « J'aurais fait de lui un homme. Et il le savait. Il voulait venir. Mais il avait une femme, une pute, une sacrée pute qui le tenait par les couilles... » confia-t-il un jour à un ancien collègue de Hackett.

La constitution d'une équipe pédagogique de haut niveau épousant sans états d'âme ses conceptions n'était que le premier volet du projet. Le second, de loin le plus important puisqu'il pouvait décider du sort ultime de la collection, dans l'esprit de Barnes, était bien de bâtir un programme de coopération avec Penn, l'université d'État de Pennsylvanie, pour donner à son entreprise la reconnaissance que l'Académie lui refusait.

Les statuts de la Fondation avaient fixé à cinq le nombre des administrateurs. Barnes lui-même était le président du conseil d'administration et avait un pouvoir discrétionnaire sur le fonctionnement de l'institution comme sur son patrimoine. Il pouvait seul décider de modifier le contenu de la collection, de vendre des œuvres ou d'en adjoindre de nouvelles. A la mort des époux Barnes, Penn recevait, d'après les statuts initiaux, le pouvoir de nommer deux administrateurs, même si s'éteignait le droit, conféré au fondateur seul, d'altérer la collection et de décider de la politique de prêt des œuvres.

Ces dispositions révélaient l'état d'esprit initial de Barnes : il n'excluait pas et même il envisageait, si des relations satisfaisantes pouvaient être établies avec Penn, de laisser son université, celle qui lui avait délivré la formation et les diplômes qui l'avaient aidé à réussir aussi brillamment, décider du sort futur de la collection. Il était donc revenu sur les manifestations d'hostilité dont témoigne sa correspondance avec Johnson de 1912 où, alors qu'il n'est encore nullement question de Fondation, et tandis que la collection n'est qu'embryonnaire, il écrit qu'il n'envisage plus de la léguer à Penn parce que « les choses n'y sont plus comme avant ». Dès 1924, des deux côtés on chercha à déterminer quel type de coopération pourrait aboutir. A Penn, l'École des beaux-arts manquait de moyens pour se développer. Un accord fut conclu en mai 1924 suivant lequel les étudiants de l'École pourraient assister à trois cours dispensés à la Fondation, par Munro et Buermeyer. Cet accord fut approuvé par le recteur de Penn, et une annonce très prudente fut faite, insistant sur le caractère expérimental de ce projet.

Elle provoqua néanmoins une véritable levée de boucliers de la part de ceux qui avaient encore en mémoire l'exposition de 1923. « Non seulement Barnes avait semé le désordre en se faisant le propagateur d'un art dégénéré voire bolchevique dans cette bonne ville de Philadelphie, mais voilà qu'il voulait corrompre la jeunesse en lui enseignant une esthétique représentée par des œuvres aussi détestables. » Telle était en substance l'accusation formulée par l'Académie et par l'ensemble des institutions culturelles de la cité. Theodore Dillaway, directeur des enseignements artistiques des écoles de la ville, déclara que cela allait conduire à l'anarchie, en remarquant que de nombreuses œuvres de la collection le rendaient malade, et pronostiquait une désaffection pour l'art si on laissait aboutir ces projets. La sinistre polémique avec les psychiatres rebondissait sous une autre forme. Harriet Sartain, le recteur de l'école de dessin pour jeunes filles, critiquait ouvertement l'université de tolérer que l'on prenne pour base d'un enseignement artistique les œuvres qui avaient été précédemment exposées.

L'attaque la plus vive vint, bien entendu, de l'Académie elle-même. L'institution était à la pointe du combat contre l'art radical et redoutait que le soutien de Penn légitimât d'une certaine façon l'action du collectionneur de Merion. L'un des professeurs, Charles Grafly, déclara perfidement : « Si l'exposition d'art moderniste tenue à l'Académie des beaux-arts de Pennsylvanie en 1923 est représentative du type de pourriture que les étudiants du département des beaux-arts de l'université devront étudier à Merion, je ne peux imaginer une plus grande catastrophe que ce soit dans le domaine de l'art ou dans celui de l'éducation. » La réplique de Barnes fut brutale et il n'hésita pas à se lancer dans des attaques personnelles.

Il commença par annoncer publiquement qu'il interdisait l'accès de la Fondation à certains membres de l'Académie qui avaient été surpris en état d'ébriété, tout en refusant de citer leurs noms. C'est le genre de polémique qui fait le délice des journaux. L'*Enquirer* rendit compte de l'affaire à la une, tout en publiant le « *no comment* » du président de l'Académie des beaux-arts et la réponse embarrassée de son secrétaire général, John Andrew Myers : « Il est impossible de comprendre pourquoi le docteur Barnes fait cela. Je n'ai rien à dire. »

En réalité, l'Académie connaissait parfaitement les motifs de cette sortie puisque Barnes avait pris soin, juste avant de quitter Merion pour la France, d'adresser une lettre à tous les administrateurs de la vénérable institution, avec copie aux journaux : « Les personnes intelligentes de Philadelphie se demandent pourquoi une collection de peintures, dont beaucoup, parmi lesquels le directeur du Louvre et celui de la Pinacothèque de Munich, ont dit que c'était une des plus importantes au monde, devrait être condamnée par un enseignant de votre institution qui est généralement assimilée à une morgue... » Et il continue : « Hors de la ville, on dit que Philadelphie est reconnue par son ignorance abyssale et son hostilité à des mouvements pédagogiques ou artistiques qui sont reconnus partout ailleurs comme sensés et de progrès... Mais une nouvelle ère est arrivée et ce sera le travail d'un groupe de Philadelphiens modernes d'essayer d'ôter cette flétrissure de notre ville et de faire le procès de ces hommes publics et de ces institutions qui sont incurablement ignorantes, indécentes et malhonnêtes. »

Dans cette polémique, Barnes reçut peu de soutiens publics, sauf du peintre Arthur Carles, enseignant à l'Académie, qui avait été l'un des organisateurs de l'exposition si controversée de 1923 : « Une chose est sûre, dit-il, avec tact, c'est que Philadelphie n'apprécie pas comme elle le devrait ce que le docteur Barnes essaie de faire. Je déteste la distinction constamment faite entre les soi-disant peintures modernes et les vieux chefs-d'œuvre du passé. Il n'y a que deux sortes de peintures, la bonne et la mauvaise. Et celles du docteur Barnes sont bonnes. C'est une collection représentative, reconnue en Europe comme une des meilleures du monde. » Ce qu'Arthur Carles devrait savoir, c'est que par définition Philadelphie ne peut apprécier et encore moins soutenir quelque projet ou recherche que ce soit qui sorte des limites étroites fixées par les conventions et que toute tentative de quiconque cherche à en sortir est vouée à la réprobation des uns et à l'indifférence des autres.

Ce qu'Arthur Carles ne dit pas, non plus, c'est qu'en 1925, en tout cas en France, Renoir et Cézanne, pour ne pas parler de Van Gogh, Seurat, Modigliani et bien sûr Soutine, sont très loin d'être reconnus comme des peintres importants. Henri-Pierre Roché, dans ses souvenirs, raconte qu'il visitait, au début des années vingt, les deux salles Caillebotte au musée du Luxembourg : « L'opinion était dressée contre elles. Quand on quittait ce sanctuaire boycotté pour entrer dans la galerie des sculptures du musée, les visiteurs présents vous regardaient comme si vous sortiez d'un bordel. » La situation n'avait donc guère évolué depuis trente ans, depuis l'époque où l'on interpellait à la Chambre le gouvernement à propos de ce repaire laid et honteux et où un certain Lecomte de Nouy parlait à propos de l'accrochage projeté : « Les jeunes gens pourraient être détournés du travail sérieux. C'est de la démence. »

L'accueil de Philadelphie à la collection Barnes n'est somme toute pas tellement différent de celui fait par Paris à Cézanne et dans une moindre mesure à Renoir à la même époque ! Il n'est pas question que Cézanne ait sa place au Louvre. D'ailleurs, en 1993, il n'y est toujours pas ! La collection Barnes est jugée par une poignée de critiques d'avant-garde et par les marchands qui ont permis — en s'enrichissant — de la constituer pour ce qu'elle est alors : un ensemble exceptionnel de l'art de cette époque. Mais celui-ci est bien loin de faire l'unanimité, surtout en France où il déclenche encore des polémiques tout aussi violentes qu'à Philadelphie. On peut facilement imaginer qu'elle aurait été la réaction de l'Institut si Paul Guillaume avait passé un accord pour que l'École des beaux-arts tiennent ses cours dans l'un de ses salons de la rue du Faubourg-Saint-Honoré.

Barnes ne s'arrête pas là et il met gravement en cause le directeur des enseignements artistiques de la ville, le docteur Dillaway, pour ses prises de position contre la Fondation alors que celle-ci avait offert le libre accès aux élèves. Mais il reste toujours soucieux de préserver ses liens avec Penn. La Fondation, conformément à l'accord passé avec le capitaine Wilson et surtout au souhait de Laura Barnes, est également très active dans le domaine de l'horticulture et de l'arboriculture. Barnes propose à l'université de coopérer aussi dans ces deux disciplines... et il offre généreusement en 1926 300 000 dollars pour construire un bâtiment sur un vaste terrain adjacent à la Fondation qui vient d'être mis en vente. La valeur estimée du terrain était de 450 000 dollars, à la charge de l'université. Barnes offre en outre de financer une chaire d'horticulture et la mise à disposition de ses installations ainsi que la coopération de l'équipe, qui était rassemblée autour de Laura Barnes.

L'Arboretum, dont la préservation était la condition mise par le capitaine Wilson pour vendre son terrain, n'était pas pour Barnes une servitude marginale destinée à occuper sa femme. L'intérêt de celle-ci pour l'arboriculture était ancien. Elle avait profité de son voyage de noces et des déplacements de son mari en Europe pour visiter Kew Gardens à Londres, et suivre des cours au jardin botanique de Francfort et à l'université de Berne. Et les statuts de la Fondation consentaient à l'Arboretum la qualité d'activité éducative à part entière.

Lors de l'un des nombreux procès qu'intenteront les diverses administrations fiscales, en 1933, Albert Barnes et John Dewey soutiendront que le développement de l'enseignement artistique et la sauvegarde de l'Arboretum ne sont que les deux aspects d'un même projet, et que

Barnes et son épouse pensaient dès 1912 à créer une institution qui réunirait leurs deux passions. Laura Barnes déclarera à ce procès qu'en réalité l'étude d'un tableau relève des mêmes méthodes que l'étude d'un paysage, et qu'à l'Arboretum on recherche l'harmonie des formes et des couleurs des plantes et on s'intéresse, comme un artiste le ferait, à la composition physique d'un paysage, « sa masse, ses tons, la grâce des lignes et des intervalles spatiaux, la séquence rythmique de chacune de ses composantes, le tout étant rassemblé dans une composition ».

Pourtant, en 1927, les interlocuteurs de Barnes à Penn sont évidemment peu sensibles à cet art qui est davantage développé au Japon et en Europe qu'aux États-Unis. Le correspondant de Barnes, le docteur Singer, professeur de philosophie à qui Barnes avait fait cette offre, promet alors d'intervenir auprès du recteur. Celui-ci n'est nullement enchanté. L'université a probablement mieux à faire que d'investir une somme aussi importante pour ouvrir une antenne, dans une discipline relativement confidentielle, à Merion. Surtout, le lien organique, découlant du voisinage que cette opération allait créer avec la Fondation, dans un contexte de controverses publiques avec les autorités, risquait d'être bien embarrassant. En réalité, Penn avait déjà commencé à prendre ses distances.

La coopération entre l'École des beaux-arts et Merion s'avère décevante. Les traditions universitaires, même les plus libérales, s'accommodaient difficilement des principes peu orthodoxes et des goûts audacieux de la Fondation, même si la caution personnelle de John Dewey rendait délicate une rupture brutale. Il semble que les autorités universitaires, réalisant qu'elles s'étaient fourvoyées dans cette aventure, décidèrent de faire mourir par désintérêt l'accord qu'elles avaient signé en 1924. Progressivement elles se dégagèrent de l'affaire. D'un côté Barnes était frustré par l' « impréparation » des étudiants que lui envoyait l'université, ce qui est un peu paradoxal, si l'on milite pour le libre accès aux œuvres et à la méditation esthétique. De l'autre le nombre d'étudiants candidats déclinait rapidement en raison de la faible publicité faite par l'université sur les possibilités offertes par la Fondation. Munro, pour préserver l'expérience, proposa alors de constituer un groupe de travail pour dégager des solutions et remédier à la désaffection qui gagnait son propre enseignement. On ne lui répondit pas.

Barnes employa tous les arguments possibles sans succès pour séduire Penn — invitations à visiter la collection aux professeurs, argent, avantages, — rien n'y fit. Il alla même dans une dernière lettre, datée de mai 1926, jusqu'à demander à Penninan, le chancelier de l'université, de pouvoir venir devant le conseil d'administration exposer un projet de fusion entre l'École des beaux-arts, dont il souhaitait la réorganisation, et la Fondation, ce qui, in fine, revenait à donner à l'université le contrôle de la fabuleuse collection. Il ne reçut pas davantage de réponse.

Hostilité d'un côté, indifférence de l'autre. Barnes n'avait plus qu'à poursuivre sa route seul. Mais ces blessures ne se cicatriseraient jamais complètement. Ses choix esthétiques avaient été publiquement combattus, voire ridiculisés. Ses conceptions pédagogiques ignorées. Au fur et à mesure que l'importance de la collection allait être reconnue, Barnes, de solliciteur, allait devenir un homme sollicité, courtisé. Mais la profonde amertume, qui ne devait jamais le quitter, allait lui dicter une conduite agressive, provocatrice, parfois inutilement humiliante vis-à-vis de tous ceux, et ils seraient chaque jour un peu plus nombreux, qui souhaiteraient admirer ses chefs-d'œuvre ou tirer avantage de la collection.

Ses conflits avec les autorités locales n'étaient pas adoucis par son engagement public et sans aucune retenue en faveur de l'égalité raciale, sujet, cinquante ans après la fin de la guerre de Sécession, absolument tabou dans les beaux quartiers de Philadelphie. L'esclavage, non. Mais l'égalité, encore moins. Le père de Barnes avait répondu à l'appel à la conscription d'Abraham Lincoln, et il avait perdu son bras droit. Albert ne l'avait jamais oublié. Dans sa société, il n'a jamais recruté que des femmes pour l'assister dans les tâches administratives et des Noirs pour les travaux de conditionnement de l'Argyrol, de manutention ou de livraison. Ses employés ont été ses premiers disciples. Ce sont de jeunes Noirs qu'il réunissait à la pause, vers 1915, pour leur commenter ses dernières acquisitions et leur parler de Renoir et de Cézanne.

Cet engagement a été beaucoup trop constant, public et généreux pour qu'on puisse douter de sa sincérité. Dès 1912, Booker T. Washington, qui fut un des premiers intellectuels noirs à militer pour l'amélioration du système éducatif en leur faveur, le sollicite pour une subvention au profit des collèges pour les jeunes Noirs. Il y répond favorablement. Il adhère en 1922 à la National Urban League, qui est la principale organisation qui milite pour l'amélioration des conditions de vie, l'intégration et l'égalité des droits des Noirs. Il soutient le journal de l'organisation, *Opportunity*, qui publiera, en 1924, le fameux article sur la galerie de Paul Guillaume, « Le Temple », que celui-ci traduira pour *Les Arts à Paris*. Il est l'un des premiers, aux États-Unis, à accorder le statut d'œuvre d'art aux sculptures africaines.

Son intérêt pour cette forme d'expression n'est pas esthétique, à la différence d'Apollinaire ou des peintres de Paris, Derain et Vlaminck, puis Picasso et Matisse. Il est encore moins commercial ou spéculatif. Il est philosophique. Les Noirs, comme les Blancs, sont capables de produire un art qui, comme toutes les tentatives de l'homme, sont un élément, parmi d'autres, de notre civilisation commune. Sa réflexion ne se limite pas aux arts plastiques. Il est et il restera bouleversé toute sa vie par la musique nègre, ces negro spirituals qui semblent le meilleur accompagnement possible aux heures de méditation qu'il s'accorde devant ses chefs-d'œuvre. Souvent, pour ses invités, ou pour son seul plaisir, il invite des choristes dans la grande pièce de Latch's Lane, où, au milieu des Cézanne et des Matisse, des voix vibrantes interprètent psaumes et cantiques.

En 1924, il écrit un article pour *Opportunity,* qui sera immédiatement traduit dans *Les Arts à Paris,* où il exprime avec force et lyrisme ses convictions :

« Par la force puissante de sa poésie et de sa musique, l'art nègre révèle au reste du monde l'unité essentielle de tous les êtres humains. La race blanche cultivée doit à l'expression de l'âme de ses frères noirs trop de moments de bonheur pour ne pas reconnaître de bon cœur le fait significatif que ce que l'art nègre a accompli a une valeur civilisatrice énorme... Non seulement notre civilisation n'a rien fait pour aider les nègres à créer leur art, mais notre injuste oppression a été incapable d'empêcher l'homme noir de réaliser dans une riche mesure l'expression de ses rares dons particuliers... » Et il conclut, quarante ans avant Martin Luther King : « Nous commençons à imaginer qu'une meilleure éducation et une égalité sociale et économique plus grande pour le nègre produirait quelque chose d'une importance réelle pour une vie américaine plus pleine et plus riche. »

Deux ans plus tard, en 1926, dans *Les Arts à Paris,* il récidive : « La musique américaine nègre est nègre d'une manière aussi caractéristique que les sculptures africaines primitives... En tant que formes d'art, chacune souffre la comparaison avec les grandes expressions d'art de toute race, ou civilisation. »

Cet engagement vigoureux et désintéressé aux côtés des Noirs ne contribue pas plus que son penchant pour Soutine à le rendre populaire dans Main Line. Surtout les considérations philosophiques qui accompagnent ses prises de position sont absolument intolérables pour le monde blanc, protestant et anglo-saxon qui domine Philadelphie. Car sa vision du problème noir, qui, pour lui, donne toute sa légitimité à la revendication d'égalité raciale, donc politique et sociale, ne s'appuie pas sur un sentiment de justice, voire de charité, mais sur l'absence de supériorité culturelle de la race blanche. L'apport nègre à la civilisation ne le cède en rien à l'apport de la race blanche, s'efforce-t-il de montrer. L'injuste oppression de celle-ci n'a pas empêché l'épanouissement de formes d'expression originale, la statuaire en Afrique, la musique en Amérique.

Et Barnes met en pratique très tôt ces principes. Il est le premier collectionneur d'art africain d'Amérique, bien avant le jeune Rockefeller. Il destine autant aux ouvriers noirs de sa fabrique qu'au personnel de race blanche ses réflexions esthétiques et ses expériences de formation artistique.

Au début, il passe pour un original. A partir de 1920, avec les énormes profits de l'Argyrol, il dispose des moyens de se faire entendre, non seulement par l'intermédiaire de sa Fondation mais en finançant les groupes de pression et la presse. On caricature alors sa démarche de collectionneur pour le discréditer : il est l'homme qui veut convertir à l'art contemporain des ouvriers noirs quasiment analphabètes. C'est le procès en dérision. Pourtant son attachement personnel à la culture nègre dépasse de très loin ce phénomène de mode qui a envahi Paris dans l'entre-deux-guerres. Il n'y a pas de réceptions ou de fêtes à Merion sans un concert de chants traditionnels noirs.

Quand Paul Guillaume et sa femme lui rendent visite en 1926, il les emmène avec sa femme, les sœurs Mullen et une assistante, Laura Geiger, de l'autre côté de la Delaware, dans le New Jersey, à Bordentown, assister à un concert donné par la chorale d'une école d'apprentissage pour jeunes Noirs. Guillaume, de retour, raconte à quel point il a été bouleversé. Ils étaient installés sur la scène : « Leurs voix douces, tièdes s'élevèrent en chœur, exprimant la nostalgie, le regret, l'angoisse, la désespérance et les espoirs des esclaves enchaînés, leurs ancêtres, qui, brutalement arrachés à leurs villages en Afrique, souffrirent, en Caroline, dans les plantations du Sud. Ils chantèrent pendant plus d'une heure. Nous fûmes très émus, charmés, transportés. » Après le concert, Barnes prit la parole et s'adressa aux apprentis pour leur dire que leurs ancêtres possédaient une culture dont ils pouvaient être fiers et les remercia pour le plaisir qu'ils lui avaient donné. Pour Richard Glanton, le président de la Fondation aujourd'hui, Barnes était un homme qui portait en lui le message des pères fondateurs de la jeune République américaine, et celui de Thomas Jefferson au premier chef.

Une autre année, il écrit à son cher Glackens pour lui dire qu'il est désolé de rater son anniversaire, mais il doit prendre la parole dans une église noire avant de filer à

New York pour parler à la radio, toujours du même sujet : le haut niveau culturel de la civilisation noire. Mais il lui promet un déjeuner dans une Spaghetti House pour la semaine suivante. Plus tard, vers 1935, à une époque où une fois de plus, après une brouille mémorable, il essaya de se réconcilier avec les conservateurs du Pennsylvania Museum of Art, il les invite à passer un dimanche à Merion, agrémenté d'un concert de negro spirituals, dans la grande galerie, et d'une causerie sur les correspondances entre l'art nègre et la peinture contemporaine.

C'est la même unité de pensée, c'est la même quête d'une vision globale des rapports entre l'éducation, l'art et la philosophie qui est à la base des recherches de Barnes comme critique d'art et qui est le fil conducteur de ses articles et de ses livres, depuis « Comment juger un tableau », publié dans *Arts and Decoration* en 1915, jusqu'à son *Cézanne*, écrit avec la collaboration de Violette de Mazia et paru en 1939. L'éducation n'est pas seulement une préparation à la vie, c'est la vie elle-même. L'art n'est pas un compartiment isolé de l'activité humaine réservé à une élite ou à une minorité qui y a été spécialement préparée. Le plaisir esthétique est accessible à tous pour autant qu'on débarrasse son accès du fatras de considérations historiques ou morales qu'imposent la tradition et les académies. En facilitant le contact avec les œuvres elles-mêmes, celles-ci peuvent et doivent devenir un support éducatif.

Les années 1922-1926 ne furent donc pas uniquement une période d'intenses acquisitions, de voyages et de polémiques. C'est aussi durant ces années que Barnes rassemble les éléments nécessaires pour l'établissement de sa théorie esthétique qui devait à la fois valider ses choix de collectionneur, ce que lui reprochera Léo Stein, et servir de base à l'enseignement de la Fondation. Il publie aux presses de la Fondation d'abord, au début de 1925, puis chez Harcourt, Brace and Company un peu plus tard, *L'Art dans la peinture,* dédié à John Dewey, le tout nouveau directeur des études de Merion, « dont les conceptions en matière d'expérience, de méthode et d'éducation ont inspiré le travail dont fait partie ce livre ».

Le livre comporte une double approche, analytique et synthétique, de la peinture. La vision analytique découle probablement de la formation scientifique de l'auteur — Barnes est un chimiste, rappelons-le — et, semble-t-il, des réflexions des critiques Clive Bell et Roger Fry qui avaient tant fait, avant la Première Guerre, pour promouvoir les impressionnistes et leurs successeurs en Angleterre. Un tableau doit s'apprécier par toute une série de paramètres : la composition, la couleur, le dessin, le modelé, la lumière, le traitement de l'espace. Sa valeur dépend d'abord et avant tout de la capacité de l'artiste à intégrer ces paramètres pour exprimer son émotion et la transmettre. Barnes rompt avec tout le courant de pensée critique et esthétique qui faisait du sujet l'objet d'une œuvre. La voie avait, bien entendu, été ouverte par Courbet puis par Manet et les impressionnistes, en révolte contre un académisme à la fois technique (reproduire Raphaël puisqu'on ne peut le dépasser) et littéraire ou historique : ce qui fait la grandeur d'un tableau, c'est la noblesse du sujet et l'habileté de l'artiste à « rendre » cette noblesse.

Barnes ne fut évidemment ni le seul, ni le premier, à formuler une théorie du jugement objectif et de la critique en peinture qui soit en rupture avec cette tradition. Mais il veut aussi débarrasser le discours sur la peinture du discours sur le sujet et sur l'appréciation critique du traitement du sujet. Cela n'a pas échappé à Waldemar

George qui, en parlant de Barnes, écrit dans *Les Arts à Paris :* « C'est la seule personne à ma connaissance qui soit capable de faire abstraction de la donnée figurative d'un tableau et d'en dégager les vertus plastiques. »

Cette théorie est cohérente avec ses choix esthétiques, elle peut même apparaître comme leur justification. Mais l'homme, il ne faut pas l'oublier, est un pur rationaliste, un chimiste. Il analyse un tableau un peu comme une molécule. Il identifie un certain nombre d'ingrédients fondamentaux, de composants et il part du principe que la qualité essentielle du tableau réside dans l'harmonie de ses composants entre eux et de leur capacité à former un tout. C'est cette harmonie qui recueille l'héritage des traditions et des influences et qui donne ou non le caractère universel à une certaine peinture. Il conservera cette approche toute sa vie. Elle structure ses œuvres suivantes, *L'Art d'Henri-Matisse,* paru en 1933, et les commentaires sur Renoir (1935) et Cézanne (1939).

Le deuxième volet de *L'Art dans la peinture* rassemble les réflexions analytiques précédentes pour démontrer l'unité de l'art et proclamer, au nom de la permanence des critères énoncés, contre l'Académie, que les maîtres contemporains sont les dignes héritiers des grands maîtres du passé. « Dans ce livre, écrit-il dès la préface, un effort est fait pour faire ressortir dans l'histoire de la peinture la continuité essentielle des grandes traditions et pour montrer que les meilleurs artistes contemporains usent des mêmes moyens pour les mêmes objectifs finaux que les grands Florentins, les Vénitiens, les Hollandais et les Espagnols. » Mais il ajoute : « Le plus formidable ennemi des nouveaux mouvements artistiques a toujours été, non l'indifférence du public, mais l'hostilité de l'Académie. » Il insiste sur la capacité de l'artiste à transmettre son épaisseur humaine dans le tableau : « Les académistes, comme Sargent ou Robert Henri, utilisent la technique de Manet mais échouent à traduire sa force vitale. »

Il assassine au passage Derain, pourtant cher à Paul Guillaume : « Sa forme a été successivement une imitation des qualités en surface de Cézanne, Van Gogh, Matisse, Picasso, Bronzino, Courbet, Corot ou Renoir... C'est le transcripteur d'une technique empruntée, c'est un Bolognais. » Il a une vision très moderne de ce qu'il appelle « les illustrateurs », Goya, Daumier, Glackens (le dessinateur) ou Pascin : « Ils arrivent à rendre les situations qu'ils décrivent de façon extraordinairement pénétrante. » Son rapprochement, au nom précisément de l'analyse plastique, entre *La Mise au tombeau* de Titien et une grande nature morte de Cézanne pousse sa méthode jusqu'à l'extrême limite : le corps disloqué et pâle du Christ joue le même rôle dans l'harmonie des formes et des couleurs que le drapé blanc de la nappe qui retombe du bord de la table sur laquelle sont arrangés en désordre fruits, assiettes et carafe. Même si l'analogie plastique est saisissante, elle reste anecdotique et ne saurait à elle seule expliquer l'émotion — toute différente — que communiquent ces deux chefs-d'œuvre.

Certaines analyses, parfois très contestables, révèlent néanmoins l'œil extraordinaire d'un homme qui, pendant trois ans, parcourt les musées d'Europe pour réécrire sa propre histoire de l'art. Celle qui va précisément donner toute leur place — alors qu'elle est vivement contestée à l'époque par ceux qui sont chargés d'écrire officiellement cette histoire — aux peintres qu'il collectionne.

« Renoir et Cézanne se détachent parce qu'ils font un de leur art et de la vie en nous convainquant de la justesse et de la réalité de ce qu'ils voyaient, sentaient, exprimaient », observe-t-il. Il estime que l'impressionnisme est le mouvement le plus profondément révolutionnaire depuis Giotto. Manet dépasse Vélasquez, Courbet et Daumier. Mais ils ne sont pas partis de rien. Le traitement de la lumière a évolué, de Masaccio aux Vénitiens, puis à Monet qui a inventé une nouvelle technique et qui a compris le « pouvoir fonctionnel » de la lumière en rendant ainsi possibles les principaux développements de l'impressionnisme.

La condamnation du cubisme qu'il renouvelle dix ans après leur premier article est plus celle des suiveurs ou des théoriciens qui ont discrédité le mouvement que celle des intentions initiales, la recherche d'invariants dans les formes qu'il s'agisse du corps d'une femme ou d'un violon. D'ailleurs s'il abandonne Picasso à partir de 1908, il commande néanmoins, on l'a vu, à Lipchitz pour orner la façade de Merion des bas-reliefs qui expriment cette démarche esthétique.

Le maître pourtant de cette recherche, c'est Cézanne qui « pénètre la forme et la structure des choses et qui en traque les sources secrètes ». Barnes approfondira cette réflexion quinze ans plus tard en l'enrichissant de ses méditations sur les grands chefs-d'œuvre qu'il acquerra au début des années trente, et notamment *Les Grandes Baigneuses*. La place de Matisse dans ce livre reste limitée. Barnes possède déjà *La Joie de vivre,* mais n'a pas fait encore de l'œuvre du maître de Nice l'élément important de la collection qu'il deviendra plus tard avec notamment l'achat du *Madras rouge,* du triptyque des *Trois Sœurs* et du *Riffain assis,* et surtout avec la décoration murale.

Au contraire, le jugement sur Picasso reste d'une grande actualité : « Le contraste évident entre l'œuvre de Picasso et celle de la plupart des grands maîtres du passé a donné l'impression qu'il se situe en dehors des traditions de la peinture. Mais sa dette envers les traditions passées et sa capacité à les restituer de façon originale sont clairement évidentes dans son œuvre à travers toutes ses périodes. » Et sur Soutine, ce qui dans le contexte du moment prouve si besoin était à nouveau son sens aigu de la provocation : « Le dessin de Soutine est de la même sorte de force que celui du Tintoret. »

Barnes ne laisse pas, on s'en serait douté, passer l'occasion d'exécuter Berenson et son influence désastreuse sur les collectionneurs américains, la surestimation de la peinture florentine et de Raphaël au détriment des Vénitiens, son peu d'intérêt pour la couleur et son refus de la distorsion, c'est-à-dire de l'interprétation arbitraire des formes pour rendre une expression, une architecture ou un caractère.

Malgré la forme assez rébarbative, le style parfois lourd et l'absence d'illustrations, le livre reçoit un accueil globalement favorable. J. W. Crutch, dans *The Nation*, le qualifie de contribution importante et originale. Alfred Barr, qui quatre ans après allait devenir le premier directeur du Musée d'art moderne de New York, est encore plus enthousiaste : « C'est un livre important parce qu'il présente de façon systématique et convaincante ce qui est essentiel dans la vision moderne de la peinture. » Le *New York Herald Tribune* approuve la démarche de l'auteur : « La publication de ce livre est un événement important. Il offre quelque chose de pédagogique, de sensé et de réel pour remplacer le sentimentalisme, le goût de l'antique, qui rendent si futiles généralement les cours que l'on dispense actuellement à l'université et dans les écoles. »

Rien ne pouvait davantage toucher Barnes, l'approbation de la démarche et la critique du système actuel d'enseignement artistique. Ce livre, dont *Time Magazine* en 1929 fait « un classique », sera pourtant à l'origine de la première brouille entre le collectionneur et Léo Stein.

Après avoir salué la pensée de l'auteur, Léo Stein qui a joué un rôle absolument essentiel dans la formation du goût de Barnes, comme dans sa découverte de Cézanne et de Matisse, prend ses distances en critiquant son absence de neutralité esthétique et en lui reprochant d'avoir exprimé ses goûts à travers ses théories, même si celles-ci sont approuvées et si ceux-ci sont aussi les siens. Cet excès d'honnêteté intellectuelle, Barnes ne le supporte pas. Il publie dans le journal de la Fondation une réponse blessante et finalement inutile, insistant sur la stérilité intellectuelle de Léo Stein et ironisant sur « ce livre qu'il nous promet depuis quinze ans... ».

Barnes regrettera cette agression injuste et lui dédiera, huit ans plus tard, son étude sur Matisse, ce qui était la moindre des choses : « À Léo Stein, qui fut le premier à reconnaître le jeune Matisse et qui, il y a plus de vingt ans, inspira l'étude qui a débouché sur ce livre. »

Même si *L'Art dans la peinture* est un livre aujourd'hui logiquement dépassé, il porte la marque de la modernité du goût de l'auteur, et de la modernité de sa conception de l'histoire de l'art. Faire, en 1925, de Cézanne le grand événement de la fin du xixe siècle, placer Renoir dans la continuité des plus grands et accorder déjà à Picasso, Matisse et Soutine, pour ne pas citer Daumier, Courbet et les autres, une place centrale, ce n'est pas si mal. Même si Soutine est aujourd'hui — pour combien de temps encore ? — un peu délaissé, qui prétendrait qu'il s'est trompé ? L'argument suivant lequel il n'est que l'instrument des marchands et qu'il a bâti une théorie pour rationaliser les choix qui ont été faits par d'autres ne tient pas quand on pense à la véritable fureur qui s'empare de Barnes quand il a le sentiment qu'on se sert de lui ou qu'on tente de le manipuler.

Dès 1925, l'engagement du collectionneur derrière ses peintres est total. La politique d'acquisition ne changera plus. Il ira même jusqu'à acheter de mauvais Renoir — il y en a quelques-uns à Merion — pour mieux faire comprendre à ses auditeurs les bons, et des Cézanne marginaux ou insolites pour approfondir la connaissance du maître.

Personne, et pas lui, n'osera prétendre qu'il a découvert Cézanne, qui, dès 1906, était devenu le maître à penser de la nouvelle génération. En 1911, Élie Faure lui consacre un article vibrant : « Si l'œuvre de Cézanne ne traduisait pas avec puissance un désir et une volonté d'ordre tout à fait générale, elle n'aurait pas conquis depuis dix ans l'ascendant extraordinaire que l'on sait... Il se savait le plus grand peintre de l'Europe. Quand on a cette force en soi, on peut s'en aller seul. » Cézanne à la fin de sa vie confiait à Émile Bernard : « Je reste le primitif de la voie que j'ai découverte. » Cette prophétie, Barnes s'en faisait souvent l'écho. Et lorsque, parfois de bonne humeur, il raccompagnait un des rares visiteurs qu'il avait admis à Merion, comme Joseph Alsop, le célèbre chroniqueur (alors jeune étudiant à Harvard, selon Howard Greenfeld), il lançait, à propos de sa collection et de ses peintres : « Ce sont les classiques de demain, *the old masters of the future*... »

Modernité aussi de la vision historique. Le rejet par les Académies, en France et aux États-Unis, de la peinture contemporaine, c'est-à-dire de la production à partir de Courbet, se traduisait par l'exclusion des artistes des musées, des lieux d'enseignement et donc de l'histoire. Toute tentative de rattacher les impressionnistes et leurs héritiers, ceux-ci et leurs propres héritiers à une tradition historique était d'autant plus condamnée et condamnable que Monet et Van Gogh ne récusaient pas davantage l'influence qu'ils avaient subie de l'art japonais et que Picasso et Matisse se sentaient porteurs d'une sorte de métissage esthétique où l'on retrouvait pêle-mêle, et suivant les périodes, les formes sacrées de la statuaire africaine ou ibérique, les miniatures persanes ou les motifs islamiques.

Pour les tenants d'une conception orthodoxe et linéaire de l'histoire de l'art, les seuls qui existaient et qui avaient leur place dans cette histoire étaient les héritiers d'Ingres et de Delacroix. Ceux qui avaient su réconcilier la ligne et la couleur dans le respect scrupuleux du sujet imposé, respect qui commandait à son tour le respect de la réalité, des proportions, des couleurs et des traits, en bref la fidélité à l'image.

Progressivement les impressionnistes et surtout Renoir, qui pouvait être situé dans la lignée des grands coloristes du XVIIIᵉ siècle et dont les sujets s'y rattachaient souvent, avaient été intégrés dans l'histoire de la peinture. Mais Cézanne, c'était toujours l'ennemi. Au moment où Barnes le découvre, c'est-à-dire quelques années déjà après Charles Loeser et les Stein, Huysmans voit en lui un artiste aux rétines malades, Georges Lecomte, qui entrera peu après à l'Académie des beaux-arts, estime que son maigre savoir le trahit et Georges Mauclair, le pourfendeur habituel de l'art moderne, met sur le compte de son astigmatisme les déformations qui caractérisent ses paysages et ses portraits.

Quant à Picasso, Matisse... et Soutine, s'ils trouvent

quelques collectionneurs assidus et si leurs tableaux se vendent bien et parfois fort cher dès 1914 ou 1923, il est hors de question à l'époque d'imaginer seulement qu'ils laisseront une trace autre que polémique dans l'histoire de l'art. Pourtant, soixante-dix ans après la publication de *L'Art dans la peinture,* leur place dans l'histoire du xxᵉ siècle n'est pas fondamentalement différente de celle que leur a assignée Barnes dans son livre, qu'il s'agisse de leur importance ou de leurs ascendances. En revanche, les célébrités pompières de l'époque ont complètement disparu aujourd'hui, malgré les tentatives révisionnistes périodiques.

La méthode d'analyse employée par l'auteur pour étayer sa démonstration est peut-être aujourd'hui moins convaincante. Mais sa prévision s'est révélée juste et son œil fiable. Le succès populaire incroyable de ces artistes aujourd'hui, alors qu'ils étaient réprouvés hier, illustre l'un des principes fondamentaux de son enseignement : « La compréhension et le jugement des peintures sont une expérience qui ne peut venir que du contact avec les peintures elles-mêmes. » Les foules extraordinaires qui se bousculent à Paris, New York ou Tokyo, pour voir des Matisse, des Renoir ou des Cézanne font néanmoins regretter qu'il n'ait pas été possible de leur offrir plus tôt les trésors de la Fondation. Ils resteront pratiquement invisibles pendant cinquante ans, à Merion, par la volonté de cet étrange collectionneur qui aura été pourtant un des premiers à reconnaître et comprendre leur importance.

CHAPITRE 9

Une bien mauvaise réputation

Mallarmé définissait les critiques comme des gens qui se mêlaient de ce qui ne les regardait pas. Barnes, lui, est un collectionneur qui se mêle de ce qui ne le regarde pas : jugement esthétique, éducation, acquisitions des musées, etc. D'une activité par nature privée et même un peu secrète au début, il fait presque une tribune politique.

Il n'avait aucune chance de s'entendre avec l'Académie des beaux-arts. Mais il espérait bâtir une coopération solide avec Penn et il était prêt à payer cher, voire à donner sa collection pour cela. Très vite ces projets tombent à l'eau car leur initiateur est devenu un personnage controversé et encombrant. Tout le rapprochait, a priori, du monde des musées, surtout qu'à New York comme à Philadelphie se mettait en place une nouvelle génération de conservateurs moins réactionnaires par exemple qu'à Paris. Le nouveau Pennsylvania Museum of Art, construit en 1928, était prêt à beaucoup de concessions pour un jour devenir le dépositaire des trésors de la Fondation. Mais les tentatives de collaboration alterneront avec les incidents publics et les polémiques violentes.

En 1927, Albert Barnes a cinquante-cinq ans. Il est toujours dans une forme physique éblouissante et débordant d'activité. Seulement il a du mal à canaliser cette force intérieure, ce feu qui ne cesse de l'animer depuis qu'il a quitté les quartiers pauvres de North Philadelphia. Il est très riche. L'Argyrol ne l'occupe plus guère. Les procès en contrefaçons ont été gagnés. Son réseau de distribution tourne bien. Les marges sont toujours aussi confortables et il emploie ses copieux bénéfices à accroître, maintenant sans marchander, le patrimoine de la Fondation. Avec l'âge pourtant, il devient de plus en plus autoritaire, susceptible et parfois amer devant les échecs répétés qu'il subit à Merion, échecs qui l'atteignent d'autant plus qu'il est toujours fêté et honoré en France. Il se sent incompris, insuffisamment employé aussi. Et ce surplus d'énergie sera consommé dans des procès sans enjeu, des polémiques stériles, des controverses publiques dont il sort parfois vainqueur mais qui vont progressivement donner de lui une image déplorable qui occulte son œuvre.

Cela commence dès 1927 avec une affaire de lotissement. La municipalité de Merion a autorisé la construction d'une centaine de maisons sur le vaste terrain qui jouxte le parc de la Fondation. Cela troublera, pense-t-il, la sérénité des lieux, amènera des taudis et ruinera ses efforts. Surtout le terrain est précisément celui qu'il a proposé à l'université l'année précédente pour établir un département d'arboriculture, prétexte à un renforcement des liens entre la Fondation et l'université, laquelle a clairement indiqué qu'elle ne disposait pas des fonds pour un tel investissement.

Quand Barnes prétend que ces maisons, vendues entre 17 000 et 25 000 dollars, se transformeront progressivement en bidonvilles, il n'est pas très convaincant. En 1922, le projet de lotissement l'Arboretum qu'il avait proposé à son associé Mac Clatchy portait sur des villas à 50 000 dollars l'unité. La décision a été légalement prise et juridiquement rien ne peut empêcher le projet. Il n'est certes pas isolé dans cette typique bataille de privilégiés. Une « association de défense » est constituée. Elle mandate ses avocats pour rencontrer ceux de la municipalité et pour trouver un compromis. Barnes fait en outre planer une première menace : déménager la collection et l'offrir au Metropolitan Museum.

L'affaire fait beaucoup de bruit. Barnes en appelle à l'opinion. Il rappelle l'exemple de Mary Cassatt, cette femme peintre de Philadelphie partie vivre à New York, avec laquelle d'ailleurs il était en si mauvais termes qu'il gardait d'elle une toile pour, à l'occasion, montrer aux étudiants de Merion l'exemple à ne pas suivre ! Il cite aussi Stokowski, le chef d'orchestre, les peintres Sloane et Glackens, qui parmi d'autres ont abandonné Philadelphie pour respirer une bouffée d'air frais et pour ne jamais revenir.

Time Magazine consacre un grand article à l'affaire, « De l'Argyrol à l'art », et ironise : « Il n'est pas du tout certain que le Metropolitan Museum, conscrvatcur comme est cette institution, accepte la collection ! » Surtout Barnes a droit à un portrait peu flatteur, si sa collection, elle, est considérée comme « tout à fait exceptionnelle ». « C'est le genre d'homme que l'on peut indifféremment qualifier de fou, de génie ou de détraqué. Son attitude a exaspéré les habitants de Philadelphie autant que ses peintures ont choqué les académiciens de l'École des beaux-arts et l'université. Le docteur Barnes, conclut le journaliste, est quelqu'un qui nourrit son engagement de convictions peu conventionnelles. » Et pour la première fois, apparaît dans la grande presse l'histoire de cet homme, de ses idées, de leur mise en pratique dans sa fabrique. « Entre Argyrol et Art, poursuit-il, il semble y avoir un long chemin pour la plupart des habitants de Philadelphie, mais dans le dictionnaire du docteur Albert C. Barnes, les deux mots sont presque accolés l'un à l'autre. » La conclusion est encore plus perfide : « Pure coïncidence, le jour même où le docteur Barnes menaçait de déménager sa collection à Manhattan, le conseil municipal de Philadelphie offrait à Joseph E. Widener un terrain sur lequel on construirait un musée pour abriter sa collection comme un don à la nation. La collection Widener est vaste, de grande qualité et orthodoxe. »

Barnes accuse aussi les conseillers municipaux de corruption et de trahison parce qu'ils auraient promis que le plan d'occupation des sols empêcherait l'opération projetée. Et il menace à nouveau, dans une conférence de presse, non seulement d'envoyer la collection à New York mais de créer à la place de la Fondation son centre national d'éducation pour les Noirs. Il projette même aussi d'acheter un certain nombre de maisons pour loger ses étudiants et ses professeurs, forcément noirs.

Cette menace, ce chantage sont d'autant plus incompréhensibles que Barnes déteste que l'on se serve de lui et que, par ailleurs, son engagement aux côtés de la cause de l'égalité raciale est sincère, indiscutable. Or il ne craint pas d'exciter le racisme latent de la communauté huppée de Merion, inquiète des moins-values que provoqueraient, sur leurs propriétés, le départ de la Fondation et l'installation à la place d'un foyer culturel pour gens de couleur. La polémique s'envenime. Le conseil municipal indique que tout s'est passé dans la transparence, qu'il y a eu enquête publique et que Barnes n'a manifesté à ce moment-là aucune objection. F. Sykes, le président de la commission d'urbanisme, reconnaît néanmoins que le rapport qui prescrivait des maisons pour cette zone a été modifié afin de faire aboutir le projet du promoteur. Barnes réplique en maintenant ses menaces et en affirmant que les politiciens qui ont trempé dans cette affaire sont corrompus et qu'il livrera des noms.

Il n'en fera rien. Le projet de construction ira à son terme et la Fondation ne déménagera pas. Au mois de mai, avant de partir pour son voyage habituel en France, il se borne à déclarer que, devant les amicales pressions de ses voisins, il renonce à faire déménager la Fondation. Tout cela était un peu du bluff. Il n'a jamais contacté les dirigeants du Metropolitan Museum, pas plus qu'il n'avait auparavant donné un minimum de réalité au centre qu'il voulait construire, et qui n'existera d'ailleurs pas davantage.

Procédurier, querelleur, en d'autres termes parfaitement insupportable, voilà comment Barnes apparaît à ses concitoyens. Ses désaccords esthétiques et sa rupture avec l'Académie comme avec l'université étaient motivés par des divergences respectables, même si les attaques dont il était l'objet étaient aussi excessives qu'injustes. Maintenant, il ne s'agit plus de cela. Le goût de la chicane, de la déclaration publique outrancière ou des lettres blessantes et aussitôt publiées pour lui porter tort, l'emporte vers des combats aussi dérisoires que dommageables à son image, à sa réputation, à son œuvre, qui vont progressivement passer au second plan derrière les anecdotes perfides et les ragots, savamment entretenus par ceux qu'il a éconduits ou maltraités.

L'ennemi suivant, ce sera le fisc. En 1929, au printemps, Barnes prend la décision de vendre sa société. L'affaire tourne toute seule. Barnes depuis que la Fondation a été lancée s'en occupe de moins en moins, mais il éprouve le besoin de réaliser son capital, d'autant que l'année précédente, Fleming a découvert la pénicilline et que les antibiotiques vont progressivement se substituer à l'Argyrol. Zonite Products lui offre, en actions, 6 millions de dollars. Le 19 juillet, il écrit à Edith Glackens qu'il a signé, revendu les actions et que l'argent est déjà en banque. Il n'aura plus besoin de travailler et pourra passer son temps à acheter des tableaux... et à déguster ses grands crus et ses whiskies à en être saoul tous les soirs ! Trois mois plus tard c'est le krach boursier. En fait, il vient de sauver sa fortune.

Son euphorie est de courte durée. Le fisc veille. En vendant la société, il n'a plus de bureaux. La Fondation achète alors une maison de trois étages dans le centre ville, dans Spruce Street, qu'il transforme. Peu après il reçoit du service des impôts de Philadelphie une injonction de payer 756 dollars. L'administration conteste le changement de destination du bâtiment et prétend qu'il ne s'agit en fait que d'une résidence pour son usage personnel. Barnes refuse de payer et indique que le bâtiment ne sert qu'à abriter les activités administratives d'une institution à but éducatif et exonérée d'impôts de par ses statuts qui ont été eux, approuvés au moment de la donation, par l'État de Pennsylvanie. La Ville maintient sa position et Barnes ne cède pas. Il y aura donc procès. L'affaire durera quatre ans. Le tribunal d'instance, la cour d'appel et jusqu'à la Cour suprême de Pennsylvanie seront saisis et donneront finalement raison à Barnes.

Quand on vient de vendre son affaire, dans des circonstances miraculeuses, 6 millions de dollars, pourquoi se battre quatre ans, payer des avocats, consacrer un temps précieux pour 756 dollars ? En réalité, ce procès ressemblait fort à un prétexte. Ce qui était contesté par le fisc, ce n'était pas ce qui se passait dans les bureaux de Spruce Street, mais bien la vocation pédagogique de la Fondation. Les arguments de l'accusation étaient d'une réelle mauvaise foi : on contestait le principe même de la Fondation. Et si c'était une simple opération d'évasion fiscale ? Suffit-il de rassembler une collection de peintures, de faire pousser des arbres, de constituer une donation, de s'acheter une maison dotée du plus grand confort, qui est en réalité une maison d'habitation, de la baptiser « bureau » pour échapper à l'impôt ? Barnes prit la chose très au sérieux car il avait senti la menace. Surtout la clause l'autorisant à récupérer tous ses biens quand il le voulait, et mettre sans explication un terme à la Fondation, était à double tranchant.

Il était clair que la Ville, qui n'avait probablement pas oublié les contestations surgies à propos du lotissement de Merion, l'attendait au tournant et guettait la moindre occasion pour mettre un terme à cette expérience pédagogique originale qui ne cessait de troubler l'ordre public, quitte à négocier ensuite dans de meilleures conditions le sort de la collection, car avec le temps, et malgré la crise, celle-ci prenait de plus en plus de valeur.

Barnes mobilise toute son équipe pour défendre la Fondation. John Dewey met son prestige en balance pour authentifier le travail fait à Merion. Laura Barnes, celle que Paul Guillaume comparait à Le Nôtre, excipe ses connaissances en arboriculture et les nombreux programmes d'échanges tout à fait réels, eux, avec des universités associées.

Lui-même s'engagea à fond et défendit par exemple le rôle d'éditeur de la Fondation qui, même si elle n'arrivait pas à des tirages suffisants, lui permettait, par ses publications, de maintenir ses contacts avec les autres institutions éducatives, ce qui débouchait sur des échanges de professeurs financés par la Fondation. Il rappela les grandes étapes de sa vie, le travail à la fabrique et ses premières tentatives pour enseigner à des travailleurs illettrés. Il s'expliqua longuement sur les méthodes de travail et les moyens employés, par exemple pour écrire ses livres, les centaines de pages de notes dictées à des assistants lors des visites au Louvre, au Prado, à Munich ou dans les galeries parisiennes, puis relues le soir à l'hôtel et confrontées le lendemain à nouveau avec les peintures qu'il retournait étudier, ces peintures dont la compréhension ne pouvait venir que de leur fréquentation, que du contact avec l'œuvre elle-même, sans le truchement d'un manuel, d'un commentateur ou d'une reproduction.

Le point faible de son argumentation, qui n'avait pas échappé au juge, était qu'on pouvait difficilement comprendre pourquoi un homme qui avait doté la Fondation de 6 millions de dollars d'actifs qui en valaient le triple à ce moment-là serait froissé de payer une somme aussi ridicule? La réponse de Barnes fut jugée convaincante puisqu'on lui donna raison : « Je donnerai les 756 dollars à une organisation charitable mais je suis là pour des raisons de principe, pour expliquer ce que fait la Fondation. Si je ne le faisais pas, je manquerais à mes devoirs. » Ce n'était pas son premier procès, ce ne sera pas son dernier.

Au fur et à mesure que la personnalité de Barnes devient de plus en plus controversée, sa notoriété et surtout celle de sa collection s'accroissent. Merion n'est plus l' « enfer » de l'art contemporain décrit en 1923. La France continuait à négliger Matisse (sa première exposition officielle n'interviendra qu'en 1949), Picasso et même

Cézanne, dont une rétrospective ne sera organisée à l'Orangerie qu'en 1936, autour des tableaux des héritiers Pellerin. Mais aux États-Unis, surtout après la création du Musée d'art moderne de New York, il devient clair que c'est cette peinture-là, celle que défend depuis le début Albert Barnes, qui contient le grand message artistique du xxᵉ siècle.

Et la frustration générale s'accroît chaque jour devant l'impossibilité d'accéder au plus important rassemblement de ces œuvres, après la mort de John Quinn et d'Auguste Pellerin qui, eux, n'étaient pas avares d'invitation. A chaque sollicitation, Barnes répond que la Fondation n'est pas un musée ouvert au public mais une institution à but éducatif. Seuls y sont automatiquement admis les étudiants régulièrement inscrits. Ce qui ne veut pas dire que le collectionneur ne s'accorde pas le droit d'admettre ceux qu'il veut. Fidèle à ses principes, suivant lesquels l'art ne saurait être réservé à une élite de professionnels ou de collectionneurs plus ou moins avides ou intéressés, il autorise la visite à des personnes qu'il choisit personnellement. Il y a d'abord ses amis, ses marchands ou ses peintres, comme Paul Guillaume, plus tard Ambroise Vollard, Pascin, De Chirico et bien sûr Matisse, ou de simples connaissances de passage comme James Sweeney, à l'époque étudiant en l'histoire de l'art, qui deviendra plus tard un des conservateurs du Musée d'art moderne de New York et qui a raconté ses relations avec le collectionneur en 1971, lors d'une conférence donnée au Metropolitan Museum.

Il fait sa connaissance en décembre 1925 à bord du paquebot qui les conduit à Cherbourg. Deux jours avant de toucher terre, un concert est donné au bénéfice des sauveteurs en mer. Sweeney n'a pas un sou en poche et il se tourne embarrassé vers son voisin, qui est le seul à ne pas s'être mis en tenue de soirée et qui lui propose de lui prêter 2 dollars jusqu'à ce que le bureau du commissaire de bord rouvre. Puis les deux hommes vaquent à leurs occupations à bord, sans évoquer les motifs de leurs voyages respectifs et leur intérêt pour la peinture.

Une semaine plus tard, le jeune étudiant américain, intéressé par un masque africain, pousse la porte de la galerie Paul Guillaume. Au moment où il sort, son achat sous le bras, Barnes et sa femme Laura entrent dans le magasin. Les deux hommes se saluent à nouveau et le couple se dirige vers le bureau, probablement pour parler affaires. Barnes vient d'acheter ses trois extraordinaires Matisse. Paul Guillaume, qui était toujours un peu méfiant et qui craignait constamment de se voir supplanter par des rivaux, demande à Sweeney s'il connaît le docteur Barnes. « Pas du tout, répond-il. Nous avons fait la traversée ensemble et il m'a prêté 2 dollars. — L'avez-vous remboursé? questionne Guillaume. — Bien sûr. — Voulez-vous faire sa connaissance? — Certainement! »

Le marchand l'introduit dans le bureau où Barnes lui demande ce qu'il fait en Europe. Sweeney lui avoue son intérêt pour l'art nègre, lui indique qu'il séjourne quelques jours à Paris avant d'entreprendre un voyage d'étude en Italie et qu'il a lu son livre, *L'Art dans la peinture*. Barnes est flatté, lui demande s'il s'intéresse aussi à la peinture contemporaine et lui recommande la visite des ateliers de peintres de Montparnasse, Kisling, Lotiron et Per Krogh.

Deux ans plus tard, Sweeney, cette fois accompagné de sa fiancée, le revit, dans un restaurant des Halles, l'Escargot d'or. Il se souvint parfaitement de lui et leur conversation reprit, comme si elle avait été interrompue la veille. La future Mme Sweeney, de retour à Philadelphie, tenta sa chance un matin, sans prévenir, et sonna à la grille de Latch's Lane. Un maître d'hôtel ouvrit, lui indiqua qu'on ne visitait pas mais lui suggéra de se rendre aux bureaux d'Albert Barnes, en ville ; là elle ne fut pas reçue par le docteur mais obtint la permission de visiter la collection.

Les Sweeney allaient devenir des hôtes assidus. Tout le monde n'eut pas leur chance. Quiconque faisait valoir une quelconque qualité d'expert, de collectionneur ou de critique d'art se faisait invariablement éconduire. Quiconque essayait de forcer la porte par le biais d'une recommandation trouvait porte close et l'ami qui avait tenté d'abuser le collectionneur se voyait lui aussi définitivement rayé des listes

La meilleure manière de procéder était la plus simple : une lettre — avec un timbre pour la réponse — exposant en quelques lignes les motifs de la demande. Ce qui faisait enrager tous ceux qui rêvaient d'être reçus à Merion, c'était précisément la facilité avec laquelle Barnes ouvrait sa porte, une fois à un peintre méconnu, une autre fois à un joueur de football ou à un groupe d'ouvriers noirs des quartiers pauvres de la ville.

Certains avaient d'ailleurs compris la méthode. Après s'être vu claquer la porte au nez deux fois, Henri-Pierre Roché, accompagné de Jeanne Foster, la compagne de John Quinn, récemment décédé, prit un nom d'emprunt et écrivit le genre de demande banale et un peu flatteuse que Barnes acceptait. Et il fut admis avec la poétesse, qui souhaitait noter les manques de la collection dans la perspective de la vente de celle de Quinn. Avec une certaine partialité, elle trouva l'ensemble réuni par Barnes inférieur à celui de son grand rival.

Barnes avait un noyau d'œuvres impressionnistes et

postimpressionnistes incomparablement plus riche que Quinn, qui ne s'était jamais intéressé à l'École de Montparnasse. Mais ce dernier, très tôt, avait acheté Marcel Duchamp, Brancusi et il avait suivi, à la différence de Barnes, Picasso dans ses différentes métamorphoses après la période rose. L'hostilité entre les deux hommes était telle que Barnes n'acheta aucun tableau lui ayant appartenu et il laissa donc passer le *Nu bleu* au profit des sœurs Cone, ce trait d'union essentiel entre *La Joie de vivre,* dont il reprend un des sujets, et toutes les variations décoratives sur le thème de la femme, une fois redescendue sur la terre, a expliqué Pierre Schneider.

Barnes ne connaissait probablement pas l'histoire du tableau, telle que plus tard le peintre la racontera. Quelques mois après avoir achevé *La Joie de vivre,* au début de 1907, Matisse entreprend de transcrire dans une sculpture qu'il baptisera le *Nu couché* le personnage central de la scène, une femme nue, allongée, une cuisse repliée sur l'autre et un bras plié, rejeté en arrière pour appuyer la tête et faire ressortir le buste. Un jour, le plateau sur lequel était reposé la glaise encore fraîche du *Nu couché* tombe. Le lendemain, il parvient à la remettre d'aplomb. Mais, entre-temps, il avait pris une grande toile et peint le *Nu bleu.* Cette sculpture emblématique, Matisse la fera figurer plus d'une dizaine de fois dans ses tableaux, reliant par ce fil conducteur ses recherches à son œuvre fondatrice, *La Joie de vivre,* et au mythe qui était à la base de son inspiration, l'Age d'or.

Le problème, quand Barnes refusait l'admission à quelqu'un, est qu'il ne se contentait pas d'un non. Il l'agrémentait de lettres insultantes ou d'une attitude franchement grossière. Parfois, les lettres de refus étaient signées par un secrétaire imaginaire, Peter Kelly, ou par Fidèle de Port-Manech, son bâtard tacheté noir et blanc.

La plus célèbre de ses réponses fut réservée au collectionneur Walter Chrysler qui lui écrivit un jour : « Nous avons tant d'intérêts communs, en rapport avec l'art moderne qui est autant enraciné en moi qu'il l'est en vous, que j'ai le sentiment que vous ne me trouverez pas trop présomptueux si je vous écris pour vous demander s'il serait possible pour moi et un de mes proches amis de profiter de votre hospitalité en vous demandant la permission de voir le splendide groupe de tableaux que vous avez rassemblés à la Fondation Barnes. »

La réponse était signée du faux secrétaire, Peter Kelly : « Il est impossible en ce moment de montrer votre lettre au docteur Barnes parce qu'il a donné des ordres très stricts pour ne pas être dérangé pendant sa tentative actuelle de battre le record du monde du nombre de poissons rouges avalés ! Cependant, puisque j'ai retiré l'impression de votre lettre que vous êtes quelqu'un de très important ainsi qu'un homme qui observe de façon pointilleuse les bons usages, je vais prendre la responsabilité de rompre une règle universelle et vous adresser une note sur les règles d'admission à la galerie de la Fondation de Barnes. La règle que j'enfreins est celle qui stipule que cette carte n'est adressée qu'à ceux qui ont joint une enveloppe timbrée. »

Ces éclats furent bientôt célèbres, presque autant que la collection, d'autant qu'un journaliste devait, en 1942, en publier un florilège croustillant. La réponse à Walter Chrysler est pourtant intéressante. Elle est, peut-être plus qu'une facétie, une réponse codée à un rival.

Le fils du grand industriel était un collectionneur

renommé de Matisse lui aussi. Il possédait notamment une nature morte (*Pommes sur la table sur fond vert*, 1916) et la première version du grand panneau de *La Danse* dont la version finale avait été envoyée à Chtchoukine pour son palais de Moscou. Matisse l'avait gardée dans son atelier et le tableau avait servi de fond décoratif à de nombreux autres tableaux, les deux *Nature morte aux capucines* dont l'une achetée encore par Chtchoukine et une troisième nature morte achetée par l'autre grand collectionneur russe Morozov.

Walter Chrysler possédait aussi *La Leçon de piano* qui avait appartenu à Paul Guillaume. Son acquisition est mentionnée dans *Les Arts à Paris* de juin 1927. Pierre Schneider a montré que cette première version décrit les relations de Matisse avec son fils Pierre, qui apparaît plus jeune qu'il n'était à l'époque et à qui il a quasiment imposé cette éducation musicale. Mais le cercle de famille va bientôt éclater en raison du départ pour la guerre des deux fils. Matisse peint alors *La Leçon de musique,* que Barnes achètera, où l'on voit dans le pavillon d'Issy-les-Moulineaux toujours Pierre au piano mais avec un âge vraisemblable, Marguerite, sa fille, lui tourne les pages, et Jean le fils aîné est assis à gauche, au premier plan en train de lire. Le fond de la pièce s'ouvre sur un jardin où Mme Matisse, dans un fauteuil, est penchée sur un ouvrage, au bord d'une pièce d'eau circulaire. A l'opposé, c'est-à-dire au fond du jardin, derrière le bassin, le *Nu couché*, dans la posture de *La Joie de vivre*, grossi par rapport à ce que le jeu de la perspective aurait donné.

Barnes s'intéressera par la suite à *La Leçon de piano,* qu'il a prise initialement pour une esquisse de son propre tableau. Il rend visite en 1945 à James Sweeney, avec lequel il n'a plus de relations depuis dix ans, lorsqu'il apprend que le MOMA vient de racheter le tableau à la galerie Pierre Matisse. C'est aussi peut-être à ce moment-là que Barnes comprend que la distance stylistique entre les deux *Leçons* correspond à deux sujets, en fait, très éloignés. La relation du peintre avec son fils au travers de la musique est rendue par l'austérité triangulaire de la composition et par le métronome qui accentuent le dépouillement naturel des formes et des couleurs. Au contraire, la famille une dernière fois réunie est pleine d'une tendresse qu'amplifie le style narratif, à l'opposé du premier.

En 1927, lorsqu'il répond brutalement à Walter Chrys-lcr, ct à un moment où il multiplie ses achats de Matisse, il sait aussi que *Les Poissons rouges* sont un thème presque obsessionnel de l'artiste. On le retrouve neuf fois de 1911 à 1914, soit comme objet de contemplation (*La Terrasse, Le Café marocain*, collections Morozov et Chtchoukine), donc comme rappel d'un monde où la seule activité permise est la contemplation, c'est-à-dire le jardin d'Éden, soit comme sujet d'un tableau, transcription d'une émotion esthétique où la couleur pure et la forme qui flotte librement dans l'eau permettent à l'artiste dc donner à son projet un caractère purement décoratif.

A l'époque, aucune collection de Matisse digne de ce nom ne peut faire l'impasse sur ce thème. Jacques Doucet, sur le conseil d'André Breton, en acquiert un exemplaire, qui est aujourd'hui au Museum of Modern Art de New York. Chtchoukine a bien sûr le sien, lumineux. Les taches flottantes rouges se reflètent sur la surface de l'eau dans le bocal, entouré de feuilles vertes et de fleurs roses. Le collectionneur-marchand danois Tetzen-Lund, et Hans Purmann, l'élève de Matisse qui vendra sa version à Mme Hay Whitney, l'héritière de Vanderbilt, et qui est aussi aujourd'hui au MOMA, en ont chacun un exemplaire. Le baron Gourgaud possède lui l'*Intérieur au bocal de poissons rouges*, maintenant au Centre Pompidou. Et Barnes avait le dernier exemplaire.

Le tableau est une nature morte qui rassemble, comme dans ceux de Tetzen-Lund et de Hans Purmann, trois thèmes chers au peintre : le bocal avec les fameux poissons, le bouquet de fleurs multicolores et le *Nu couché*, au milieu de la nature éblouissante (les fleurs) et contemplant, pour sa pure délectation, l'ondulation colorée et vive des poissons.

L'œuvre de Matisse est un puzzle, surtout dans cette période aussi féconde. Et si la réponse de Barnes à Chrysler était un rébus ? L'irascible docteur non seulement ferme la porte de la galerie à son rival mais semble lui dire que lui a l'*Intérieur au bocal de poissons rouges* !

Les facéties épistolaires de Barnes auraient été dignes de Max Jacob ou des surréalistes — comme sa polémique avec un acteur de passage à Philadelphie pendant la guerre, le premier refusant une invitation qu'il n'a jamais reçue et le second lui répondant qu'il lui offre un tableau de son choix s'il peut prouver avoir été invité — si elles n'avaient été conçues au premier degré. Elles ne font que renforcer l'image déjà déplorable du terrible docteur, comme on ne tardera pas à le surnommer, à partir des années trente, où il ne se passe plus de mois où l'on ne vante sa collection pour ajouter immédiatement qu'elle est entre les mains d'un homme épouvantable.

L'importance des œuvres rassemblées à Merion était telle qu'elle commençait à rendre extrêmement difficile l'organisation d'expositions d'art moderne aux États-Unis, qu'il s'agisse de peinture française ou américaine, car l'intransigeance qui présidait dans la politique d'admission était encore dépassée par le refus total de prêter quelque œuvre que ce soit pour une exposition.

Peu après qu'Albert Barnes a annoncé la création de sa Fondation, le conseil municipal de Philadelphie décide la construction d'un grand musée. Il sera situé sur les collines boisées de Fairmount Park, dominant la Schuylkill River, et relié au centre ville par une large avenue tracée en diagonale à partir de l'hôtel de ville, le Benjamin Franklin Parkway, un peu comme si des Champs-Élysées, bordés de pelouses, montaient vers une acropole, après avoir traversé le bois de Boulogne. Le parti pris architectural du musée est résolument néoclassique avec ses colonnades et ses hautes façades de pierre de taille. Sur le chemin, au milieu des arbres, un petit musée est également édifié pour héberger une collection de bronzes de Rodin. C'est encore Paul Cret, l'architecte de la Fondation, qui est l'un des inspirateurs de ces grands projets qui visent symboliquement à faire de Philadelphie la ville de l'art.

En 1928, était donc inauguré le Pennsylvania Museum of Art, dont l'allure laisse deviner que les orientations ne trancheront pas avec le conservatisme provincial et en l'espèce un peu grandiloquent qui avait présidé jusque-là à la politique des institutions culturelles de la « ville des Frères ». Le directeur est un homme nouveau, jeune et brillant, Fiske Kimball. Dès l'automne 1925, il avait pris contact avec Barnes pour le consulter sur la politique d'acquisitions du musée dans l'avenir, les expositions, la place de l'art moderne dans les collections.

Au début les deux hommes accrochèrent bien. Kimball fut invité à Merion. Il prit position publiquement en faveur de *L'Art dans la peinture,* qu'il considérait sincèrement comme un travail remarquable. De son côté, Barnes était dans une période où il tentait de se rapprocher de l'université et où un accord avec un musée dont il pourrait influencer la politique l'intéressait.

Les choses s'envenimèrent pourtant très vite. Kimball, comme tant d'autres, abusa de la faculté que Barnes lui avait offerte de recommander des visiteurs extérieurs. Le docteur lui envoya un jour une lettre pour lui rappeler que la Fondation était une institution éducative, qu'il n'avait jamais répondu à ses projets de coopération et qu'à la place il lui avait adressé des visiteurs plus ou moins en vue qui prenaient les galeries de Merion pour un lieu de divertissement. Il lui suggérait à l'avenir de lui épargner la nuisance de nouvelles démarches de cette nature.

Leurs relations allaient encore se détériorer à l'occasion de l'inauguration du musée en 1928. Kimball écrit à nouveau à Barnes pour lui faire part de ses projets d'accrochage. Il compte avoir une galerie réservée aux impressionnistes. Il sait qu'il pourra bénéficier de prêts d'importants collectionneurs — Philadelphie n'en manque pas, Arensberg, Tyson qui possède une superbe version des *Grandes Baigneuses* de Renoir, et même Widener. Mais il préfère s'adresser à lui qui a de loin la collection la plus importante pour qu'il lui prête une sélection d'œuvres, quitte à ce qu'on développe une politique d'éducation au musée en coopération avec la Fondation. La ficelle est évidemment bien grosse. Barnes ne répondra pas mais fera signer par sa collaboratrice Nelle Mullen une lettre disant en substance que cette proposition ferait « rigoler un cheval » et qu'elle serait « une offense à l'intelligence si elle n'était pas si provinciale et engoncée dans des préjugés stéréotypés qui nous viennent souvent d'acteurs qui voudraient nous annexer comme vedette américaine dans leur cirque ».

Barnes était pourtant resté en bons termes avec Henri Marceau, le conservateur du département des peintures, avec lequel il s'était entretenu de son deuxième livre, *Les Primitifs français et leurs formes,* paru en 1927. Lui aussi avait été invité à Merion avec sa femme. Il tenta, plus diplomatiquement certes, mais sans plus de succès, de faire prêter un Greco de la Fondation, le *Saint François d'Assise* acheté à Durand-Ruel en 1914, pour une exposition qu'il préparait pour le musée. Barnes répondit en mettant en parallèle le travail pédagogique intense mené à la Fondation et les expositions organisées au musée par des gens incompétents et pour un public snob ou superficicl.

Même son cher Sweeney, qui lui demande en 1934 des sculptures africaines pour le MOMA, plus par devoir professionnel qu'avec l'espoir d'obtenir satisfaction, sera éconduit et ignoré pendant plus de dix ans jusqu'au jour où, alors qu'il était allé s'acheter un sandwich, le gardien du musée lui indique qu'un homme bizarre, déclarant être le docteur Barnes, l'attendait dans son bureau. « Si l'homme est bizarre, c'est certainement Barnes », répondit Sweeney. Il fut accueilli par un « Vous en prenez un temps pour déjeuner, Sweeney ! » presque réprobateur. Comme par le passé, le couple fut invité à Merion pour le dimanche suivant.

Barnes voulait lui faire goûter un vieux whisky d'avant la guerre (la première). Ils eurent le privilège de passer le dimanche après-midi seuls dans la Fondation. Puis le collectionneur invita le couple dans sa maison, qui n'était jamais ouverte au public, où il gardait une sélection de peinture américaine, ses Glackens et ses Prendergast, son portrait de De Chirico et quelques Pascin qu'il affectionnait particulièrement. Ils furent priés à dîner par Laura

Barnes qui avait préparé une dinde de quatorze livres. Les vieux bourgognes et le calvados hors d'âge, mis de côté chaque année par Barnes lors de ses voyages rituels en Côte-d'Or et en Bretagne ou en Normandie, suivirent.

Une des spécialités du collectionneur, quand un visiteur prestigieux sollicitait une visite, était de mesurer le désir de celui-ci de voir la collection en choisissant un jour ou une heure qui lui était particulièrement mal commode. Quand ce dernier renonçait et écrivait une lettre d'excuse pour demander une autre date, il recevait généralement une volée de bois vert. Comme Le Corbusier, à qui Barnes avait proposé comme heure celle de la conférence qu'il devait donner à l'Académie, et qui se fit alors traiter d'alcoolique.

Pourtant il n'était pas aussi brutal avec tout le monde. Une exposition devait être consacrée au grand sculpteur anglais Henry Moore au MOMA en 1946. Celui-ci demande à Sweeney s'il avait une chance de pouvoir visiter la Fondation. Il lui donne alors le conseil d'écrire directement à Barnes en spécifiant bien qu'il ne viendrait à Philadelphie que pour le voir. Le docteur accepta la demande et lui fixa comme date précisément le jour de l'inauguration. Un dîner, présidé par Nelson Rockefeller, devait même être donné en son honneur. Sweeney lui conseilla quand même d'accepter au risque de manquer l'inauguration car il n'aurait aucune autre chance de retourner à Merion. Moore suivit son conseil et alla à Merion. Barnes passa trois heures avec lui puis, à 5 heures, se tourna vers lui : « Il vaut mieux que vous partiez maintenant. Ma voiture va vous conduire à la gare de Philadelphie. Sinon, vous allez rater votre inauguration ! »

Les rares gestes de bonne volonté du collectionneur se

retournaient aussi parfois contre lui. En février 1931, après qu'il eut définitivement coupé les ponts avec Fiske Kimball et Henri Marceau, les deux principaux dirigeants du Pennsylvania Museum of Art, Barnes est sollicité par un troisième conservateur, le plus jeune, R. Sturgis Ingersoll. Les deux hommes avaient toujours entretenu de bonnes relations et Ingersoll avait été plusieurs fois invité à Merion. La galerie Valentine Dudensing de New York mettait en vente un Matisse, *Les Trois Sœurs,* peint en 1917, et qui n'était autre que le panneau central du triptyque dont Barnes possédait déjà les parties droite et gauche. Paul Guillaume avait acquis une version plus petite du même sujet en 1926.

L'ensemble représentait trois fois trois modèles. C'était un merveilleux exercice de style, le jeu des variations de composition et de couleurs autour du même thème répété était du meilleur Matisse. Ingersoll souhaitait consulter Barnes, qui était considéré, même avant la publication de son livre, plus que comme un grand connaisseur, un expert de Matisse. Il le reçut très vite et recommanda l'acquisition, alors que cette pièce avait pour lui un intérêt capital, puisque, si le musée l'achetait, toute chance de reconstituer le triptyque serait définitivement perdue. Mais il ne le fit pas savoir. Ingersoll lui indiqua qu'il aurait besoin de quelques jours pour trouver les 15 000 dollars demandés. Barnes proposa alors d'avancer l'argent pour une période brève. La veille du jour fatidique, Ingersoll dut informer Barnes que le conseil d'administration n'avait pu réunir la somme.

Barnes, délivré de tout engagement, acheta immédiatement le tableau. Mais le lendemain, Ingersoll, Kimball et Carroll Tyson obtenaient un billet à ordre d'une banque qui leur permettait d'acquérir le tableau. « Trop tard !

répondit Barnes. Ce tableau est fantastique ! je l'ai acheté parce que vous m'aviez indiqué que vous n'étiez plus en mesure de l'acquérir. » Les administrateurs du musée furent ulcérés : c'était une preuve de plus de l'hostilité et de l'avidité de Barnes. Et ils se répandirent en accusation contre le docteur.

En réalité, cette affaire fournissait surtout la preuve de l'amateurisme de ces messieurs. Barnes, en faisant cette offre, jouait sur les deux tableaux : si le conseil d'administration, ce qu'il espérait secrètement, ne parvenait pas à réunir les fonds, l'affaire était à lui et personne ne pourrait l'accuser d'avoir doublé le musée. Si finalement l'argent était rassemblé, il aurait sa part de gloire puisqu'il aurait permis l'acquisition sans que cela ne lui coûte rien alors qu'il possédait les deux autres parties. Ingersoll et Kimball commirent une triple erreur : informer Barnes que le tableau était à vendre, accepter sa proposition, lui rendre sa liberté la veille de l'échéance.

Trois ans plus tard, Barnes rendit publique une lettre de la galerie Dudensing confirmant en tout point la bonne foi du collectionneur, rappelant que le musée n'avait pas été en mesure de confirmer à temps son intérêt, que le tableau avait été vendu le jour dit et payé par la Fondation. Il ajoutait ses propres commentaires, qui, eux, n'avaient plus rien d'élégant : « Avant que vous m'envoyiez votre télégramme, me demandant mon aide pour maintenir votre réputation usurpée de connaisseur d'art, j'étais déjà au courant de votre réputation de plouc à qui les marchands parisiens vendent n'importe quelle peinture du moment qu'elle porte le nom d'un peintre en vogue, une opinion largement corroborée à Philadelphie par les nullités que vous avez montrées comme étant votre collection d'art moderne... Depuis trois ans je sais que vous êtes le propagateur d'une calomnie, comme un homme qui n'a ni le début d'un fait qui lui permettrait de saisir un tribunal ni l'estomac pour calmer sa rancune avec ses poings... » Plus tard, quand ils se croisaient, ils n'omettaient jamais d'échanger quelques noms d'oiseaux. Ainsi était Barnes, belliqueux, susceptible, rancunier et surtout d'un orgueil démesuré et animé d'une intelligence et d'une volonté de pouvoir peu communes.

En 1932, il a soixante ans. Il a abandonné toute activité professionnelle depuis qu'il a vendu sa firme. Il aurait pu devenir un très grand capitaine d'industrie, recruter des chercheurs pour mettre au point de nouveaux médicaments et mettre son talent d'organisateur et son remarquable sens du marketing au service de ses affaires. Même avec la crise et la récession, il y aurait toujours besoin de médicaments. Au lieu de cela, il s'est progressivement désintéressé de ce qui lui avait permis de devenir riche très jeune, et il a reporté toute son ambition et surtout toute la force qu'il avait en lui dans ce projet unique au monde. L'échec de ses ambitions dans le domaine de l'éducation était, même en Amérique, pays plutôt ouvert et libéral en la matière, couru d'avance, comme la méfiance au début, la franche hostilité ensuite qu'il allait susciter dans les milieux universitaires chaque fois qu'il prétendrait donner un enseignement à des étudiants sur le contenu duquel personne d'autre que lui ne serait habilité à émettre un avis.

Ces échecs, un tempérament belliqueux et l'inactivité forcée à laquelle il se destinait en l'absence de tout enjeu professionnel pour un homme d'une telle ambition et d'une telle énergie avaient aggravé avec l'âge les travers d'un caractère étrange qui étaient apparus dès le début de cette formidable aventure.

CHAPITRE 10

Les belles années

L'habileté et le sang-froid avec lesquels Barnes a agi dans l'affaire du triptyque des *Trois Sœurs* montre que le collectionneur n'a rien perdu de sa vivacité, même s'il y a déjà à Merion largement de quoi contenter l'amateur le plus exigeant. A l'exception des toutes dernières années de sa vie, il ne relâchera jamais son attention et continuera de rechercher l'œuvre qui lui manque ou dont il pense qu'elle lui permettra de parfaire sa connaissance de tel ou tel artiste, quelle que soit d'ailleurs la qualité intrinsèque du tableau ou parfois son authenticité. Au fur et à mesure que la collection grandit, à la phase initiale d'accumulation presque frénétique succèdent des achats plus ciblés et surtout d'une beaucoup plus grande importance.

Au début, la dimension spéculative l'enchante. L'idée d'acquérir, grâce à son œil, son sens des affaires, des tableaux à un prix qu'il estime au tiers ou au quart de leur valeur l'excite bien davantage que l'émotion esthétique qu'il va en tirer. Et il s'en vante. Il ne rate jamais une occasion de rappeler qu'il a payé ses premiers Picasso et ses Soutine une poignée de dollars chaque et qu'ils en valent, dix ans plus tard, plusieurs milliers. Quant à ses Cézanne, même si dès le début il doit s'aligner sur la cote du peintre et si plus tard il ne lésine pas pour se rendre maître d'œuvres majeures, il sent bien, compte tenu de son jugement sur l'artiste, qui n'est plus du tout un inconnu en 1925, que leur valeur ne cesse d'augmenter.

Au moment de l'annonce de la création de la Fondation, la presse estime qu'il possède déjà environ quatre cents tableaux, dont un tiers de peinture américaine, une cinquantaine de Cézanne, et que c'est, de loin, la première collection au monde. Grâce à Guillaume, il a élargi son champ d'investigation au Douanier Rousseau, à l'École de Paris et il a commandé des reliefs à Lipchitz. D'après l'*Enquirer*, l'ensemble est déjà évalué à 3 millions de dollars. Quand, en 1926, Paul Guillaume vient à Merion, il dénombre plus de cent Renoir, soixante-quinze Cézanne, dont les plus importants : *Les Baigneurs au repos*, la *Femme au chapeau vert*, *L'Enfant au gilet rouge* et *Les Joueurs de cartes*, et bien entendu les nombreux Matisse qu'il lui a fait acheter. Barnes en outre a essayé parallèlement, mais avec moins de bonheur, de s'intéresser à l'art ancien. Mais les prix sont incomparablement plus élevés et il n'accepte pas d'y consacrer les ressources suffisantes pour disposer d'œuvres d'une qualité comparable à celle de sa collection d'art moderne.

D'ailleurs il a bien fait, et ceux, nombreux aujourd'hui, qui se gaussent de la médiocre qualité de ses achats et de leur authenticité plus que douteuse ont tort. Les plus grandes collections américaines font maintenant l'objet d'une impitoyable réévaluation à laquelle n'échappent ni les Goya d'Havemeyer, ni les Rembrandt de Widener ou d'Andrew Mellon (le catalogue de la National Gallery comprend vingt tableaux du maître hollandais dont sept seulement sont considérés

comme incontestables par les études les plus récentes),
pour ne citer que ces exemples prestigieux.

Barnes, lui, n'a jamais eu l'ambition de s'aventurer sur
ce terrain. Son but est une fois de plus didactique. Il s'agit
de montrer physiquement, sur les murs de Merion, les
continuités ou les ruptures entre les styles, les artistes et
leurs époques. Il s'agit d'illustrer ses théories et non
d'offrir un plaisir particulier au visiteur éventuel ou au
maître des lieux. Il semble que le premier tableau
classique important qui soit entré à Merion soit le *Saint
François d'Assise* acheté à Durand-Ruel à la veille de la
guerre et que Barnes voulût renvoyer parce qu'il avait
subitement des doutes sur son authenticité.

En 1927, Violette de Mazia publie dans *Les Arts à Paris*
un long article pour montrer la dette, les emprunts de
Renoir et de Cézanne aux grands maîtres du passé,
comme pour leur donner une légimité paradoxale. Les
illustrations étant puisées dans la collection, on trouve de
nombreux primitifs français (Clouet, Corneille de Lyon),
quelques Vénitiens, Tintoret, Véronèse et Canaletto et de
la peinture française du XVIIIe siècle, Watteau, Chardin et
Lancret. Plusieurs de ces tableaux sont des copies, pas
toujours habiles, et certains ne figurent même plus dans la
collection.

En 1928, il achète un superbe portrait d'homme de
Franz Hals, après avoir vainement recherché un autre
Greco de haute qualité qu'on lui proposait en Espagne. En
1933, la collection, enrichie de *La Danse* commandée à
Matisse et du triptyque des *Trois Sœurs*, et ainsi que des
Grandes Baigneuses de Cézanne, est maintenant estimée à 25
millions de dollars. Et il ne s'arrête pas. En 1935, il achète
coup sur coup à New York deux Renoir splendides, *La
Famille Henriot*, de la période impressionniste du peintre, à

la galerie Bignou, qui après la mort de Guillaume va devenir l'un des principaux fournisseurs de la Fondation, et *Mademoiselle Jeanne Durand-Ruel,* à la galerie Durand-Ruel.

A l'accumulateur, puis au découvreur de Montparnasse, a progressivement succédé le grand connaisseur, moins soucieux de faire une bonne affaire que d'enrichir la Fondation d'une pièce exceptionnelle. L'œil de Barnes lui a permis d'aller dès le début, grâce aussi aux conseils de Glackens, de Léo Stein, puis de Paul Guillaume, dans la bonne direction. Les tableaux essentiels seront néanmoins acquis à partir de 1922 quand il commencera à préférer à prix égal une œuvre d'exception au lieu de trois pièces secondaires. Mais n'est-ce pas l'expérience de tout grand collectionneur ?

Pendant toute cette période de la maturité, c'est-à-dire de 1926 à 1936, les succès du collectionneur compensent les déceptions du pédagogue. La Fondation, avec laquelle toutes les institutions officielles ont pris leurs distances, ne connaît pas l'essor qu'en escomptait Albert Barnes. L'étendu du programme comme l'audience des cours sont drastiquement revus à la baisse. John Dewey démissionne de son poste de directeur des études, tout en restant consultant et fidèle aux idées de Barnes, qui sont en grande partie les siennes. Mais il a repris son autonomie.

Laurence Buermeyer comprend très vite que son avenir est bouché s'il reste et il part pour New York où on lui offre le poste d'assistant en philosophie à l'université de la ville. Thomas Munro quitte également la Fondation à l'été 1926, mais pour une autre raison. Autant il est toujours sur la brèche pour relayer les polémiques en faveur de l'art moderne, engagées par Barnes, autant son assiduité, son implication dans ces activités éducatives laissent beaucoup à désirer. Les deux hommes se séparent néanmoins amis. Buermeyer et Munro n'oublieront pas qu'ils ont été publiés pour la première fois par la Fondation. Le premier en 1946, alors à la retraite, reviendra seconder Barnes. Le second, devenu conservateur du musée de Cleveland, restera lui aussi en excellentes relations avec le collectionneur, correspondra avec lui et aura même l'insigne privilège de se voir prêter, fait à peu près unique dans les annales de Merion, plusieurs tableaux de Glackens à l'occasion d'une rétrospective.

Moins de quatre ans après la création de la Fondation, l'encadrement universitaire a quitté le navire, l'expérience rencontrant indifférence et hostilité. Le vide est rapidement comblé par l'arrivée d'une femme, Violette de Mazia, qui va jouer pendant soixante ans, bien après la mort de Barnes, un rôle considérable, d'abord auprès de lui, ensuite à la tête de facto de la Fondation, en devenant progressivement l'incarnation vivante, la gardienne fidèle et scrupuleuse d'une tradition et d'une mémoire.

Elle est omniprésente mais sa personnalité est entourée d'un certain mystère. Née en France, d'un père d'origine italienne et d'une mère française, après avoir été à l'école à Paris et à Londres pendant la guerre, elle s'établit au début des années 20 à Philadelphie. Elle devient professeur de français à la Fondation. Albert Barnes, déjà âgé d'une cinquantaine d'années, remarque cette jeune femme aux cheveux châtains, mi-longs, toujours bouclés et ornés d'une fleur, aux traits accusés, et aux yeux souvent cachés derrière des lunettes de soleil. Avec ses doigts ornés de nombreuses bagues, elle a une manière inimitable de pointer tel ou tel détail d'un tableau. Elle sait se rendre rapidement indispensable. Elle suit les cours de la Fondation, assiste Barnes dans l'établissement de la seconde édition de *L'Art dans la peinture,* mais ne dispose d'aucun bagage universitaire ou artistique.

Cela ne dissuade pas Barnes, bien au contraire, de lui confier, à partir de 1928, une fonction d'enseignement. Elle l'accompagne en Europe, dans ses voyages d'études, parcourant musées et galeries. En 1926, pour la Fondation, elle traduit l'*Anthologie nègre* de Cendrars puis collabore à tous les ouvrages de celui qui est progressivement devenu son patron, son maître à penser : elle est cosignataire avec Barnes de l'essai sur les primitifs français, paru en 1927. En 1931, à Paris, pendant la grande rétrospective Matisse à la galerie Georges Petit, ils vont prendre, l'un et l'autre, des centaines de pages de notes. Elle est également là cinq ans plus tard à l'Orangerie pour Cézanne. Rapidement, elle entre au conseil d'administration de la Fondation. Elle ne le quittera qu'à sa mort, en 1988.

L'intimité, au moins intellectuelle, entre le docteur et la jeune assistante qu'il appelle Vio n'est évidemment pas du goût de Laura Barnes. Les rumeurs circulent en ville. Le couple s'affiche. Et elle est la seule de toutes ces jeunes femmes qui travaillent autour de lui, les sœurs Mullen, Laura Geiger ou Jeannette Portenar, à laisser croire avec une certaine ostentation que ses relations avec Barnes dépassent le strict plan académique. Ses rapports avec Laura Barnes seront donc détestables. Barnes menait une sorte de double vie. Sa femme régnait sur sa demeure à Merion, sur l'Arboretum et sur leur maison de campagne Ker Feal où Violette de Mazia semble n'avoir jamais été admise, alors que celle-ci règne en maître sur la Fondation. Elles l'accompagnent alternativement en Europe, en fonction de l'objet du voyage, étude avec Violette de Mazia, vacances, tourisme avec sa femme.

Plus tard, Barnes la nomma directeur des études et c'est

sous ce titre qu'elle signe, dans le magazine *House and Garden,* un article décrivant le programme pédagogique de la Fondation, récitant la leçon barnésienne avec application après les attaques très dures publiées contre son mentor dans le *Saturday Evening Post,* en 1942. Les détracteurs de Barnes lui ont toujours reproché de n'accepter dans son entourage que des Noirs ou des femmes, afin d'être en mesure d'exiger d'eux une totale soumission intellectuelle et une fidélité sans faille. Violette de Mazia, qui, selon les témoins, ne fut pas ménagée plus que quiconque par les redoutables colères du collectionneur, ne lui fit jamais défaut.

En octobre 1930, Barnes connaît une des plus grandes joies de sa vie de collectionneur. Matisse entreprend de faire un tour du monde puis accepte de lui rendre visite à Merion.

Parti du Havre sur l'*Île-de-France,* vers New York et le Metropolitan Museum, puis Chicago, Matisse va ensuite à Cincinnati pour assister au mariage de son fils Pierre qui va bientôt travailler à New York chez Valentine Dudensing puis monter sa propre galerie. Il se dirige alors vers Tahiti et les Marquises sur les traces de Gauguin. Il retourne aux États-Unis à l'automne. Le peintre est d'abord séduit par la grande ville et sa lumière : « Quand on voit New York de la rivière vers la fin du jour, tous ces grands buildings à des plans différents se colorent différemment et donnent un spectacle ravissant dans le ciel de l'été indien. Jusqu'à la fin novembre, c'est une lumière très pure, immatérielle, une lumière de cristal contrairement à celle de l'Océanie qui est pulpeuse, moelleuse comme celle de la Touraine, et qui semble caresser les choses. »

L'artiste est à l'apogée de sa carrière. Pas moins de

quatre expositions lui sont alors consacrées en moins de deux ans : en février d'abord à la galerie Tannhauser de Berlin où il présente deux cent soixante-cinq œuvres, puis en juin de l'année suivante à la galerie Georges Petit à Paris, en août à Bâle et surtout se prépare pour novembre 1931 au Musée d'art moderne de New York une rétrospective capitale.

C'est dire que la visite qu'il rend à Albert Barnes le 28 septembre 1930 est un grand moment pour les deux hommes, tous deux âgés maintenant de soixante ans. Le collectionneur, toujours en bagarre avec tout le monde, est flatté. Il multiplie les complications pour perturber la visite du maître à Philadelphie où il doit également être reçu par les autorités officielles et visiter la collection Widener. Mais pour Matisse aussi, retrouver ses œuvres de jeunesse, étudier l'ensemble qu'il sait unique de son cher Cézanne, c'est un grand moment. Il le confiera sans ambiguïté à son retour, lors d'une interview à *L'Intransigeant* : « L'une des choses les plus frappantes en Amérique, c'est la collection Barnes, qui est installée dans un esprit très utile pour la formation des artistes américains. Là, les tableaux anciens sont mis à côté des modernes, un Douanier Rousseau à côté d'un primitif, et ce rapprochement aide les étudiants à comprendre bien des choses que les académies n'enseignent pas. » Plus tard, on demandera à Matisse si Barnes a un œil réellement sensible : « Certainement oui, sinon comment aurait-il fait sa collection ? Il possède cent quarante Renoir, plus que personne au monde, et quatre-vingts Cézanne, des toiles très importantes et de beaux Seurat qui sont rares et un merveilleux Greco. »

Matisse est modeste. Il aurait pu ajouter : un ensemble exceptionnel de Matisse, où trône l'œuvre la plus importante, *La Joie de vivre*. Vingt ans plus tard, le peintre, à propos de ce tableau, aura ces mots émouvants : « De *La Joie de vivre* — j'avais trente-cinq ans — à ce découpage — j'en ai quatre-vingt-deux —, je suis resté le même parce que tout ce temps j'ai cherché les mêmes choses, que j'ai peut-être réalisées avec des moyens différents. » On y retrouve la source des grands thèmes de l'artiste et la genèse d'autres œuvres importantes, *La Danse*, *La Musique*, le *Luxe*, le *Nu couché* et le *Nu bleu*. Matisse a raconté bien plus tard à Francis Carco, mais la mémoire de celui-ci est souvent peu fidèle, qu'il avait voulu, par cette farandole au centre du tableau, « transcrire l'explosion de joie, de bonheur communicatif que le public ressentait lorsque l'orchestre du Moulin de la Galette jouait, vers 1906, l'air de la farandole que tout le monde reprenait en cœur en hurlant ».

En réalité, *La Joie de vivre*, avec ses couleurs pures, sa composition avec de multiples sujets, est la transcription de l'Age d'or, d'une autre vision du monde, celle où le bonheur est si intense ici-bas que les dieux, aurait dit Renoir, avaient fait de la terre leur Paradis et y descendaient pour faire la fête. Cette source d'inspiration essentielle de Gauguin, comme de Renoir et de Cézanne, trouve son origine, a remarqué Pierre Schneider, dans Nietzsche, dans un passage célèbre de la *Naissance de la tragédie* (« c'est par des chants et des danses que l'homme se manifeste comme membre d'une collectivité qui le dépasse ») et surtout d'*Ainsi parlait Zarathoustra* (« je ne croirai qu'en un Dieu qui ne saurait danser »).

Nietzsche mais aussi le Gide des *Nourritures terrestres*, véritable itinéraire matissien qui conduit le lecteur de Fiesole à Biskra et de Séville à Grenade : « Volupté, ce mot je voudrais le redire sans cesse ; je le voudrais synonyme de bien-être et même qu'il suffit de dire être simplement. Ah ! que Dieu n'ait pas créé le monde en vue simplement de cela, c'est ce qu'on ne parvient pas à comprendre... » La représentation de l'Arcadie, ce paradis sur terre, est omniprésente dans l'œuvre finale de Renoir comme de Cézanne avec leurs multiples *Baigneurs* et *Baigneuses*. Même le fameux *D'où venons-nous ?* de Gauguin, que Matisse a forcément vu chez Vollard lors de l'exposition de 1898 consacrée à ses toiles tahitiennes, par ses audaces plastiques, sa couleur enfin libérée et ses interrogations métaphysiques se rattache à cette quête des plus grands artistes de la fin du XIXe siècle.

C'est dire si Matisse, quand il arrive à Merion, avec précisément sa *Joie de vivre* au milieu des Cézanne et des Renoir est profondément touché. Barnes lui fait alors une proposition à laquelle il ne s'attend absolument pas : décorer la grande galerie de la Fondation, au-dessus des lunettes des hautes fenêtres. Les deux hommes sortent sur le petit balcon qui donne sur le parc, à l'ombre d'un figuier. Nous sommes au début de l'automne. Le collectionneur tend un fruit à l'artiste qui imagine déjà comment il va essayer de répondre à ce formidable défi. C'est un travail de Titan : la surface s'étend sur treize mètres carrés et la hauteur des arceaux est de plus de trois mètres. Le contexte est très particulier : la grande galerie est bourrée de chefs-d'œuvre, des dizaines de Renoir et de Cézanne, *Les Poseuses* de Seurat, la monumentale version des *Joueurs de cartes* et *Les Baigneuses*. Entre les fenêtres, une grande composition de la période rose de Picasso et son propre *Riffain assis,* datant de 1912.

Matisse ne dit pas oui tout de suite. Barnes l'a pourtant assuré de sa totale liberté. La charge de travail est d'autant plus lourde que le peintre a déjà accepté d'illustrer les poésies de Mallarmé que veut publier l'éditeur Skira. Mais le 16 novembre, de Nice, il écrit à Albert Barnes qu'il accepte. Il se met alors en quête d'un nouveau studio, aux dimensions de l'immense décoration murale qu'il entreprend.

Début décembre, Matisse repart pour Merion pour réfléchir sur place aux multiples problèmes posés par ce travail. Quelque temps avant, *Time Magazine* lui a consacré sa couverture. Il est indiscutablement l'artiste vivant le plus célèbre du moment, ce qui ne laisse évidemment pas Barnes indifférent. Après sa seconde visite à Merion, Matisse va retrouver à Baltimore Etta Cone. Sa sœur Claribel est morte l'année précédente mais le peintre n'a jamais oublié ces demoiselles de Baltimore, comme il les appelle, connues chez Gertrude Stein et qui n'ont cessé, elles aussi, de collectionner ses tableaux. Etta Cone lui passe une commande, un portrait de Claribel d'après une photo. Matisse mettra cette fois plus de quatre ans à s'exécuter. Mais sa cliente ne sera pas déçue puisqu'elle aura, elle aussi, son portrait ainsi que les multiples études. Entre-temps, elle a acheté les épreuves et toutes les planches des poésies de Mallarmé.

Cette intense activité ne réussit pas à détourner Matisse de la commande pour Merion. Le problème était d'une grande complexité. D'abord, il fallait éviter toute compétition avec les chefs-d'œuvre qui étaient accrochés dans la pièce. Il y avait en outre une difficulté spécifique liée à l'éclairage et au positionnement de la décoration murale. Elle serait à contre-jour et placée très haut; il fallait pouvoir l'apprécier du rez-de-chaussée comme du premier étage. Autre difficulté, les fenêtres donnaient sur le parc, toujours baigné d'une forte lumière et où les pelouses d'un vert très intense risquaient de détourner le regard.

L'artiste s'en ouvre au collectionneur qui ne dit mot. Mais, en fait, seule la partie basse des fenêtres vitrées est transparente. Au-dessus de la hauteur d'homme, les verres, alors cachés par une tenture, sont dépolis. Le risque de la concurrence des couleurs du parc n'existait donc pas. Barnes avait dit à l'artiste : « Peignez ce que vous voulez, absolument comme si vous peigniez pour vous-même. » Facile à dire mais la contrainte architecturale était si forte que ce n'est qu'après de longues réflexions que Matisse prit le parti d'intégrer complètement la décoration qu'il projetait dans le cadre qu'on lui offrait plutôt que de lutter contre lui, l'ignorer ou le dépasser et se poser en rival des chefs-d'œuvre de la galerie. Sublime abnégation de l'artiste. Plus tard Matisse déclarera : « Triompher des spécifications et des handicaps est un critère de maîtrise. »

En l'espèce, la commande n'en manquait pas. Il fallait d'abord donner à la peinture la visibilité que les dispositions de la pièce lui refusaient, en corrigeant, en adaptant puis en la fondant dans le cadre architectural. Il fallait donner l'impression que le volume de la pièce et les lunettes au-dessus des fenêtres avaient été créés pour s'adapter à la peinture et non l'inverse. Matisse y arrivera au-delà de toute espérance.

Le thème, il semble que le peintre n'ait jamais hésité là-dessus, c'était à nouveau la danse. « Il est bon, confie-t-il à l'époque à André Masson, de prendre conseil de sa jeunesse. » Le fait que *La Joie de vivre* soit à Merion n'était probablement pas non plus étranger à ce choix. La première série d'esquisses, conservée au musée Matisse à Nice, montre une joyeuse farandole, celle qui est au centre du tableau de 1906 et du célèbre panneau de Moscou. Pendant des mois, avec l'aide de Lydia Delectorskaya, sa collaboratrice et son modèle (*Les Yeux bleus*), il découpe des grandes maquettes pour procéder à des simulations, en vraie grandeur, de l'effet produit par le positionnement de ses personnages. Alors qu'il a terminé, Matisse se rend compte qu'il a commis une erreur de dimension. Les espaces qui séparent les lunettes sont trop larges de cinquante centimètres.

Dans ce travail, Matisse a recherché inlassablement l'équilibre des formes afin d'assurer la plus parfaite intégration entre sa peinture et l'architecture de la galerie. Il décide logiquement de tout recommencer, plutôt que de retoucher les panneaux pour les adapter à leur nouveau contour. Le peintre a dans son studio une photo de *La Danse* de Moscou. Mais au fur et à mesure que son travail avance, il s'éloigne du thème initial. La version finale de Merion, la seconde (en fait la troisième puisqu'on a découvert en 1992 une toute première version que l'exposition de Paris en 1993 permettra de montrer), n'est plus exactement consacrée à la ronde. La farandole de l'Age d'or n'est que le prélude à la lutte d'amour. La version de Merion voit la ronde se disloquer. Deux nymphes sont déjà à terre et les trois autres couples sont en train de se former, tout en conservant, par la position des bras et des jambes, le mouvement qui les animait dans la version initiale. Cette lutte d'amour, thème de la jeunesse de Cézanne, annonciateur de ses multiples *Baigneuses,* est aussi un prélude à ses recherches des années trente, à son illustration des poésies de Mallarmé, et surtout à *La Nymphe dans la forêt,* qu'il n'achèvera jamais, où l'on voit un faune charmant, avec sa musique, une créature voluptueuse étendue, nue, dans un sous-bois.

Cette dérive, cet enrichissement du thème initial donne à *La Danse* de Merion une complexité architectonique que le peintre n'avait pas au départ envisagée mais qui ne rompt pas, bien au contraire, cette harmonie, cette unité peinture-architecture qui était son objectif.

La nouvelle version est achevée au mois d'avril 1933. Matisse prend le bateau instantanément avec les toiles et arrive à New York le 11. Le lendemain, un vendredi, il est à Merion. Le lundi suivant la décoration est accrochée. Matisse est ravi. « Dès que j'ai vu la décoration en place, écrit-il, je sentis qu'elle s'était absolument détachée de moi et qu'elle prenait une signification différente de celle qu'elle avait dans mon atelier où elle n'était qu'une toile peinte. Là, à la Fondation Barnes, elle devenait une chose rigide, lourde comme la pierre et qui semblait avoir été créée spontanément en même temps que le bâtiment. » Son but était atteint.

Barnes comprit tout de suite la démarche de Matisse, en voyant accrochée la décoration, et fit ce commentaire : « Maintenant on appellerait volontiers cet endroit une cathédrale. Votre peinture est comme la rosace d'une cathédrale. » Les trois grands fonds noir, bleu et rose sur lesquels il comptait pour neutraliser les effets de contre-jour produits par les hautes fenêtres trouvaient exactement leur fonction. Les couleurs étaient aussi bien choisies pour compenser les contrastes entre les murs porteurs et les fenêtres. « La décoration, conclut Matisse, ne devait pas écraser la pièce mais au contraire donner de l'air et de l'espace aux tableaux que cette galerie est destinée à faire voir. »

Pour Barnes, l'exécution de cette commande est aussi un triomphe personnel. L'extraordinaire réussite à laquelle a abouti l'artiste rejaillit sur la Fondation. C'est une victoire de plus sur le monde des musées auquel il ne se contente plus de souffler, grâce à ses immenses moyens, chefs-d'œuvre sur chefs-d'œuvre. Il a annexé, il a capté une part du prestige de l'artiste lui-même en l'enracinant physiquement dans sa collection. L'intégration de *La Danse* au bâtiment conçu par Paul Cret dix ans plus tôt est la consécration non seulement du mécène, mais du maître de cette Fondation si controversée. Les deux hommes pourtant se reverront peu.

L'année 1933 est décidément consacrée à Matisse puisque c'est à ce moment-là que Barnes, toujours en collaboration avec Violette de Mazia, publie *L'Art de Matisse*.

Le livre est trop marqué par la volonté didactique de ses auteurs pour devenir un succès de la librairie. Barnes et Violette de Mazia travaillèrent à partir de la collection et des notes prises lors des deux grandes rétrospectives, celle de Paris, chez Georges Petit, et celle du MOMA. Ils appliquèrent les principes d'analyse décrits dans *L'Art dans la peinture* pour faire découvrir au lecteur, en réalité aux étudiants à qui ce manuel était principalement destiné, le sens de l'œuvre et son rattachement aux traditions artistiques qui étaient à l'origine de l'inspiration de l'artiste.

Ils analysèrent chacun des éléments du tableau, fidèles à la méthode Barnes, couleur, composition, dessin, modelé des figures, et définirent chaque fois la qualité esthétique intrinsèque du tableau, l'harmonie qu'avait trouvée l'auteur à partir de chacun de ces ingrédients. Cette démarche purement descriptive est aujourd'hui dépassée parce qu'elle ne parvient pas à relier la dimension esthétique et la symbolique avec l'inspiration de l'artiste. Les études sur Matisse aujourd'hui peuvent, avec le recul et le regard sur la totalité de la production, trouver des fils conducteurs, des correspondances qui échappaient forcément à Barnes en 1932 alors que Matisse n'était qu'aux deux tiers de sa vie d'artiste et surtout que les œuvres des collections russes n'étaient pas accessibles. Elles étaient parties pour Moscou avant 1913, date à laquelle le collectionneur commença à s'intéresser à l'artiste.

Il reste que *L'Art de Matisse,* pour l'époque et malgré la lourdeur liée à sa forme assez scolaire, est déjà une œuvre intéressante. Cet accueil ne décourage pas Barnes, et pendant qu'il continue à développer la collection, toujours avec Violette de Mazia et, en adoptant la même méthode et la même présentation, il publie en 1935 *L'Art de Renoir.* Le résultat est beaucoup plus décevant. Malgré la préface pleine de louanges de John Dewey, et une bonne critique de son ami Sweeney, l'écho sera plutôt défavorable. Renoir est mort depuis plus de dix ans. Il est déjà reconnu comme un très grand artiste et sa place, depuis longtemps, est dans les musées. Il n'y a aucun mérite particulier à analyser, à défendre, à expliquer Renoir. Surtout bien d'autres, et avec infiniment de perspicacité, l'ont fait découvrir au public. L'originalité du travail réside non dans la méthode mais dans l'exceptionnelle connaissance qu'a Barnes de la peinture de Renoir grâce à sa collection qui contient alors près de cent soixante-dix œuvres de toutes les époques. Il a, chez lui, les moyens d'acquérir une vision d'ensemble. Seulement Renoir a fait, toute sa vie, la même peinture. Les considérations sur la structure de chaque tableau prennent un tour rapidement répétitif et le collectionneur, prisonnier de sa méthode, ne cherche pas plus loin que cette analyse quasi moléculaire, avec d'ailleurs un jugement parfois faussé par les conditions qui lui ont, ou non, permis de se porter acquéreur du tableau.

Cette intense période de travail, ses superbes acquisitions apaisent pourtant le collectionneur. Et cela se traduit par une certaine amélioration dans ses relations avec son environnement. Du côté de Penn, qui, à cette époque, reste d'après les statuts de la Fondation l'institution la mieux placée pour hériter du pouvoir de nommer les administrateurs, à la mort du docteur et de sa femme, il n'y a pas de grand changement. L'université est moins disposée que jamais à cautionner un enseignement sur lequel elle n'a aucune prise et surtout qui ne reconnaît pas, ni pour la sélection des étudiants, ni pour le recrutement des enseignants, les critères universitaires usuels. L'Académie est progressivement marginalisée et ne constitue plus pour la Fondation un adversaire de poids. Reste le monde des musées, avec lequel Barnes ne s'est jamais entendu mais qui est toujours demandeur de prêts pour les expositions et qui n'a pas complètement perdu lui non plus l'espoir de recueillir la fabuleuse collection. En dix ans, depuis l'exposition si controversée, beaucoup de choses ont donc changé. Dans l'ensemble, les choix esthétiques du terrible docteur de Merion ont été peu à peu admis, sinon validés par la critique, par les musées comme par d'autres collectionneurs. Le temps n'est plus où l'on descend dans la rue pour vitupérer ces artistes français qui corrompent la jeunesse américaine. On leur consacre, au contraire, des musées dans toute l'Amérique.

Surtout, Barnes n'est plus seul. L'establishment, c'est-à-dire Paul Mellon ou les Rockefeller, s'est mis à collectionner la même chose que lui. Chester Dale constitue, grâce à l'aide de la galerie Georges Petit, un magnifique ensemble de peinture française, de Corot à Braque, où l'École de Paris, si chère au docteur, est représentée par douze merveilleux Modigliani, par Soutine, par Utrillo et même par Derain. Ce banquier de Wall Street, de dix ans plus jeune que Barnes, donnera en 1962, à sa mort, deux cent soixante-deux tableaux et sculptures à la National Gallery de Washington qui constituent l'armature de la collection. Ironie de l'histoire, ces tableaux sont encore plus difficiles à voir que ceux de la Fondation puisque, faute de place, ils dorment à l'abri des regards dans les caves. Ainsi se repose *La Famille des saltimbanques* de Picasso, le *Portrait de Soutine* par Modigliani, et bien d'autres merveilles.

Barnes n'est donc plus seul. Il a perdu depuis long-temps un peu de son statut d'excentrique aux goûts pervers. Tout le monde cultivé y est venu. Beaucoup de sources de conflit ont ainsi, au fil du temps, disparu. Et cette année 1936, avant d'autres orages, est marquée par une inhabituelle sérénité. Barnes va-t-il rentrer dans le rang ? Ou plutôt le rang l'a-t-il rattrapé pour se former autour de lui ?

Durant cet été 1936, il est à Paris, accompagné de Violette de Mazia, pour visiter et prendre à nouveau des notes à la première rétrospective de Cézanne à l'Orange-rie. Il est fait officier de la Légion d'honneur le 22 juillet et il est reçu à l'Élysée par Albert Lebrun, comme un notable, comme l'homme épanoui et serein qu'il n'a jamais su être et qu'à soixante-cinq ans passés, il va peut-être enfin devenir. Il fréquente maintenant davantage la rue du Faubourg-Saint-Honoré et bien sûr la rive gauche, l'hôtel de Vollard, rue de Martignac. Paul Guillaume est mort depuis bientôt deux ans. Mais il y avait longtemps que la formidable complicité du début s'était évanouie.

En 1927, apprenant de Violette de Mazia que le docteur avait attribué une résidence à tous les collaborateurs de la Fondation, Guillaume écrivit à Barnes pour lui réclamer un hôtel particulier à Paris valant 50 000 dollars. Barnes, à plusieurs reprises, lui demanda de modérer ses sollicitations et finalement lui proposa une résidence de 25 000 dollars. Guillaume, probablement poussé par sa femme Juliette, qui ne supportait plus le richissime client de son mari, mais qui avait des goûts encore plus dispendieux, continua de le harceler, ce qui, si l'on en croit les lettres conservées à la Fondation, provoqua la fin de leurs relations. S'agissait-il d'une résidence pour lui, ou de l'hôtel-musée dont il a annoncé la création, sous son pseudonyme préféré, Jacques Villeneuve, dans *Les Arts à Paris* en octobre 1927? Il voulait suivre les traces de son client. Toujours est-il qu'à partir de 1929, *Les Arts à Paris* ne mentionnent plus que rarement les activités de la Fondation.

Tout laisse penser que Barnes a dû regretter cette rupture. Il avait donné son nom en 1927 à une grande pièce du premier étage de la Fondation. Après sa mort, il chargea Étienne Bignou d'offrir anonymement, au musée de Grenoble, le portrait de Paul Guillaume qu'avait réalisé De Chirico.

Barnes se tourne alors vers Georges Keller, qu'il a connu et apprécié quand celui-ci n'était que simple vendeur à la galerie Hodebert, là où précisément, en 1926, il avait permis aux Parisiens de contempler quelques jours ses fameuses *Poseuses*.

Hodebert mort, Georges Keller ouvre sa propre galerie, non loin de chez Guillaume, rue La Boétie, et Barnes commence à lui acheter. Keller est prêt à se rendre entièrement disponible. Il partage avec le docteur la passion des grands bourgognes. Ils iront souvent ensemble, l'été, au cours de randonnées minutieusement planifiées visiter les caves de la côte de Nuits et faire escale dans les bonnes étapes de la région. Car si les menus à Merion sont spartiates, surtout lors des fameux « dimanches soir » quand il reçoit quelques visiteurs ou lors des déjeuners de travail qui comportent rarement autre chose que des salades et du jambon, il n'y a pas de tables trop bonnes dès que Barnes pose le pied sur le sol de France.

En 1932, Keller s'associe avec Étienne Bignou qui avait superbement réussi à Londres en vendant de la peinture impressionniste et moderne de très haute qualité, et en devenant l'un des premiers fournisseurs de Chester Dale. Les deux hommes ouvrent, en 1935, une troisième galerie à New York avec le soutien de Barnes. Ils vont être, durant toutes ces années trente, les principaux fournisseurs de tableaux de la Fondation, Ambroise Vollard restant bien sur irremplaçable pour les œuvres exceptionnelles comme *Les Grandes Baigneuses* de Cézanne, acquises en 1933, peu après l'exposition des meilleures peintures de sa propre collection, chez Knoedler à New York, et qui allaient bientôt être au centre d'une fameuse controverse.

Après les visites de Matisse, il n'y avait plus une personnalité importante dans le monde de l'art venu d'Europe qui ne souhaitât être reçue à Merion. Parfois même, Barnes, quand il veut assurer la promotion d'un artiste, prend son billet, organise jusque dans les moindres détails, l'exposition, au grand dam des marchands new-yorkais, qui, lorsqu'ils n'étaient pas ses fournisseurs, n'étaient pas avares de remarques désobligeantes. Ils consacrèrent de longs passages dans leurs mémoires à régler leurs comptes avec le collectionneur qui les avait ignorés et parfois humiliés.

Giorgio De Chirico vint en 1935. Il était l'auteur du portrait du docteur, accroché non à la Fondation mais dans son bureau, situé dans la maison attenante. Barnes rédigea le catalogue, imposa l'ordre de présentation des tableaux bref fut extrêmement envahissant, probablement parce que le peintre était son hôte, qu'il lui avait payé son passage et estimait avoir le droit de le monopoliser. Leurs relations pourtant restèrent bonnes, pendant un temps. De Chirico, dans un magazine milanais, dressa le portrait de celui qui avait été un des tout premiers à le soutenir : « Quand le docteur Barnes ouvrit son musée, il y a bien des années, il souleva une vague d'indignation et de protestation de la haute société de droite. On se moqua de lui et il passa pour un fou. C'est pour cela qu'aujourd'hui, il est une sorte de capitaine Nemo, le personnage de Jules Verne : un homme seul qui, à cause d'un sentiment de justice très développé, ne peut absolument pas oublier, et à cause de cela punit ceux qui se sont élevés contre lui. On lui a offert à de nombreuses reprises des sommes énormes pour offrir son musée au gouvernement de façon à ce qu'il soit ouvert au public. Barnes ne répond même pas à ces propositions. Il vit là, seul, avec ses bâtards de Patagonie au milieu de ces tableaux qu'il aime tant. Il sait que ces peintures disparaîtront avec lui. En réalité les sous-sols du musée sont minés. Il a écrit dans son testament que, quand il sera mort, il devra reposer dans la grande salle du musée et que après que chacun se sera éloigné, son vieux et fidèle domestique placé à distance suffisante, appuiera sur un bouton et la magnifique collection partira, avec les restes de son créateur, en poussière dans les airs... »

La verve surréaliste de De Chirico devait plus tard s'aigrir au fur et à mesure que son talent s'évaporait lui aussi, et que sa propre solitude lui deviendrait insupportable jusqu'à haïr tous les maîtres qui l'avaient précédé et notamment Renoir, Cézanne et Matisse, ceux précisément que Barnes avait, dans sa fameuse collection, placés bien au-dessus de lui. Les peintres défilent à Merion, mais aussi, durant cette brève période d'accalmie dans les relations du collectionneur avec son entourage, les marchands, et d'abord le plus grand d'entre eux, celui qui a exposé de leur vivant Cézanne, Gauguin, puis Matisse et Picasso et tous les peintres importants du xxe siècle, Ambroise Vollard.

Alors que sa renommée est considérable aux États-Unis, que sa collection personnelle a été exposée chez Knoedler en 1933, le grand marchand n'a jamais traversé l'Atlantique. Cette fois, le prétexte est une rétrospective Cézanne chez Bignou pour laquelle il a prêté son portrait. Renoir l'avait transformé en toréador, Picasso dans son grand portrait cubiste voyait en lui un extraordinaire cerveau, Bonnard, ce qui est logique, l'avait peint en marchand de tableaux. Cézanne, lui, avait fait du portrait de Vollard un Cézanne, malgré des dizaines de séances de pose au cours desquelles, s'étonnant de la lenteur du maître, Vollard lui disait : « Mais, en une heure, vous n'avez posé que cette touche verte là... — Oui, lui répondait Cézanne, mais si je n'en avais pas été content, j'aurai dû recommencer entièrement le tableau à cause de cette touche ! »

Son ascension dans le négoce parisien du tableau avait été ponctuée de déménagements. Il avait découvert Cézanne à la vitrine du père Tanguy vers 1893, rue Clauzel. Puis il ouvrit sa première galerie au 39, rue Laffitte. Entre-temps, il avait réussi à convaincre Cézanne de lui confier ses intérêts et il réalisa, au mois de décembre 1895, la première grande exposition du peintre.

En 1898 il montra des œuvres de Gauguin : autour de *D'où venons-nous ?*, une série de huit grands tableaux au même format qui représentent dans un chatoiement de couleurs révolutionnaires des scènes de la vie quotidienne à Tahiti où il s'est à nouveau réfugié. Cette exposition aura une influence essentielle sur les Fauves et surtout sur Matisse qui y puisera une partie de son inspiration, consacrée à ce Paradis terrestre, à cet Age d'or, que Gauguin a peut-être trouvé à Tahiti et que lui Matisse découvrira grâce à la lumière de la Côte d'Azur.

Vollard vend toujours peu. Ce n'est qu'à partir de 1905 avec Pellerin, Loeser, les Stein, Morozov et Chtchoukine puis enfin Barnes qu'il fera fortune. Depuis 1922, il est tapi dans son hôtel particulier, rue de Martignac. Pascal Pia, après bien d'autres, en a donné un portrait qui décrit fidèlement la psychologie commerciale de l'homme qui débarque à Merion, en novembre 1936 : « Il était devenu assez riche pour acheter beaucoup et ne vendre qu'à son heure et à son prix. Comme il aimait à dormir et qu'il pouvait le faire sans que sa prospérité en souffrît, il sommeillait sans gêne dans sa galerie, soulevant à peine une lourde paupière quand le visiteur entrait... »

Vollard et Barnes, chacun à leur façon, étaient des seigneurs. L'un et l'autre avaient défendu des peintres condamnés par l'establishment culturel, l'un et l'autre avaient eu à faire face à des manifestations publiques d'hostilité. Puis le temps avait validé leurs choix. Ils avaient, chacun dans leur domaine, réussi : Vollard était devenu très riche, ce qui est logique pour un marchand de tableaux — il laissera à sa mort en 1939 près d'un milliard — et Barnes avait rassemblé la plus belle collection qui puisse s'imaginer. Les deux hommes se respectaient même s'ils n'avaient pas toujours été en bons termes. Ils étaient probablement aussi durs l'un que l'autre en affaires. On imagine sans peine les tractations qui ont dû précéder l'achat des *Joueurs de cartes* ou des *Grandes Baigneuses*.

La venue de Vollard à Merion était un événement d'autant plus considérable que son hôte avait décidé de faire les choses en grand. Le marchand fut reçu à la Fondation le 8 novembre 1936 et donna une conférence en présence des étudiants et de nombreux invités. Fait sans précédent, le collectionneur avait même permis à ses marchands, à ses amis de se faire accompagner de quelques personnalités de leur choix. On traversa l'Amérique pour l'occasion. Un industriel de Detroit, sur un simple coup de fil d'Étienne Bignou, annula tous ses rendez-vous pour voir la collection. Le jour venu, Barnes servit son meilleur whisky et laissa la vedette à son invité. Ils passèrent des heures ensemble devant les tableaux, se remémorant certainement les âpres discussions auxquelles certains avaient dû donner lieu. Tout à sa conversation, Vollard rata une marche d'un perron et s'écroula par terre, manquant de se rompre les os. Quand on l'eut relevé, a raconté le marchand de tableaux dans ses mémoires, Barnes s'écria : « Ah, Vollard, si vous vous étiez tué, je vous aurais fait enterrer au milieu de la Fondation. » Deux étudiants qui l'avaient aidé s'approchèrent : « Monsieur, dit le premier, mon ami et moi, nous discutions sur la place que vous choisiriez, si vous deviez y être enterré. Mon ami disait que ce serait certainement au pied des *Grandes Baigneuses* de Cézanne. Moi, je penchais pour les *Joueurs de cartes.* » Vollard, qui était âgé de soixante-huit ans, et finalement un peu dépourvu d'humour, indiqua qu'il ne se sentait aucune disposition à choisir pour l'instant.

Mais le lendemain, de retour à New York, il donna une conférence à la radio et rendit un vibrant hommage à la Fondation : « L'expérience la plus fantastique de ce court voyage a été une visite à la Fondation Barnes... Je vous assure qu'il n'existe et qu'il n'existera jamais au monde une autre collection de chefs-d'œuvre des deux plus grands peintres du XIXe siècle, Cézanne et Renoir, comparable à celle réunie là par le docteur Barnes. »

CHAPITRE 11

L'affaire des « Baigneuses »

L'accalmie observée au milieu des années trente dans les relations tumultueuses entre Barnes et les institutions officielles n'allait pas durer longtemps. Comblé par les honneurs que la France ne marchandait pas à un homme qui soustrayait pourtant au patrimoine national une quantité considérable d'œuvres destinées à être enfermées à Merion, Barnes était aussi ravi par le succès que lui avaient procuré les visites de Matisse et d'Ambroise Vollard et par les commentaires de plus en plus flatteurs qui filtraient dans la presse sur sa collection. Il avait alors tenté de renouer une fois de plus les fils avec les institutions culturelles de la ville, et au premier rang d'entre elles le Pennsylvania Museum of Art, maintenant bien installé sur Fairmount.

Il n'était toujours pas question de prêter ses tableaux, encore moins d'associer le musée à l'enseignement qu'il dispensait à une poignée d'autodidactes depuis maintenant près de dix ans. Barnes ressentait-il encore le besoin d'une reconnaissance ? Était-il las de son splendide et arrogant isolement, lui qui, sans aucun doute possible, avait axé sa réussite sociale, non seulement sur la richesse, mais aussi le prestige que conférait la détention des chefs-d'œuvre ?

Toujours est-il qu'à leur grande stupéfaction, les dirigeants du musée reçoivent, à la fin de 1936, une lettre de leur vieil ennemi leur proposant de les aider à organiser une exposition de tapisseries françaises contemporaines. Une série d'œuvres tissées à Aubusson et Beauvais sur des cartons de Picasso, Matisse, Rouault et Léger notamment avait été montrée à New York, où il en avait acheté quelques-unes. Barnes était intervenu à la radio pour expliquer à quel point elles feraient date dans l'histoire de l'art. Apprenant qu'une nouvelle série avait été achevée, il proposait au musée de se faire l'intercesseur auprès des autorités françaises pour qu'elles laissent venir ces tapisseries à Philadelphie.

Cette démarche était-elle tout à fait désintéressée ? La tapisserie contemporaine avait fort peu d'adeptes, ne serait-ce qu'à la différence des pièces anciennes conçues pour orner les châteaux, les volumes des appartements et même des somptueuses villas des magnats de l'industrie américaine étaient incompatibles avec un tel accrochage. Les officiels du musée sautent néanmoins sur l'occasion. Ils connaissent l'exceptionnelle richesse de la Fondation et aucun conservateur de musée ne peut être insensible à un signe de bonne volonté d'un tel collectionneur, surtout si celui-ci en est généralement avare. Le comité est saisi en quelques jours et donne un avis favorable, malgré les contraintes budgétaires pour lesquelles Barnes est prêt à faire un geste. « C'est une grande affaire pour Philadelphie, écrit-il à Jenks, vice-président du musée, et nous devons rassembler nos idées pour trouver l'argent quelque part. »

Malheureusement, à Paris, une fois n'est pas coutume,

l'État a décidé d'acheter pour les musées nationaux cette série de tapisseries et l'exposition doit être retardée, sinon annulée. Informé par télégramme, Barnes répercute immédiatement la nouvelle aux autorités du musée, tout en s'engageant, pour son prochain voyage à Paris, à obtenir de la France un geste. Pour consoler ses interlocuteurs, il les invite, un dimanche après-midi, à la Fondation, pour admirer la collection et écouter, comme c'est l'usage, un récital de negro spirituals dans la grande galerie.

Barnes n'avait pas de raison particulière d'en vouloir à John Jenks, mais Henry Mac Ilhenny, le nouveau conservateur du département des arts décoratifs, représentait exactement ce contre quoi il se battait depuis son enfance. Âgé de vingt-six ans à l'époque, frais émoulu de Harvard où il avait côtoyé tous ceux qui allaient compter dans l'establishment culturel américain, de Theodore Rousseau, qui deviendrait conservateur en chef du Metropolitan Museum, à Charles Cunningham, le futur patron de l'Art Institute de Chicago, ou Joseph Pulitzer, le fondateur du célèbre prix. Il était le fils d'une vieille famille protestante d'Irlande du Nord qui avait émigré en 1844, s'installant d'abord à Philadelphie avant de s'établir à Columbus en Georgie où le grand-père d'Henry, ruiné par la guerre de Sécession mais très clairvoyant, fut élu maire de la ville, créa l'enseignement public et surtout sut profiter de l'extraordinaire développement des infrastructures et notamment de l'utilisation du gaz. On dit même qu'il inventa le principe du gazomètre et devint le concessionnaire des sociétés de distribution de gaz et d'électricité.

Son fils, John, le père d'Henry, développa encore ses affaires en rachetant des compagnies dans les États avoisinants, et se réinstalla à Philadelphie dans les années 1890. Il avait épousé une jeune femme de Pittsburgh qui avait étudié en Europe et visité Paris et Dresde. Rapidement le couple commença à collectionner, John, les tapis d'Orient pour meubler la grande maison qu'ils venaient de se faire construire dans le quartier chic de Germantown, Frances, les tableaux. Par ce biais, plus que par une réussite financière brillante mais trop récente et surtout sans commune mesure avec les gigantesques fortunes qu'édifiaient à la même époque les Vanderbilt ou les Morgan, les Mac Ilhenny fréquentent la haute société, correspondent avec les conservateurs et même, à la suite d'un voyage à Florence, avec le grand Berenson lui-même, comme le note sans humour et avec une immense révérence la plaquette consacrée à la collection familiale, vendue encore aujourd'hui à la librairie du musée de Philadelphie.

John Mac Ilhenny devint président du musée en 1918 et le resta jusqu'à sa mort, préparant l'implantation de l'institution à Fairmount et surtout recrutant, en 1924, Fiske Kimball, le légendaire directeur qui allait rompre tant de lances avec Barnes pendant près de vingt-cinq ans. Kimball n'allait pas être ingrat et faisait nommer Henry conservateur adjoint en 1934, puis responsable du département des objets d'art en 1939.

Celui-ci, grâce au revenu considérable que sa famille tirait des entreprises fondées par son grand-père, disposait donc du temps et des moyens de voyager en Europe et de se livrer à l'occupation favorite des riches Américains à Paris et à Londres : acheter des œuvres d'art, aidé en cela par Paul Rosenberg, qui, moins audacieux que son frère Léonce, faisait un commerce fructueux de peintures impressionnistes de second choix, les pièces essentielles ayant depuis longtemps traversé l'Atlantique pour décorer les salons des Havemeyer, de John Quinn, de Chester Dale, ou de Barnes.

Et c'était cet homme, cet héritier, ce représentant de l'establishment culturel de Philadelphie qu'il abhorrait, ce collectionneur à l'œil encore peu exercé, que Barnes invitait à Merion et avec lequel il s'apprêtait à organiser une exposition. Cela ne pouvait pas marcher et effectivement l'embellie ne dura pas. La rupture avec le monde officiel, qui devait cette fois être définitive, allait se faire en deux temps.

Jenks, qui avait été enchanté par sa visite à Merion et plus encore par la généreuse collaboration qui s'annonçait avec Barnes pour cette exposition de tapisseries prévue à l'automne 1937, écrivait encore en mars pour donner son accord enthousiaste sur les dispositions matérielles que le docteur avait proposées. Deux mois plus tard, il recevait une lettre violente, à la limite de l'insulte : « L'exposition doit être annulée. Mon opinion antérieure suivant laquelle le Pennsylvania Museum of Art est un lieu de prostitution artistique et mentale a été factuellement corroborée. »

La raison de cet éclat était sérieuse. Le musée venait de soutenir financièrement une exposition, « Les formes de l'art », créée par le directeur du département éducatif, E. M. Benson, qui était, selon les propos de son auteur, basée sur la conviction qu'il est plus important de comprendre ce qu'a voulu dire un artiste et comment il l'a dit que de savoir quand et dans quelles circonstances il l'a dit. A une lecture historiciste de l'art, l'organisateur opposait une lecture essentiellement esthétique, c'est-à-dire développait une approche audacieuse pour l'époque, encore empreinte d'académisme, mais qui finalement était l'exacte transposition des théories soutenues et enseignées par Barnes lui-même ! Au lieu d'être flatté, de récupérer, éventuellement en faisant rédiger des articles par quelque journaliste ou critique ami, les thèmes de l'exposition, le docteur prit très mal cette affaire. Était-ce un prétexte pour une rupture de toute façon inévitable ?

L'exposition fut ouverte au public le 24 avril 1937. Barnes la visita quelques jours après et envoya une lettre incendiaire au président du musée, J. Stogdell Stokes. Il réclamait sa fermeture immédiate en ne citant pas moins de trente-quatre cas de plagiat. Stokes esquiva l'attaque et demanda à Benson de répondre. Celui-ci ne nia pas avoir été influencé par les œuvres de Barnes mais, en empruntant d'autres voies, s'appuyant sur d'autres auteurs, il était arrivé à des conclusions proches des siennes. « Nous marchons peut-être vers un même but, mais nous avons suivi des routes différentes », lui répondit-il.

La prudence officielle ne fit qu'exaspérer encore Barnes qui souhaitait en découdre publiquement. L'Union locale des artistes se rangea de son côté mais cela ne lui suffit pas et il appela à la rescousse le fidèle Dewey, en exagérant bien entendu l'enjeu, l'importance de cet incident mineur. Le philosophe visita l'exposition le 14 mai et rendit publique peu après son opinion : « J'ai trouvé l'exposition " Les formes de l'art " encore plus embrouillée à la fois intellectuellement et esthétiquement que la correspondance qui m'était parvenue à son propos me l'avait laissé pressentir. Il était déjà faux de la présenter, dans la brochure qui est distribuée, comme une approche nouvelle alors que les principales idées de cette brochure sont manifestement empruntées à *L'Art dans la peinture,* sans qu'il soit fait référence à ce livre. L'exposition elle-même non seulement n'arrive pas à établir les idées empruntées, comme elles sont exposées dans la brochure, mais les

contredit si complètement que cela montre que M. Benson
n'a jamais assimilé ces idées mais en a simplement retenu
quelques expressions verbales. Le fait que M. Benson
devrait être personnellement confondu n'est pas d'une
grande importance. Qu'une grande institution publique se
prête elle-même à propager cette confusion est grave,
etc. »

Barnes fut bien sûr ravi de cette prise de position. Mais
le fait que les responsables officiels du musée n'aient pas
désavoué l'organisateur de l'exposition condamnait toute
coopération ultérieure. Ce n'était d'ailleurs pas une véritable nouveauté. Il n'y avait jamais eu par le passé que
lettres d'invectives ou lapins posés à d'éventuels visiteurs,
lorsque, par exemple un conservateur, même avec lequel
Barnes avait auparavant entretenu des relations cordiales,
avait eu l'outrecuidance de lui demander le prêt d'un
tableau ou était intervenu pour que soit admis un visiteur.

La collection était maintenant tellement importante que
les institutions artistiques du monde entier — sauf peut-
être le Louvre... — ne rêvaient que de coopérer, d'obtenir
des prêts, voire un legs ou, à tout le moins, le droit et le
pouvoir, à la mort du fondateur, qui n'avait aucun héritier
susceptible de prolonger son action, de gérer cet ensemble
unique. Seulement il y avait toujours ce terrible malen-
tendu : Merion n'était ni une galerie, ni un musée mais
une institution éducative, ce qui ne faisait qu'aggraver
l'incompréhension mutuelle.

Surtout l'enseignement de Barnes était en opposition
totale avec tout ce qui se disait dans le système officiel,
même si la tentative maladroite de Benson avait pu, un
instant, donner l'impression contraire. Enfin Barnes avait
une conception purement esthétique de l'accrochage et
non historique, comme dans toutes les galeries officielles,

qui classent par écoles les œuvres, ce qui rendait un accord à peu près impossible tant la différence de conception, d'objectifs et finalement d'intérêt était insurmontable. Les manifestations qui se sont déroulées à Washington lors de l'inauguration de l'exposition itinérante des peintures françaises de la collection en 1993, plus d'un demi-siècle après, témoignent de la vivacité toujours actuelle de ces controverses.

La polémique finale va alors éclater.

Le 11 novembre 1937, le musée annonce qu'il vient de se rendre propriétaire pour 100 000 dollars des *Grandes Baigneuses* de Cézanne, provenant de la collection Pellerin. L'acquisition a été faite par Joseph Widener, pour le compte du fonds Wilstach, dont il est l'administrateur. Un communiqué triomphant explique : « Aucune personne familière avec l'art moderne ne serait capable de laisser passer la chance de voir et d'étudier un tableau qui a été décrit comme l'invention maîtresse dans l'imaginaire architectural de Cézanne. L'acquisition des *Baigneuses* Pellerin donne à Philadelphie et à son agglomération le privilège de posséder les deux plus célèbres versions de ce sujet déjà célèbre du peintre. La seconde version, qui est une peinture d'une taille légèrement inférieure, est dans la collection de la Fondation Barnes à Merion et fut achetée par le docteur Albert Barnes à la collection Vollard en 1933. »

C'est bien entendu ce dernier paragraphe qui allait déclencher la foudre. Kimball reconnaîtra plus tard que les termes employés ont été malheureux et qu'il aurait été non seulement plus sage mais plus exact de ne pas donner l'impression que l'une des deux toiles était antérieure ou supérieure à l'autre sinon par la taille. Ivre de rage, Barnes écrivit immédiatement à Stokes, pour faire corriger l'annonce et pour qu'il dise aux collaborateurs du musée de ne plus jamais utiliser son nom comme une « cible dans leur cirque ». Comme d'habitude, Stokes ne répondit pas. Trois jours plus tard, Barnes adressait au principal quotidien de Philadelphie, l'*Enquirer,* une lettre dactylographiée sur son papier personnel, avec la mention : « pour publication immédiate » et datée du 15 novembre :

BARATIN AU PENNSYLVANIA MUSEUM OF ART

Un porte-parole de la municipalité de Philadelphie, spécialisé dans les questions culturelles, a délivré à la presse américaine des informations fausses et trompeuses dans lesquelles l'exploitation non autorisée de mon nom a fait croire au public que je soutenais cette fausse déclaration. L'information publiée se réfère à l'acquisition récente d'une peinture de Cézanne, Baigneuses, *par le Pennsylvania Museum of Art, une institution construite et subventionnée par la Ville.*

Suivant les comptes-rendus de presse, la peinture est le plus grand chef-d'œuvre de l'un des plus grands peintres de tous les temps et... une seconde version est dans la collection de la Fondation Barnes. Aucun des fait ci-dessus n'est même une approximation de la réalité. Les Baigneuses *du musée sont un tableau inachevé, la plupart de la surface de la toile étant à peine plus qu'esquissée et, dans l'ensemble, il est d'une qualité très inférieure pour un Cézanne. Le fait que cette peinture fut commencée huit ans après celle de la collection de la Fondation est un fait historique qui règle la question soulevée par la prise de position officielle suivant laquelle la toile de la fondation est une « seconde version ». En réalité, aucun tableau n'est une version de l'autre et, du point de vue des caractéristiques qui font une œuvre d'art, les deux tableaux n'ont pratiquement rien en commun.*

L'ensemble de couleurs des Baigneuses *du musée est monotone, sec, et terne, la composition est désorganisée et mécaniquement exécutée, son dessin et son modelé inadéquat et les surfaces larges de toile nue servent principalement à rappeler le manque général de substance du tableau dans son ensemble.*

Le tableau de la Fondation est entièrement peint avec une palette riche et variée de couleurs profondes, succulentes, étincelantes, attirantes, si bien intégrées dans un dessin et un modelé, et avec une utilisation de l'espace telle que la composition étroitement nouée, rythmée exprime la force, la puissance et satisfait entièrement aux caractéristiques de la forme cézannienne.

L'opinion des collectionneurs avisés et des marchands, en général, est que les Baigneuses *inachevées du musée sont un Cézanne de cinquième ordre, contrairement aux déclarations des journaux suivant lesquelles il s'agit de son plus grand chef-d'œuvre. Cela explique pourquoi le tableau a vainement imploré un acheteur depuis plus de cinq ans sur un marché pourtant avide de bons Cézanne. Son précédent propriétaire, devant témoins, m'offrit de me le vendre pour 80 000 dollars. Peu après, un marchand parisien me demanda d'offrir 50 000 dollars pour lui et il m'assura que cette offre serait acceptée. Une raison pour laquelle je n'en ai pas voulu est qu'il est trop à l'état d'esquisse et d'une qualité trop médiocre pour être même faiblement représentatif de la capacité d'expression complètement aboutie de Cézanne, une opinion qui coïncidait avec celle des acheteurs bien informés à qui le tableau avait été proposé.*

En effet, l'expression, au sens de quelque chose de significatif qui résulte d'une relation harmonieuse de chaque partie — que ce soit une phrase, un roman, une symphonie ou une peinture —, peut à peine prétendre exister dans les Baigneuses *du musée parce que Cézanne n'était arrivé à fixer difficilement que les bases d'une expression quand il a abandonné son travail sur le tableau. Sa pratique invétérée de mettre de côté ce qui l'exaspérait ou une toile qui avait servi à des fins expérimentales est relevée par tous ses biographes. Les* Baigneuses *du musée appartiennent à cette sorte de travail inachevé et son intérêt principal, pour l'étude sérieuse de la peinture, est qu'il révèle comment Cézanne construisait la structure d'un tableau, et à quoi cette structure ressemblait avant qu'il n'en réunisse les diverses parties en un tout unifié.*

Le tableau fait complètement long feu pour servir à montrer la technique parfaite de Cézanne ou son rang élevé comme artiste.

On pourrait conclure par conséquent que la jubilation du musée dans la presse à travers toute l'Amérique à propos de l'acquisition des Baigneuses *est injustifiée. La réalité, que l'information factuelle du grand public nécessite de préciser, c'est que la Ville a été roulée avec une peinture de qualité inférieure et que les autorités ont fait de la propagande plutôt que de la transparence, se sont vantées et ont trompé l'opinion. Cette affaire affecte, bien sûr, la réputation de la Ville mais il existe une circonstance aggravante : le mal qu'il y a à avoir un directeur des affaires culturelles locales qui se signale par son absence et qui se consacre principalement aux champs de courses de Miami, Saratoga et Deauville.*

L'*Enquirer* publie le lendemain le brûlot en titrant : « La Ville roulée à propos d'un Cézanne, prétend le connaisseur Barnes ». Il n'y a aucun commentaire mais il est signalé que le directeur du musée, Fiske Kimball, et surtout Jo Widener, épinglé à la fin de la lettre pour sa passion des courses de chevaux, chargé de présider la commission de gestion du fonds Wilstach, qui a financé l'acquisition, se sont refusés à tout commentaire.

Tout Barnes est dans cette lettre : le collectionneur, furieux que l'on affirme que l'une des œuvres de la Fondation est de second plan, le critique, qui se livre à une magistrale analyse comparée de deux œuvres de Cézanne, en en remontant sans difficulté aux experts officiels, enfin l'homme blessé par une enfance malheureuse qui règle, avec un de ses concitoyens, un compte qui remonte à bien longtemps en arrière.

Barnes a acheté à Vollard sa propre version des *Baigneuses* quand le marchand a prêté, à New York en 1933, à la galerie Knoedler, plusieurs tableaux importants : « Les chefs-d'œuvre de la collection Vollard ». Il est possible que Vollard ait acquis l'œuvre des héritiers Pellerin à la mort de celui-ci, en octobre 1929. Pellerin avait dû les acheter pour l'essentiel chez Vollard qui, la tradition le raconte, et certainement pas Vollard lui-même dans ses mémoires, avait acquis le stock pour une bouchée de pain. Pellerin légua trois Cézanne au Louvre. Ses héritiers se partagèrent le reste. On ne peut exclure que Vollard ait récupéré sa version des *Baigneuses*, à moins plus simplement qu'il ne s'en soit jamais séparé et que le prix offert par Barnes en 1933 l'ait fait fléchir.

En 1936, est organisée la première rétrospective officielle de Cézanne en France à l'Orangerie. Barnes s'y rend, y passe de longues heures à prendre des notes, donne des conférences qui serviront de base au livre qu'il publie avec le concours de Violette de Mazia en 1939, mais, conformément à ses habitudes, n'a prêté aucun tableau. Henry Mac Ilhenny est aussi à Paris pour négocier avec le Louvre l'organisation d'une exposition Degas à Philadelphie. Il se rend à l'Orangerie où le Cézanne acheté par son père, *Mme Cézanne au corsage rayé,* est exposé. Il recommande l'achat immédiat des *Baigneuses* de la collection Pellerin qui y sont exposées. Le conseil du musée, après l'avis favorable de Jo Widener, débloque un premier versement. Le tableau n'arrivera à Philadelphie que l'année suivante une fois toutes les formalités achevées.

Il existe une troisième « version » des *Baigneuses* qui

donnera elle aussi lieu à polémique quand André Malraux, en 1965, estimant que nos musées sont assez pourvus, en autorise le départ pour la National Gallery de Londres. Cette version, appartenant à la fille d'Auguste Pellerin, Mme Renée Lecomte, était d'ailleurs connue de Barnes puisqu'il la cite dans son livre sur le maître d'Aix, bien qu'elle n'ait pas figuré à l'exposition de l'Orangerie. A la mort du grand collectionneur, chaque héritier a donc eu une version, celle de Londres étant un peu plus petite que celle de Philadelphie, mais l'une comme l'autre ne constituant que des états d'une recherche dont l'aboutissement est le tableau de Merion. Cézanne qui a cette époque avait deux ateliers, l'un à Aix et l'autre à Paris, où il avait fait poser Ambroise Vollard, a probablement disposé une des versions d'essais dans chacun d'entre eux pour ne jamais cesser de se consacrer à ce qu'il considérait comme l'œuvre clé de la fin de sa vie, comme l'aboutissement de ses recherches. Mais c'est devant la version de la collection Barnes qu'il se fait photographier par Émile Bernard en mars 1904.

Ainsi l'analyse de Barnes, sévère pour les conservateurs de Philadelphie, est-elle aujourd'hui confirmée par la majorité des experts.

A sa grande déception, Barnes ne fut pas soutenu par la presse qui renvoya l'irascible docteur et les conservateurs silencieux dos à dos, glosant, ce qui réjouit toujours le lecteur, sur le prix, « 7 857 dollars la baigneuse, ce qui peut sembler ou non excessif à tout un chacun, suivant qu'il préfère celles de Cézanne, ou celles que l'on peut contempler gratuitement sur la plage à Atlantic City ». Les collectionneurs sont alors comparés à des mères étant impossibles à départager en pareille circonstance chacune « considérant que son bébé est le plus beau ».

La leçon d'interprétation de l'œuvre de Cézanne comme la démonstration d'expert, longuement exposée dans la lettre, et qui allait être abondamment reprise dans son ouvrage consacré au peintre n'attire pas davantage l'attention. Quant à Jo Widener, qui était la véritable cible de ces attaques, il ne daigna pas répondre non plus. Barnes rapportera à un journaliste qu'ils se retrouvèrent voisins de transat sur le *Normandie*, au printemps suivant, voguant vers la France. Aucun des deux redoutables sexagénaires ne demanda une autre place, et ils s'ignorèrent. Barnes pensa par la suite qu'ils s'assirent là, comme deux millionnaires à bord du luxueux paquebot, chacun pensant à son père qui avait été collègue de l'autre aux abattoirs de Philadelphie.

Là, Barnes se fait probablement des illusions car il y avait fort peu de chances pour que Widener se souvienne de cet épisode. C'était tout juste s'il n'avait pas lui-même tout fait pour oublier la jeunesse laborieuse de son propre père qui, en moins de trente ans, avait constitué, à la fin du siècle dernier, une des plus grandes fortunes de Philadelphie. Peter Widener avait en effet rapidement compris qu'il y avait plus d'avenir dans le négoce des bêtes sur pied que dans la boucherie. Pendant la guerre de Sécession, il avait vendu ses moutons à l'armée. Une fois la paix revenue, il avait investi dans les transports en commun, en pleine expansion, et s'était fait adjuger la concession des tramways de Philadelphie. On imagine sans difficultés ce qu'a représenté pour la famille Barnes, digne, courageuse et honnête, mais sans le sou, l'exemple de la réussite des Widener. Bien qu'Albert Barnes ait été avare de commentaires sur ses souvenirs de jeunesse, comment écarter l'hypothèse suivant laquelle cette réussite ait eu une influence déterminante sur la volonté d'ascension sociale du jeune Barnes et la manifestation spectaculaire de la réussite que constituait dès 1910 l'extraordinaire collection Widener, amassée dans la grande galerie de Lynnewood Hall, dans ce quartier chic de Philadelphie, où Barnes avait rêvé de s'implanter.

Peter Widener avait été convaincu par un de ses partenaires de poker, l'avocat John G. Johnson, de s'intéresser à l'art et ne cessera jusqu'à sa mort, en 1915, de traquer les chefs-d'œuvre. En 1906, alors que le jeune Albert Barnes commence à vendre dans le monde entier son Argyrol, il arrache, à la chapelle San José de Tolède, deux superbes Greco. En 1912, alors que notre chimiste a envoyé Glackens marchander ses premiers Renoir, il négocie l'acquisition des célèbres Van Dyck du palais Cattaneo de Gênes et la *Madone Cowper* de Raphaël, qui avait appartenu au comte de Pembroke.

Enfin son fils Jo, peu après sa mort, et tandis que Barnes court les ateliers de Montparnasse, profite des difficultés financières de Carl Hamilton, autre grand collectionneur de peinture italienne, pour acheter à la maison Sculley à Londres, *Le Festin des dieux*. Ce tableau, commencé par Bellini et achevé par Titien à la demande d'Alfonse d'Este, soucieux de rivaliser avec sa sœur qui avait constitué à Mantoue une des plus extraordinaires cours de la Renaissance, était ensuite passé dans la famille Aldobrandini à Rome, puis chez le duc de Northumberland, lequel, peut-être pour refaire la toiture de son château, l'avait mis en vente. Jo Widener était aussi l'homme qui avait les plus beaux Rembrandt d'Amérique, un délicieux *Portrait de Saskia* de 1633, plusieurs Vermeer, la dernière version de *Vénus et Adonis* de Titien, et le seul Mantegna alors aux États-Unis, *Judith et Holopherne*, qui avait fait partie de la collection de Charles Ier d'Angleterre. Plusieurs de ces tableaux, et notamment trois Rembrandt, sont aujourd'hui contestés et ses acquisitions n'avaient pas toujours été sans histoires non plus.

Après la révolution d'Octobre, le prince Youssoupoff s'était résolu à vendre ses deux Rembrandt, dont la *Femme à la plume d'autruche.* Widener avait été le plus rapide et pensait avoir obtenu l'affaire. Mais le roi du pétrole de l'époque, « Monsieur 5 % », Callouste Gulbenkian avait surenchéri. Le prince reprit alors sa parole. Jo Widener avait égaré le câble. Un jury d'honneur lui donna finalement raison. On retrouva la preuve de la bonne foi de l'Américain au moment du déménagement de Lynnewood Hall vers 1942, coincé entre deux pages d'un annuaire des pur-sang, la seule, la véritable passion de Jo Widener, comme le lui avait reproché avec acrimonie Barnes.

Toutes les œuvres n'avaient pas été achetées avec un grand discernement. Ainsi un marchand peu scrupuleux avait-il réussi à convaincre son père, avant la Première Guerre, que la version du portrait d'Innocent X réalisée par Vélasquez lors de son second voyage à Rome, et qui n'avait pas depuis quitté le palais Doria, n'était qu'une copie, et que, lui, détenait l'original. L'affaire fut conclue. Mais rapidement l'œuvre fut reléguée dans les réserves pour ne pas déparer cet ensemble unique par la qualité et surtout par la provenance. Car ce qui était accroché aux murs de la maison Widener, ce n'étaient pas seulement des chefs-d'œuvre incomparables, mais une part de l'histoire de l'Europe, un peu de cette noblesse anglaise ou italienne qui faisaient tant rêver ces grands capitaines d'industrie à qui il ne manquait finalement qu'un arbre généalogique.

Ces tableaux avaient pourtant fait de leur propriétaire

non seulement un des hommes les plus riches, mais aussi les plus respectés des États-Unis. Et c'est bien ce qui faisait cruellement défaut à Barnes, ce qui ravivait en permanence les anciennes blessures. Car lui, ses tableaux, ils n'avaient jamais appartenu à personne. Le seul prestige qu'ils pouvaient conférer était intellectuel. C'était celui d'un découvreur, d'un pionnier qui, avant tout le monde, avait compris l'art de son temps, les formes nouvelles d'expression. Il faudrait des décennies pour consacrer son talent, son œil de collectionneur. Or il était pressé. Barnes ne sortira jamais de la contradiction dans laquelle il s'était placé dès le début, alors qu'il aurait été si facile et si gratifiant de faire comme tout le monde, c'est-à-dire d'aller à Florence voir Berenson. Mais il aurait cessé d'exister.

La collection Widener constitue, avec les donations Mellon et Samuel Kress, le cœur de la National Gallery de Washington. Jo Widener se résigna bien tard à choisir la capitale fédérale, au détriment du musée de la ville dont il avait été pourtant l'un des principaux administrateurs. L'État de Pennsylvanie ne lui fit pas de cadeaux puisque les donations à des institutions extérieures à l'État ne bénéficiaient pas d'exonérations de taxes. Il fallut un vote spécial du Congrès et l'intervention personnelle de Franklin Roosevelt pour faire passer l'affaire. Jo Widener mourut peu après le transfert, non sans avoir pu constater que la place qui était attribuée aux trésors rassemblés par son père était conforme à ce qu'il aurait souhaité. Il ne fut pas déçu : la salle Widener est l'une des plus visitées du musée. Ainsi les habitants de Philadelphie, en payant chaque jour leurs tickets de tramway, ont-ils le sentiment, quand ils se rendent dans la capitale fédérale, que les profits réalisés ont finalement été rendus à la nation.

Barnes survivra près de dix ans à celui qu'il considérait, au fond de lui-même, comme son grand rival. Mais sa rupture avec l'establishment culturel de Philadelphie, à partir de 1937, sera définitive. L'affaire des *Baigneuses* ne fut-elle qu'un prétexte ? Non, plutôt une goutte d'eau qui fit une fois encore déborder la coupe. Visiblement, ce que cherchait Barnes, ce n'était pas que l'on reconnût que sa propre version des *Baigneuses* était supérieure. Pour cela il lui suffisait perfidement — et sans faire de commentaires — de la prêter au musée pour une exposition simultanée, et laisser la critique, l'opinion se faire un jugement qui ne pouvait que lui être triomphalement favorable. Non ce qu'il voulait, c'était que Widener et, dans une moindre mesure, Mac Ilhenny soient désavoués. Mais c'était bien sûr impossible.

CHAPITRE 12

Le côté Renoir et le côté Cézanne

On ne peut pas passer trente ans d'une vie au milieu de Renoir et de Cézanne sans que s'établisse entre le collectionneur et les artistes qu'il a passionnément aimés et recherchés un dialogue, un étrange dialogue. Barnes a dit à maintes reprises que la dernière des choses qu'il éprouvait devant l'un de ses chefs-d'œuvre était le sentiment de possession. D'un côté, c'est un formidable accumulateur, comme un Médicis ou un Richelieu. Mais de l'autre, il n'éprouve aucune difficulté à vendre ou échanger suivant les opportunités ou l'humeur du moment. Il n'a pas la jouissance ou la vanité du possédant, ce dont témoignent les mille et une difficultés qu'il fait aux uns et aux autres pour dévoiler ses trésors. Hormis les cas où la collection sert de support éducatif, il réagit devant les visiteurs éventuels presque comme si l'on violait son intimité en s'immisçant entre lui et ses peintures.

Comme tous les vrais orgueilleux, il ne tire sincèrement plaisir que de ce que son entourage considère comme secondaire ou dérisoire. D'où vis-à-vis des autres, cette insatisfaction permanente qui se traduit, de plus en plus souvent, et avec une brutalité accrue par l'âge, par des polémiques sans enjeu ou des querelles avec des adversaires qui ne sont pas, et de loin, de son niveau. Il aime passionnément avoir le dernier mot, dût-il par ses excès apparaître finalement comme le perdant, ce dont il n'a cure puisque être critiqué ou condamné par des êtres ou des institutions qu'il méprise est à ses yeux le comble de la réussite ou même simplement de la jouissance.

Tout s'enchaîne, dans sa démarche, comme si, dès le début, il avait voulu entamer un long tête-à-tête avec lui-même par artistes interposés. Il y a d'abord la quête du bonheur de vivre. C'est peu dire qu'il a tout pour être heureux mais qu'il n'a, à aucun moment, donné l'impression de satisfaction, d'épanouissement et d'équilibre que sa formidable réussite lui aurait permis d'atteindre. Sa paix intérieure, il ne la trouve en réalité que durant ses longues méditations devant ses Renoir, ses Cézanne, ses Matisse.

La collection Barnes est d'abord une collection à la gloire de l'Age d'or. Plusieurs œuvres essentielles qui témoignent de cette source d'inspiration sont à Merion : *Les Baigneuses* de Renoir, *Les Baigneurs au repos*, *Les Grandes Baigneuses*, ou plus précisément les *Nus dans un paysage* comme Barnes appelle ce grand tableau, ainsi que les multiples groupes de *Baigneuses* ou de *Baigneurs* de Cézanne, *La Joie de vivre*, la décoration murale de Matisse ainsi que la plupart des tableaux ou des sculptures de l'artiste qui renvoient à ce thème, *Les Poissons rouges*, le *Nu couché*.

La manière dont s'est constituée la collection montre qu'il ne s'agit pas d'un projet établi à l'avance, encore moins d'une succession de hasards ou d'opportunités, mais du reflet des états d'âme du collectionneur vis-à-vis de lui-même. Toute collection est un peu autobiographique. Celle de Barnes est en plus à certains égards une analyse. Et la dualité du caractère de Barnes, les contradictions permanentes qui le déchirent se retrouvent dans sa double passion pour Renoir et Cézanne qui lui renvoient chacun une partie de son identité, de ses aspirations qu'il révèle indirectement chaque fois qu'il s'exprime sur eux.

Renoir, c'est l'aspect positif de Barnes, cet extraordinaire adjuvant, cette euphorie que la contemplation de ses œuvres lui inspire et qui est peut-être sa manière à lui de trouver son bonheur. Il conclut son premier article de 1915 dans *Arts and Decoration* en décrivant le message de Renoir ainsi : « Renoir, pour moi, exhale (respire) l'esprit d'une jeunesse éternelle dans un jardin auquel juin conférerait sa perpétuelle beauté. » Il y explique que le plaisir que Renoir dispense constitue la véritable fonction de l'art.

Dans l'éloge de Renoir qu'il publie dans *The Dial*, en février 1920, au lendemain de la mort de l'artiste, il reprend cette belle métaphore en décrivant l'état d'esprit de l'amateur. Après avoir contemplé sa peinture, il sent que le tableau bientôt cesse d'être dessin, couleur, composition et qu'il devient un havre empli de l'esprit de l'endroit où l'âme n'est plus, et où tout est paix, harmonie, musique, poésie. Barnes a reconnu en Renoir l'artiste prodigieusement et naturellement doué, l'héritier de Titien et des grands Vénitiens que personne n'avait réussi jusque-là à dépasser dans leur capacité à transmettre une expression, une émotion.

Renoir transmet à Barnes la joie de vivre à laquelle la moitié de son être aspire. Seulement, il y a Cézanne, c'est-à-dire l'opposé de Renoir, le combattant, le « primitif de la voie qu'il a choisie », comme il se définit lui-même, le fier et solitaire Cézanne qui refuse tout pour ne pas altérer la pureté de son combat. Cézanne, c'est l'autre face de Barnes, la force, la puissance, la volonté inextinguible d'avoir raison contre tous.

Ils sont tous les deux des Refusés, l'un comme peintre, l'autre comme collectionneur et comme homme dans la cité. Barnes voit dans Cézanne un romantique, c'est-à-dire un homme qui vit dans deux mondes à la fois, le monde matériel de chacun qui n'a pas grande importance, et un monde qu'il construit avec son inspiration et qui est beaucoup plus réceptif à ses propres aspirations puisqu'il en est l'émanation. Mais cette description du caractère de Cézanne ne s'applique-t-elle pas d'abord à lui-même ?

Entre Renoir qui est une récompense perpétuelle et Cézanne qui est un continuel appel à la révolte et au dépassement de soi, Barnes ne trouvera jamais la paix intérieure. Il a toujours prétendu que les satisfactions qu'il tirait de la recherche et de la contemplation de ses tableaux valaient mille fois les distractions mondaines de ses concitoyens, le golf, les bals, les dîners et les spectacles. Et il était sincère quand il affirmait dès 1915 que le plaisir que lui procurait son *Torse* de Renoir valait bien plus que les 700 000 dollars de l'une des Madones de Raphaël de Widener. Et il était profondément sincère aussi dans ses goûts et ses choix, et qui sont pour la plupart aujourd'hui les nôtres, même s'il n'a pas su convaincre ses concitoyens de la justesse de son point de vue, probablement d'ailleurs pour être à même de leur reprocher. Toujours son côté Cézanne...

Les Grandes Baigneuses est le dernier grand Cézanne entré dans la collection, en 1933, après l'exposition chez Knoedler à New York. Barnes achètera encore en 1936 deux tableaux dans une collection suisse, dont *Le Buveur,* et *Léda et le cygne* en 1937 à Paris. Cette œuvre de 1875 environ est accrochée à côté des *Joueurs de cartes* à Merion, ce qui montre l'importance que le collectionneur lui accordait. Son originalité n'est pas moins grande, puisque Cézanne a choisi de représenter la scène au moment où le cygne tient avec son bec le poignet de l'héroïne, à peine effarouchée. Barnes, à la fin de sa vie, se détourne quand même un peu de Cézanne, même si sa pugnacité vis-à-vis de ses compatriotes ne faiblit pas. Il échange deux natures mortes, provenant probablement de la collection Hoogendjick qu'il avait acquise en 1920, contre deux Chardin, dont il a toujours admiré la force classique. Mais ce n'est pas pour autant que sa fringale d'acquisition soit assouvie.

Durant l'été 1936, qu'il passe comme tous les ans en Bretagne, il a acquis *Le Linge*, de Manet, considéré comme l'une des dernières œuvres majeures du maître encore en mains privées. Le tableau, de grand format (1,80 × 1,55), avait été refusé au Salon de 1876, assorti du commentaire suivant de l'un des membres du jury : « Nous avions donné dix ans à M. Manet pour qu'il progresse. Nous constatons qu'il n'y a aucune amélioration et ses tableaux ont donc été refusés. » Manet, furieux, récupéra ses toiles et organisa immédiatement une exposition des œuvres qui venaient d'être refusées dans son atelier de la rue de Saint-Pétersbourg. *Le Linge* représente une jeune femme à la toilette aidée par son enfant.

A son retour de France, en octobre 1936, à bord du *Normandie*, Barnes donne une conférence de presse pour rendre publiques ses acquisitions et annoncer la venue, si sa santé le lui permet, de Paul Valéry, pour une série de conférences à la Fondation. Plus tard, durant l'hiver 1942, Barnes achètera un dernier chef-d'œuvre de son cher Renoir, *Les Pêcheurs de moules à Berneval*, que la famille

Durand-Ruel est contrainte de céder, en raison des difficultés de l'Occupation, pour une somme considérable, plus de 200 000 dollars. C'est cette fois la dernière œuvre importante qui entre dans la collection. Le recul, perceptible, vis-à-vis de Cézanne et la poursuite des acquisitions, notamment de Renoir ou de Matisse, les peintres du Paradis terrestre et du bonheur de vivre, ne signifient nullement que Barnes aborde l'âge mûr en paix avec lui-même ou avec les autres.

Les dix dernières années de sa vie vont être tout aussi turbulentes et marquées par de violentes querelles que les précédentes. Barnes est plus que jamais prêt à rompre des lances et à se lancer dans des polémiques stériles avec ses ennemis favoris, l'Académie, le musée de Philadelphie et ses conservateurs, et tous ceux qu'il estime, à tort ou à raison, ses adversaires. Il y a d'abord sa tête de Turc favorite, ce pauvre Ingersoll, qu'il a roulé déjà dans la farine quand il lui a soufflé, en tout bien tout honneur de surcroît, on l'a vu, le tableau central du triptyque de Matisse. Dix ans plus tard Ingersoll le provoque en le mettant perfidement en cause à travers Glackens, maintenant décédé, dans un mémoire, non destiné à la publication. Barnes rédige alors un tract qu'il fait distribuer aux étudiants de l'Académie des beaux-arts, où Ingersoll enseigne encore, indiquant que lui ne s'était jamais laissé entraîner dans les beuveries, suivies souvent de partouzes, où Ingersoll avait voulu l'attirer... Quelques jours après, les deux hommes se trouvent face à face dans un trolleybus. Ingersoll l'insulte. Barnes fait celui qui ne le reconnaît pas. Le premier dira qu'il avait trouvé à son ennemi un air de fou. L'autre donnera sa version de l'incident : Ingersoll, qui puait l'alcool, a voulu se rendre intéressant auprès d'une femme qui l'accompagnait. A l'époque Barnes a plus de soixante-dix ans et Ingersoll plus de soixante ans !

Ses rapports avec le musée ne s'améliorent pas non plus. Un jour qu'il le visite, Barnes est importuné par un gardien. Il fait un esclandre et fait demander son renvoi, non sans accompagner les différentes lettres de protestation de considérations sévères sur la manière dont sont organisées les expositions et est conduite la politique d'accrochage du musée, dans la ligne de ses attaques au moment de l'affaire des *Baigneuses*. Son ennemi privilégié reste Fiske Kimball, ce directeur qu'il aime provoquer.

Au début de 1938, Barnes ouvre un nouveau front, juste après l'affaire des *Baigneuses*, à propos du programme fédéral de soutien aux artistes. Pendant la Grande Dépression, Roosevelt avait pris conscience que le sort des peintres et des sculpteurs en Amérique s'était détérioré de façon dramatique, faute de clients et de commandes. Il décida alors de lancer un vaste programme de décorations de bâtiments publics. De nombreux peintres qui allaient être célèbres après la guerre derrière la bannière de l'École de New York, comme Jackson Pollock, en avaient profité. C'était Keynes chez les Médicis !

Barnes, en démocrate convaincu, soutenait cette initiative, à la différence de la plupart des riches collectionneurs dont la foi libérale et républicaine ne pouvait être ébranlée par un tel interventionnisme, de surcroît dans le domaine le plus réfractaire à l'action de l'État, la création. Enfin, le croyaient-ils, ignorant probablement qu'ils étaient de l'histoire européenne ou chinoise, où précisément les commandes royales, princières ou même papales avaient été à l'origine du renouveau de la création et notamment de la Renaissance en Italie et du Grand Siècle en France.

Le programme fédéral de Roosevelt fut accompagné

dans de nombreux États d'initiatives décentralisées analogues. Et c'est ainsi que la Pennsylvanie lança sa propre action sous l'impulsion du musée et en confia la direction à une protégée de Fiske Kimball, Mary Curran. Elle possédait une galerie de tableaux à Philadelphie et avait été expulsée de la Fondation Barnes en 1926 pour « incompétence et conduite inconvenante ». Elle ne devait probablement pas adhérer aux visions très personnelles de Barnes sur l'enseignement artistique et avait naïvement essayé de contredire le maître des lieux. Son attitude, à la tête du programme de travail pour les artistes, souleva la colère des principaux intéressés qui lui reprochaient son favoritisme et ses tendances à l'autoritarisme. Elle privilégiait les artistes qui avaient exposé dans sa galerie et mettait comme condition pour bénéficier des fonds publics le respect de stricts horaires de travail, ce qui est bien sûr totalement incompatible avec les habitudes de chacun. Le syndicat des artistes lança une série de manifestations pour obtenir sa démission, allant jusqu'à mettre des piquets de grève devant son bureau ou à l'entrée du Pennsylvania Museum of Art le jour où furent exposées les œuvres financées par le programme.

Barnes n'était en rien concerné par cette affaire mais il prit la tête de la manifestation, suivi par les étudiants de la Fondation uniquement pour gêner Fiske Kimball dont il savait qu'il protégeait Mary Curran. Comme toujours, il publiera à cette occasion des pamphlets extrêmement violents contre Mary Curran, Kimball... et le musée : « Mlle Curran n'est pas seulement profondément ignorante de ce qui caractérise une œuvre d'art, mais elle est si mentalement handicapée qu'elle est incapable d'acquérir l'expérience qui lui permettrait soit de se forger une opinion intelligente sur la valeur d'une œuvre soit de conduire n'importe quel projet auquel participerait des êtres humains normaux... » Finalement il réussit à monter derrière lui suffisamment de personnalités influentes pour obtenir gain de cause et Mary Curran fut relevée de ses fonctions par le directeur fédéral, Holger Cahill, à la fin de 1938, qui fit savoir qu' « elle avait beaucoup d'idées, mais que certaines n'étaient pas bonnes... »

Dix ans plus tard, en 1948, un dernier scandale allait encore éclater entre le musée et la Fondation. Matisse avait donné son accord et sa totale coopération pour l'organisation d'une rétrospective de son œuvre à Philadelphie. Il avait évidemment souligné la présence de plusieurs tableaux très importants à Merion. Avec peut-être un peu de malice, car il ne pouvait ignorer la position traditionnelle de Barnes à cet égard, il avait suggéré que le musée sollicite, pour cette circonstance exceptionnelle, un prêt. Barnes, à son habitude, répondit sèchement qu'il n'en était pas question.

Le musée se mit alors dans son tort en reproduisant, sans l'autorisation de la Fondation, *La Joie de vivre* pour illustrer l'article de son bulletin où était annoncée l'exposition, laissant donc implicitement croire que Barnes avait consenti le prêt de ce tableau essentiel. Barnes explosa de rage, menaça de saisir les tribunaux et trempa une fois de plus sa plume dans son flacon de vitriol. Mais il ne se limita pas à des représailles écrites. Apprenant qu'une conférence devait être donnée par un professeur de Penn, sur l'œuvre du peintre, il fit pression sur l'université pour que l'orateur se décommande. Il obtint satisfaction car Penn, à cette époque, ne désespérait pas de bénéficier d'une confirmation des statuts de la Fondation en sa faveur et obtenir, après la mort de Barnes, le contrôle de la collection, d'autant que le docteur, à ce moment précis, hésitait encore.

La conférence fut donc annulée au dernier moment et Fiske Kimball dut remplacer l'orateur au pied levé. Ce n'était pas un spécialiste de Matisse et Barnes le savait. Il vint à la conférence, avec une dizaine de ses étudiants et Abraham Chanin, qui avait suivi les cours de la Fondation et qui travaillait alors au Musée d'art moderne de New York. Barnes interrompit brutalement Kimball. Chanin montra publiquement l'incompétence du conférencier en multipliant les questions perfides. Kimball dut quitter la pièce et Chanin prit sa place et délivra au public un brillant exposé.

Ce nouvel affront public mettait un terme définitif aux relations entre les deux institutions, ce qui n'empêcha pas Barnes de revenir, à plusieurs reprises, visiter l'exposition pour laquelle il avait refusé de prêter ses tableaux, et d'adresser des courriers extravagants à Henry Clifford, l'organisateur de l'exposition Matisse, qui toute agressivité et grossièreté mises à part, auraient pu relever de l'imagination surréaliste de Salvador Dali ou du Max Jacob des années vingt.

Le Philadelphia Museum of Art, nouvellement baptisé, perdait ainsi toutes chances de recevoir la fabuleuse collection, comme il avait été incapable de convaincre Jo Widener de lui confier les Rembrandt, les Vermeer et les Raphaël de son père, et comme, quarante ans plus tard, il échouerait dans la quête de la somptueuse collection Annenberg, autre célébrité de Philadelphie, qui choisira le Metropolitan Museum de New York.

Pourtant le musée allait connaître une revanche éclatante peu après avec la donation Walter et Louise

Arensberg qui comprenait un millier de pièces, principalement consacrée à l'art contemporain, celui de l'*Armory Show* et du cubisme, à Marcel Duchamp et à Brancusi. Ce couple d'héritiers de deux grandes fortunes de l'acier avait d'abord choisi l'université de Californie à Los Angeles, où ils étaient retirés, mais l'établissement n'avait pas été en mesure de satisfaire aux exigences du donateur : présenter pendant vingt-cinq ans la collection dans son intégralité. Érudit, spécialiste de Bacon, auteur de nombreux essais sur sa célèbre controverse avec Shakespeare, Walter Arensberg a plus marqué sa collection de sa propre expérience littéraire, un peu comme le fut celle de Jacques Doucet, que de la passion intense qui guida Albert Barnes. La collection Arensberg est néanmoins irremplaçable pour comprendre le formidable brassage d'idées auquel le cubisme puis le surréalime donnèrent lieu.

Philadelphie devait aussi recueillir les collections plus classiques de ses supporters habituels, donc des adversaires résolus du docteur, Mac Ilhenny et Carroll Tyson, ce qui en fait aujourd'hui, quoi qu'en pensât Barnes, un des plus importants musées au monde de peinture française de la fin du XIXe siècle et du début du XXe siècle. S'il avait eu en plus la collection Barnes, alors...

Le docteur de Merion en vieillissant ne perdait nullement le goût du combat. D'ailleurs, confiait-il à ses proches, cela le maintenait mentalement en forme !

Une nouvelle occasion se profilait à l'horizon. Après ses démêlés avec l'université britannique, Bertrand Russell s'était réfugié en Amérique. La guerre faisait rage sur le continent et sa fortune y était bloquée. Il devait donc à tout prix enseigner pour vivre et avait été recruté au début de 1940 par le City College de New York, qui était alors réputé pour son ouverture d'esprit. Pour offrir une chaire

à Russell, il en fallait ! Sa vie privée était alors relativement tumultueuse et ses prises de position publiques en
faveur de l'adultère et de la masturbation ne lui avaient
pas attiré que des éloges. Il avait épousé en troisièmes
noces une jeune femme rousse, Patricia, qui était son
assistante. Elle avait vingt-cinq ans de moins que lui et
était infiniment plus belle que Violette de Mazia !

La nomination de Russell déclencha, comme on pouvait
s'y attendre, de furieuses polémiques. L'évêque anglican
William T. Manning, réfugié à New York, prit la tête de la
croisade anti-Russell au nom de la morale publique.
L'intelligentsia, Huxley, Einstein, Thomas Mann, prit sa
défense et l'affaire alla jusqu'à la Cour suprême de l'État
qui, le 30 mars 1940, déclara que la nomination de Russell
était une insulte à la population de New York et cassa la
décision du conseil de l'enseignement. Russell était révo-
qué, ses conférences à travers les États-Unis annulées. Sa
situation, dans le climat de chasse aux sorcières qui
prévalait à la veille de l'entrée en guerre des États-Unis,
en faisait un personnage sulfureux. Barnes ne pouvait
laisser passer l'occasion de se mêler à cette formidable
polémique et offrit à Russell un contrat de cinq ans pour
enseigner à la Fondation l'histoire de la pensée et de la
philosophie depuis la civilisation grecque.

Dans ses mémoires, Russell témoignera de sa reconnaissance à Barnes qui fut le seul à faire quelque chose de
concret pour l'aider durant cette période où il était
pratiquement dépourvu de tout moyen de subsistance
matérielle. Barnes fit même les choses très bien : il lui
offrit un contrat sur la base de 6 000 dollars par an, qu'il
porta en 1941 à 8 000 dollars, alors que par exemple, en
1925, il payait Laurence Buermeyer, pour des prestations
analogues, 150 dollars par mois. Même si le prestige des

deux conférenciers était sans commune mesure, le budget de la Fondation n'était pas extensible. Pressentant le tempérament envahissant et rapidement dictatorial de son nouveau bienfaiteur, Russell éprouva néanmoins dès le début le besoin de garder ses distances. Il passait ses vacances au lac Tahoe, dans la partie nord de la Californie. Barnes vint le rejoindre en avion pour discuter avec lui les termes de son engagement au mois d'août. Il lui procura une vaste maison dans la campagne et son recrutement fut rendu public au mois d'octobre. La Fondation fut submergée par les demandes d'inscription — c'était la première fois — et Bertrand Russell put commencer ses cours le 2 janvier 1941.

Les rapports entre les deux hommes restèrent un moment relativement cordiaux, bien que Barnes soit frustré par l'impossibilité, du fait de Russell, d'établir la moindre complicité intellectuelle, comme celle qu'il avait réussi à entretenir par exemple avec John Dewey. Les choses allaient pourtant rapidement se gâter à cause de « Lady Russell ». Le philosophe avait été anobli par le roi bien avant la guerre, et sa jeune femme n'y était pas insensible. Surtout elle n'avait pas, vis-à-vis de Barnes, l'admiration inconditionnelle, la révérence, voire la dévotion à laquelle celui-ci était habitué de la part des femmes qui appartenaient à son entourage. Au contraire, Lady Russell adoptait cette attitude vis-à-vis de son mari, ce qui était logique. Barnes, pourtant âgé de près de soixante-dix ans à l'époque, en prit ombrage. Il faut dire qu'elle le provoquait, arrivant en retard aux cours de son mari, auxquels elle avait pris l'habitude d'assister sans avoir demandé l'autorisation. Elle fut même surprise en train de faire son tricot en pleine classe.

Au bout d'un an et après plusieurs mises en garde, le

conseil d'administration de la Fondation interdit à Patricia Russell l'accès de Merion. Elle devait se contenter, une fois par semaine, le jeudi, de déposer en voiture son mari, qui ne conduisait pas, à la porte, et venir le chercher une fois le cours terminé. Les relations entre Barnes et Russell se détériorèrent, le philosophe, qui avait un bon contrat, prenant la défense de sa femme et cessant, en dehors de ses strictes obligations, de fréquenter Merion. Barnes avait pourtant dès le début accepté d'augmenter de 6 000 à 8 000 dollars ses appointements. Mais il était exaspéré par l'absence totale de prise qu'il avait sur Russell. A la Fondation, il était habitué à être le maître absolu. L'indépendance, à laquelle Russell était attaché et qui avait marqué toute sa carrière universitaire, était devenue progressivement intolérable à Barnes qui estimait qu'il avait des droits sur lui puisqu'il l'avait sorti d'une situation difficile et qu'il l'avait recueilli dans sa propre institution. Cette vision des choses était, à l'évidence, aux antipodes de la perception qu'avait Russell, soutenu par sa femme, de son indépendance, du caractère inaliénable, même par un contrat, de sa liberté de pensée et de comportement.

Barnes prit pour prétexte de leur rupture un projet de conférence que Russell devait faire à Temple University — une autre institution de Philadelphie qu'il abhorrait au point d'avoir écrit dans les statuts qu'aucun administrateur de la Fondation ne pourrait y avoir exercé de fonction — pour mettre un terme, sans préavis, au contrat qui les liait, le 28 décembre 1942. Le philosophe l'attaqua pour rupture abusive de contrat et gagna en première instance comme en appel. La Cour suprême refusa même d'instruire l'affaire. La Fondation fut condamnée à verser 20 000 dollars, soit les trois ans de salaire qui restaient à courir, moins la rémunération que Russell avait perçue de ses conférences extérieures.

Barnes publia, suivant son habitude, un pamphlet, pour justifier la révocation de Russell mais celui-ci n'eut aucun écho. Dans ses mémoires pourtant, Russell reconnut que son *Histoire de la philosophie occidentale*, qu'il avait publiée entre-temps et qui avait reçu un large succès, était basée sur les cours faits à la Fondation. Mais, ajoutait-il, les deux vieillards étant décidément incorrigibles, il rendait hommage à son épouse Patricia pour toute l'aide qu'elle lui avait apportée...

Barnes avait toujours eu des relations paradoxales avec la presse. Elle lui était indispensable dans ses combats, et grâce à elle il était devenu un personnage hautement médiatique avant l'heure, et sans que cela soit à son avantage. Il avait souvent informé les journaux, qui s'étaient fait un plaisir de traiter l'information à la une, de ses acquisitions ou de l'activité de la Fondation. Et il n'avait jamais hésité à adresser à la presse de longues lettres ou des missives incendiaires pour exposer son point de vue ou pour attaquer un adversaire. Il donnait souvent à la radio des interviews ou des conférences, comme lorsque Vollard était venu lui rendre visite. Mais s'il admettait fort bien et si même il recherchait la publicité en une circonstance choisie par lui seul, il n'avait jamais accepté de s'expliquer globalement sur la Fondation, sur sa politique d'admission et l'enseignement qui y était dispensé, et sur son attitude générale.

Au début de 1942, finalement, il accepta qu'un jeune journaliste indépendant, Carl Mac Cardle, vienne à la Fondation, prenne des photos, consulte les archives. Et il lui accorda une longue interview. Barnes avait mis comme condition qu'il ait le droit de relire la série d'articles et le journaliste, qui flairait le scoop, avait accepté. Le collectionneur croyait que les deux ou trois bons « papiers » qu'avait publiés auparavant son interlocuteur à son sujet constituaient une garantie de bonne foi et une assurance que le texte traduirait fidèlement l'image qu'il voulait que l'on donne de lui et de la Fondation. Tragique illusion ! Le journaliste entre-temps avait vendu son histoire à un hebdomadaire à grand tirage, le *Saturday Evening Post,* qui était infiniment plus intéressé par les anecdotes croustillantes ou sensationnelles qui avaient émaillé la carrière de Barnes, que par ses considérations sur les mérites respectifs de Renoir et de Cézanne ou les principes éducatifs de James et de Dewey revus par ses soins. Il reçut la veille de la parution les épreuves de la longue série d'articles que le journal s'apprêtait à publier et il explosa de rage. Dans le cours du texte, il se trouvait comparé à un héros de bandes dessinées, Peck's Bad Boy, à la réputation peu flatteuse et à Donald Duck sous le titre : « Le caractère épouvantable du docteur Barnes », avec un florilège de lettres incendiaires, pas toujours authentiques, de scènes de colère rapportées par des témoins malveillants ou d'anecdotes qui le faisaient paraître en réalité plus ridicule que désagréable, ce qui n'était pas peu dire. Même si l'auteur rendait hommage à son goût et au caractère exceptionnel de la collection, le résultat était exactement le contraire de ce qu'en attendait Barnes.

Il fit des pieds et des mains pour empêcher la publication de ces articles, menaçant le directeur du journal d'un procès en diffamation, en vain, bien au contraire. Pis, Barnes contribua lui-même au retentissement de la série d'articles. Il fit acheter à Merion et alentour tous les exemplaires du journal qu'il trouvait, tout en les rendant au marchand de journaux stupéfait amputés du supplément qui lui était consacré et auquel il avait rajouté un de ses habituels pamphlets pour rectifier l'article et raconter sa version des faits. Il était allé jusqu'à décoller lui-même les affiches qui annonçaient la parution de l'enquête et avait finalement donné à l'incident une telle répercussion que le journal s'arracha littéralement et que les concurrents se firent un plaisir, encore à la une, de relater l'étrange comportement d'un homme de soixante-dix ans qui parcourait la ville pour lacérer les affiches du *Post*.

La semaine suivante, pendant sa tournée des drugstores de Main Line, il tomba sur un inspecteur des ventes du journal, et ils faillirent en venir aux mains. Il faut dire que les placards affichés dans toute la ville le traitait de « Dr Pepperpot », littéralement le « poivrier ». Ses amis essayèrent de le calmer, en lui expliquant qu'en pareille circonstance le silence est la meilleure réponse. Rien n'y fit et il continua à démentir, à ferrailler, validant par ses réactions le portrait peu flatteur qui était tracé de lui.

Même s'il trouva du réconfort dans la fidélité de ses amis, qui étaient beaucoup plus nombreux qu'on ne l'a dit, et s'il sut durant les dix dernières années de sa vie faire preuve d'une grande générosité, vis-à-vis de Léo Stein, par exemple, alors dans le besoin, ou d'artistes et de musiciens qu'il voulait encourager, et qui lui furent reconnaissants, ce dernier épisode lui colla définitivement l'étiquette d'un type insupportable, démoniaque qu'il n'a pas perdue aujourd'hui comme en témoigne le titre de la dernière biographie qui lui a été consacrée, *Le Diable et le docteur Barnes*. Systématiquement et pendant près de trois cents pages, l'auteur donne de lui une opinion largement négative, à partir d'anecdotes ou de témoignages de ceux qui ont dû supporter ses réels excès, qu'il contribuait lui-même à faire connaître en leur donnant une publicité qui ne pouvait manquer de lui nuire, et cela, sciemment.

En dehors de ces polémiques, la fin de sa vie allait être principalement marquée par ses préoccupations relatives à l'avenir de sa Fondation. Sur le plan artistique, il avait gagné et il le savait. Chaque année qui passait apportait une consécration supplémentaire à Renoir, à Cézanne et aux peintres de l'École de Paris qu'il avait été le premier à avoir introduits en Amérique. Picasso et Matisse étaient maintenant considérés comme les deux plus importants artistes vivants. Les musées se disputaient leurs œuvres dont la valeur marchande s'envolait. Il avait donc eu raison, sinon contre tous, du moins contre tous ses ennemis, contre Philadelphie et Main Line, contre les critiques, contre surtout cette bourgeoisie patricienne qui persistait, et qui persiste encore, à l'ignorer. Seulement il se trouvait ramené à son point de départ : que faire de la collection, qui commençait à être l'objet des sollicitudes les plus pressantes. Si, comme en 1926, lors de l'affaire du lotissement, il avait proposé d'en confier la gestion au Metropolitan Museum, cette fois, il était certain qu'il l'aurait accepté. Les temps avaient bien changé.

Barnes procéda par élimination. L'Académie des beaux-arts et le Philadelphia Museum of Art, c'était exclu, comme les universités privées qui n'étaient que des instruments au service de l'establishment pour sa propre reproduction et non des établissements d'enseignement démocratique, au sens où William James l'entendait. Il n'était donc pas non plus question de revenir sur la clause des statuts qui excluait Temple University, Haverford ou le collège chic de Bryn Mawr, situé pourtant à quelques miles à peine de Merion.

Restait toujours Penn, son alma mater, ou une institution complètement extérieure au contexte social de Philadelphie. Après tant d'occasions manquées, Barnes essaya la première solution. Laura Barnes y était favorable. L'Arboretum, qui n'avait cessé de se développer, s'était enrichi d'une école d'horticulture. Elle avait su établir avec de nombreux établissements analogues d'excellentes relations et des programmes d'échanges fructueux. En particulier John Fogg, vice-chancelier de l'université et professeur de botanique, coopérait avec la Fondation depuis longtemps et était devenu un ami des Barnes. Il en était de même d'Horace Stein, avocat et proche de toujours d'Albert Barnes, qui avait été nommé membre du conseil d'administration de l'université.

Après les avoir consultés, Barnes proposa de financer une chaire de philosophie, dont il choisirait le titulaire et qui enseignerait au nom de Penn à Merion. Cette fois, le terrain avait été bien préparé et l'université accepta. Barnes se mit en quête de trouver l'homme qui allait avoir la responsabilité écrasante de matérialiser cette alliance, tant de fois souhaitée et tant de fois rompue avant même d'avoir produit de résultat. Après avis de John Dewey, comme toujours, Barnes fixa son choix sur la personne d'un jeune diplômé de Harvard, Roderick Chisholm, au printemps 1946. Et le scénario habituel se reproduisit une fois de plus. Après une lune de miel, en tout point analogue au début de ses relations avec Bertrand Russell, invitations, installation dans une belle maison à la campagne près de Merion, longues conversations sur la peinture au milieu des tableaux de la Fondation, tout dégénéra très vite quand Barnes prit connaissance du contenu des cours que Chisholm s'apprêtait, pour la rentrée d'octobre, à prononcer.

L'arrivée d'un jeune et brillant enseignant, appelé à jouer un rôle essentiel si plus tard Penn prenait effectivement le contrôle de la Fondation, n'était certainement pas davantage du goût des fidèles du docteur et de Violette de Mazia en particulier qui n'a rien dû faire pour faciliter son intégration. Mais Barnes lui-même très vite déchanta. Chisholm — et pour cause — n'était pas dans la ligne de pensée de Merion. Il n'axait pas son enseignement sur l'appréciation « objective, rationnelle » de l'art. Bref, il n'était pas « barnésien ». D'ailleurs comment aurait-il pu l'être, malgré toute sa bonne volonté ? Il venait de Harvard et n'avait jusqu'alors que consciencieusement restitué les principes de l'enseignement qu'il avait reçu. Barnes appela à la rescousse Laurence Buermeyer, qui était alors à la retraite et qui avait été dès 1924 l'un de ses premiers professeurs, et fit chapeauter Chisholm par Violette de Mazia afin d'être bien sûr de l'orthodoxie de ses cours. Soumis à de telles pressions, Chisholm ne tint pas deux mois et Barnes obtint sa démission.

En 1948, Harold Stassen, un politicien républicain qui avait échoué à la candidature pour les élections présidentielles, était élu à la tête du conseil d'administration de Penn. L'année suivante, Horace Stein et John Fogg, qui n'avait toujours pas perdu espoir d'obtenir enfin de Barnes des dispositions définitives en faveur de l'université, organisèrent une rencontre entre les deux hommes. Il était difficile d'imaginer deux personnages et surtout deux motivations plus différentes.

Stassen ne considérait ses fonctions que comme une étape dans sa carrière politique. Il ne s'était jamais impliqué personnellement dans des activités d'enseignement ; c'était un républicain typique, dissertant sur la place de l'Amérique dans le monde, mais s'offusquant — concession au milieu universitaire ou fausse habileté à l'égard du collectionneur ? — auprès de Barnes de ce que le département d'État ait refusé son visa à Picasso. Barnes, au contraire, était totalement et personnellement impliqué dans son affaire. Il s'agissait de son œuvre, de sa chair. La Fondation c'était lui. Rien que l'idée de donner le contrôle de Merion à un homme comme Stassen devait le révulser.

Le résultat fut donc à l'exact opposé de ce qu'en attendaient les promoteurs : Barnes, le lendemain de sa rencontre avec Stassen, l'informa que les ressources de la Fondation ne seraient jamais à la disposition de Penn. Mais il ne modifia pas les statuts qui contenaient toujours la volonté initiale de permettre à l'université de nommer deux administrateurs après sa mort et celle de son épouse, ce qui à terme aboutirait de facto à contrôler la gestion, sinon à disposer des richesses. La question restait donc entière. Barnes, âgé de près de quatre-vingts ans, consulta alors Dewey, qui en avait plus de quatre-vingt-dix et qui était toujours l'homme en qui il avait le plus confiance. Celui-ci le conforta dans l'idée de choisir une institution universitaire hors de l'establishment et lui recommanda Sarah Lawrence College, à Bronxville dans l'État de New York. Le directeur, Harold Taylor, était un jeune professeur dynamique qui avait été élève de Dewey.

Barnes le convoqua à Merion pour le désormais traditionnel examen de passage. Sincèrement ou non — personne ne le saura jamais —, il lui proposa de venir une fois par semaine suivre les cours de Violette de Mazia pour s'initier à sa pensée et acquérir la qualification requise pour diriger ultérieurement l'établissement. L'intéressé déclina cette offre. Aucune suite ne fut donc donnée à ce projet. Le champ des solutions possibles se restreignait de jour en jour. Une nouvelle fois Barnes était aux prises avec une contradiction insoluble.

D'un côté, il voulait assurer la pérennité de son œuvre, trouver un cadre où sa pensée, ses méthodes d'enseignement lui survivraient. Il n'était d'ailleurs pas le seul à s'en préoccuper. Violette de Mazia songeait également à son avenir, comme les sœurs Mullen qui n'avaient jamais connu d'autre patron, d'autre travail que sous l'autorité pesante du collectionneur. De l'autre, il voulait être certain que l'institution qui reprendrait la Fondation fût qualifiée pour le faire, c'est-à-dire remplissait les critères de pensée et était en mesure de prendre toutes dispositions pour respecter ses exigences.

Par définition, aucune autre institution que la Fondation n'était barnésienne et aucune institution universitaire ne se plierait à une telle exigence sur le contenu même d'un enseignement. Si brillantes et disciplinées fussent-elles, les nouvelles recrues que Barnes avait accueillies à Merion avaient toutes été limogées au bout de quelques semaines. La Fondation étant unique, vouloir qu'une institution universitaire s'engage, si elle en devenait le réceptacle, à contrôler l'enseignement dispensé tandis qu'elle le cautionnerait était a priori inacceptable et c'est cette contradiction qui avait ruiné notamment toutes les tentatives de rapprochement avec Penn. Barnes avait compris que, contrôlée par celle-ci, la Fondation ne serait plus tout à fait et même à terme plus du tout la Fondation. Elle serait différente. Et comme il était impossible d'exiger que l'université devienne barnésienne, on tournait en rond.

Or une décision s'imposait, car les statuts, à l'été 1950, contenaient toujours les dispositions initiales favorables à Penn. Et pourtant Merion était entouré de collèges ou d'universités comme Bryn Mawr, Haverford ou même Temple, de l'autre côté de la rivière, qui se seraient très bien vus à la tête de la fabuleuse collection. Le choix final sera pourtant tout autre : Lincoln University. En réalité, il semble que depuis longtemps Barnes avait en tête cet établissement de taille modeste, situé dans le comté de Chester, à une trentaine de miles de Merion, qui recrutait essentiellement des étudiants noirs. Mais, comme pour toutes les autres éventualités, il hésitait, sachant pertinemment qu'il se heurterait là aux mêmes obstacles. Il devait mettre en balance son engagement de tout temps en faveur de l'amélioration de l'éducation des Noirs, et ses exigences, qui en étant excessives risquaient d'aboutir à la longue au résultat inverse de ce qu'il cherchait.

Barnes avait fait la connaissance du président de Lincoln, Horace Mann Bond, en 1946 aux obsèques de Nathan Mossell qui fut le premier Noir diplômé de l'école de médecine de Penn, celle d'où sortait Barnes. Bond était lui-même le premier président noir de Lincoln. Les deux hommes devinrent amis. Bond obtint souvent de généreuses contributions. Interviewée par Lucinda Fleeson pour l'*Enquirer,* la veuve d'Horace Bond, Julia, se souvenait encore en 1989 des rapports à la fois chaleureux et difficiles entre les deux hommes : « Mon mari avait l'impression de marcher sur un champ de mines, tant les relations avec Barnes, surtout à la fin de sa vie, pouvaient du jour au lendemain, et pour un détail sans importance, prendre un tour dramatique. » Pourtant, pendant deux ans, un programme de travail put être mis sur pied et fonctionner à peu près sans drame, ce qui est exceptionnel puisque tous les autres projets avaient échoué au bout de quelques mois. Le doyen de Lincoln, Joseph Hill, joua également un rôle essentiel dans l'affaire. En 1949, il s'inscrivit pour suivre les cours de la Fondation. En 1950, à l'automne, Barnes recrutait deux professeurs de Lincoln, Wixon et Moses, pour assister Joseph Hill désormais chargé d'un cours.

Il est clair que le rapprochement qui commençait à se dessiner n'était pas du goût de tout le monde à Merion, et en particulier inquiétait fort Violette de Mazia. Son hostilité à ces nouveaux enseignants était si manifeste que Barnes devait lui notifier par écrit des reproches sans équivoque sur son attitude et son refus d'être présente lorsque les professeurs enseignaient. En octobre, Barnes demanda à Horace Bond de venir le voir à Merion. Il lui montra les statuts de la Fondation qu'il venait de modifier, confiant à Lincoln le droit de choisir les administrateurs après sa mort et celle de sa femme et barrant définitivement Penn, les autres principaux collèges de la ville, comme bien entendu l'Académie des beaux-arts et le Philadelphia Museum of Art. Aucun de leurs membres ne pourrait être jamais nommé administrateur de sa Fondation. Julia Bond confia en 1989 que Lincoln était pour Barnes la dernière solution. Il n'avait pas le choix. C'est à la fois vrai et faux.

Depuis 1912, et même peut-être avant, il avait eu l'intention de tout léguer à Penn, même s'il ne laissait jamais passer une occasion de se plaindre de l'université et de dire à qui voulait l'entendre qu'il allait changer son testament — avant 1923 — ou les statuts de la Fondation après. Il n'en avait pourtant rien fait trente ans plus tard. Il n'avait cessé de rechercher une solution pour renforcer ses liens, depuis l'affaire du terrain en 1926 jusqu'à la dernière tentative avortée avec Stassen en 1950. Et pourtant il ne s'était toujours pas résigné à « déshériter » Penn. S'il a pris sur lui finalement de le faire, c'est parce qu'il a trouvé une solution meilleure. Il aurait très bien pu laisser les choses en l'état. Sa femme l'y poussait probablement. Violette de Mazia, elle, était farouchement hostile à Lincoln. D'ailleurs peu après la mort de Barnes, le 18 septembre 1952, elle écrit à Joseph Hill pour l'informer qu'elle remplace les professeurs qui avaient été délégués par des anciens étudiants de la Fondation sur laquelle elle exerçait un contrôle total, Barton Church et Harry Smith.

Il ne faut pas croire non plus que Barnes, du jour où il prit sa décision, changea d'attitude. Non. Il resta fidèle à lui-même, commençant à vouloir se mêler de la vie de Lincoln, comme il l'avait fait en d'autres circonstances. En réalité, ce n'était pas dans son esprit Lincoln qui prendrait un jour le contrôle de la Fondation, mais lui, Barnes, qui du jour où il avait changé ses statuts, prenait le contrôle de Lincoln !

Avec fermeté et humour, Horace Bond ne se laissa pas faire et il sut éconduire l'envahissant donateur. Au fond, l'adhésion à la cause noire, que Lincoln servait efficacement, devait, à la fin de sa vie, conforter son choix. Il menaça, semble-t-il, de la remettre en cause, un jour de colère, parce qu'Horace Bond lui avait décommandé un peu cavalièrement un déjeuner. Mais Barnes n'aurait plus été Barnes sans de telles volte-face. Quelques jours plus tard d'ailleurs les deux hommes étaient réconciliés et déjeunaient — frugalement — à Merion. Cela devait être leur dernière rencontre. Le dimanche suivant, en rentrant de sa maison de campagne, Ker Feal, Barnes percutait un semi-remorque et se tuait. Une aventure formidable s'achevait. Une autre allait commencer, celle de la plus fabuleuse collection de peintures rassemblée au XXᵉ siècle.

CHAPITRE 13

La plus belle collection du monde

Pendant les dix dernières années de sa vie, Albert Barnes s'était infiniment plus préoccupé du devenir de l'institution éducative qu'il avait créée que du sort de sa collection. La seule acquisition importante avait été, en 1942, le grand Renoir, *Les Pêcheurs de moules à Berneval*. Les relations avec l'Europe étaient coupées jusqu'en 1945, mais aux États-Unis mêmes et en France, au lendemain de la guerre, les occasions ne manquaient pas et ses moyens restaient abondants. Les prix avaient chuté comme le cours des devises. Pourtant, il s'est arrêté d'acheter parce qu'il a considéré cette partie de son œuvre comme achevée. Ce qui ne veut pas dire que le vice de la collection l'ait abandonné. Depuis 1936, il s'intéressait à un sujet nouveau, les serrures anciennes, les ferrures, les outils et le mobilier d'époque américain pour meubler Ker Feal. En septembre de cette année-là, il avait écrit à Georges Durand-Ruel pour qu'il retourne dans une boutique de la rue des Saints-Pères lui acheter une douzaine de ces modèles anciens. Il avait pris l'habitude de les accrocher aux murs des salles d'exposition autour des tableaux. Entre ces formes minces, allongées, parfois ornées de têtes d'oiseaux ou d'animaux aux reflets métalliques, et le chatoiement des couleurs des peintures s'instaurait un contraste qui était matière à de nouvelles méditations esthétiques.

Mais globalement la passion du collectionneur semblait s'émousser. Il avait également dit tout ce qu'il avait à dire dans sa trilogie Matisse, Renoir, Cézanne. Restait son seul mais lancinant motif d'insatisfaction, son œuvre éducative, et il avait conclu, après bien des hésitations, on vient de le voir, mais irrévocablement en faveur de Lincoln au détriment de Penn.

Après sa mort, la réalité allait être différente. Il n'avait en fait légué Merion ni à Penn, ni à Lincoln, mais à Violette de Mazia et dans une moindre mesure à Laura Barnes, sa veuve, qui se cantonnerait, comme par le passé, dans ses travaux d'horticulture. Les deux femmes firent passer leurs querelles personnelles après leur intérêt commun, qui était de maintenir la Fondation en l'état, conformément certes aux volontés du donateur, mais à leur intérêt bien compris. Violette de Mazia comme directeur des études et membre du conseil d'administration avait aussi conquis la réalité du pouvoir qu'elle gardera jusqu'à sa mort en 1988.

Elle cessa toutes relations avec Lincoln et recruta elle-même le corps enseignant, devenant ainsi l'incarnation des volontés du donateur. Elle n'aurait pas eu la tâche aussi facile pour imposer son emprise si la Fondation avait été livrée à elle-même. Des dissensions seraient inévitablement apparues, des clans se seraient formés et tôt ou tard l'État de Pennsylvanie, sous le contrôle du juge, y aurait mis bon ordre.

Seulement quelques jours après la mort du collectionneur, l'*Enquirer* lançait une campagne de presse pour faire casser les conditions du testament d'Albert Barnes et faire ouvrir la Fondation au public, comme n'importe quel musée. Les motivations de Walter Annenberg étaient-elles totalement désintéressées? Lui-même était un ancien élève de Penn, et le fait de « déshériter » la célèbre université et interdire à ses dirigeants de postuler au conseil d'administration avait dû l'ulcérer. A ce moment-là d'ailleurs, son journal n'avait pas très bonne réputation. On disait même à Philadelphie qu'il s'en servait pour régler des comptes personnels. Il était politiquement très engagé à droite, soutenant la commission McCarthy qui prétendait juger les citoyens soupçonnés de se livrer à des activités anti-américaines. C'était l'époque de la guerre froide, du conflit coréen. Annenberg, indépendamment de son intérêt sincère et indiscutable pour l'art, n'était peut-être pas non plus mécontent de prendre sa revanche sur un homme qui avait été toute sa vie un militant de la cause de l'intégration raciale et un des plus chauds soutiens du parti démocrate.

Deux jours après la mort du collectionneur, l'*Enquirer* publiait un éditorial rappelant la liste des trésors enfermés dans la « prison de Merion » et se demandait si le public serait enfin admis dans cette institution exonérée d'impôts. L'argument était connu : puisque le musée ne payait pas d'impôts, il devait être ouvert au public. Seulement cela avait été, pensait Barnes, réglé dès le début avec le concours de prestigieux juristes : il était exonéré d'impôts parce que c'était une institution à but éducatif, et non une collection de peintures. Semaine après semaine, l'*Enquirer* enfourchait son cheval de bataille, sans émouvoir le moins du monde la Fondation, ni susciter, il faut le reconnaître, le moindre intérêt dans l'opinion. C'était, comme du temps de Barnes, une querelle de milliardaires. L'Amérique avait d'autres sujets de préoccupation et les habitants de Philadelphie, c'est-à-dire les enfants de ceux qui avaient conspué l'exposition de 1923, n'avaient pas fondamentalement changé d'opinion. Ils vivaient fort bien sans Cézanne ni Renoir, pour ne rien dire de Soutine ou de Prendergast. Seul Matisse commençait à être réellement populaire. L'*Enquirer*, ne rencontrant qu'assez peu d'échos, à la Fondation, on s'en serait douté, mais aussi dans l'opinion, changea de tactique.

Le 16 février 1952, un éditorialiste, Harold J. Wiegand, en tant que contribuable du comté de Montgomery, où était situé Merion, assigna la Fondation devant la cour pour qu'elle adopte des règles d'admission raisonnables en faveur du public et des étudiants. Les membres du conseil d'administration étaient obligés de répondre.

L'argumentaire du journal — toute la rédaction était mobilisée — était bien charpenté :

— les dirigeants de la Fondation refusent l'accès aux artistes renommés, aux connaisseurs, aux collectionneurs et aux étudiants sans cause ni autre justification que les lubies de Barnes ou du conseil d'administration ;

— au lieu d'être une institution éducative prétendument ouverte à tous, sans distinction de race et de couleur de peau, les dirigeants ont privé de nombreux étudiants et artistes de la possibilité de voir et d'étudier la collection ;

— quant aux activités éducatives, elles ont échoué. Les grandes universités ne reconnaissent pas les diplômes délivrés par la Fondation.

Les avocats de la Fondation se réfugiaient dans des arguments strictement juridiques : la cour ne pouvait être compétente que s'il était établi que les administrateurs s'étaient rendus coupables de mauvaise foi dans la politique d'admission, ce qui n'était pas le cas. Les tribunaux donnèrent raison au conseil d'administration et déclarèrent en outre que le plaignant n'était pas qualifié pour porter plainte.

La campagne de l'*Enquirer* continua et Walter Annenberg ne se découragea pas. Il fit jouer ses relations pour que l'État de Pennsylvanie entame une action judiciaire en faveur de l'ouverture de la Fondation mais les tribunaux donnèrent à nouveau raison au conseil d'administration. Le verrouillage juridique mis en place en 1922 tenait donc toujours. Merion étant une institution éducative, quelle que soit l'importance de la collection, il n'était nullement question de lier son régime fiscal à l'accessibilité des œuvres au public.

Seulement l'activisme de l'*Enquirer* aboutit vraisemblablement au résultat inverse de celui recherché : il transforma la Fondation en une forteresse assiégée. Les querelles potentielles se turent. Violette de Mazia, qui avait victorieusement mené le combat contre l'assaillant, acquit une formidable légitimité. Elle avait à l'époque cinquante ans environ, Laura Barnes plus de soixante-quinze. Il était facile de prévoir qui serait le vrai vainqueur dans l'affaire, où allait désormais se situer la réalité du pouvoir. Même si, en 1960, et on y reviendra, la collection sera entrouverte — et cette victoire sera vécue par l'équipe de l'*Enquirer* comme leur succès —, rien n'allait changer véritablement pendant près de quarante ans, soit entre la mort d'Albert Barnes et celle de Violette de Mazia, ce qui découlait logiquement de l'instauration, à Merion, d'un véritable maire du palais. Mais cela contribuait à accentuer, le temps passant, la frustration à l'égard d'une collection devenant chaque jour de plus en plus essentielle pour la connaissance de l'art moderne et demeurée immuablement inaccessible.

Fut alors instruit, par les artistes comme par les

amateurs et les critiques, le procès en confiscation contre le défunt docteur Barnes. Pour les artistes, l'opinion de Barnett Newman, recueillie par Pierre Schneider dans *Les Dialogues du Louvre,* est très révélatrice : c'est le déni de l'accès aux sources de l'art contemporain. Il n'est pas concentré sur la collection Barnes. Entre les deux guerres, le seul endroit largement ouvert au public, donc aux artistes, montrant la peinture française de Manet à Matisse, ce sont les musées russes. Et quand on s'avise d'organiser une exposition, disons jusqu'en 1930, c'est l'émeute ! A Paris, les salles du Luxembourg où est présenté le legs Caillebotte sont assimilées à un lieu de perdition. L'Allemagne s'installe peu à peu sous la botte nazie. Seules quelques individualités comme Kramar, le courageux directeur de la Galerie nationale de Prague, exposent Picasso par exemple.

Barnes a été vilipendé, comme tous ceux qui ont essayé de faire connaître la nouvelle esthétique du xxe siècle. Il n'est pas franchement surprenant, compte tenu de son caractère, lequel est aussi d'une certaine façon la résultante des critiques brutales qu'il a subies, que le collectionneur qui n'avait nulle obligation de recevoir chez lui qui que ce soit, faut-il le rappeler, n'ait fait preuve d'aucune ouverture d'esprit sur ce point. Barnett Newman avait été invité, poursuit Pierre Schneider, à suivre à la Fondation les conférences du critique Roger Fry, l'un des premiers militants de l'impressionnisme. Cela n'avait donc rien de déshonorant. Il refusa.

La deuxième série de critiques est venue d'hommes comme Kenneth Clarke, Meyer Schapiro et surtout John Rewald qui, experts réputés, estimaient qu'ils avaient un droit acquis sur la collection au nom du respect — ou de l'amour — que l'on devait à Cézanne et Renoir entre autres. C'est le procès en confiscation — au nom d'une captation de l'héritage des artistes elle-même d'ailleurs fort contestable puisque souvent l'intérêt des experts est au moins autant scientifique que commercial, souvenons-nous par exemple de Berenson.

Cette accusation est formulée de la façon la plus excessive par Rewald : « Si Barnes avait eu la plus petite compréhension ou admiration pour Cézanne, il aurait voulu partager ces tableaux avec les autres. » C'est Rewald qui n'a rien compris à Barnes. Il s'était, au fil du temps, identifié lui-même à Cézanne, au Cézanne isolé, combattu, vilipendé par l'establishment culturel français et, dans une certaine mesure, international. Le mausolée de Merion n'était pas à la gloire de Barnes, mais de Cézanne. Une large part de cette attitude était certaine-ment dictée par le souci que ne se renouvelle plus les attaques indignes dont le peintre avait été l'objet, dont il avait souvent souffert mais qui ne l'avaient pas détourné de son œuvre, tant la certitude qu'il avait que la voie qu'il ouvrait était la bonne.

Et c'est pour cela que la collection absolument unique qui est à la Fondation est restée fermée si longtemps, l'opinion à l'égard de l'artiste ne se modifiant que lentement, malgré l'exposition de Paris à l'Orangerie en 1936.

En vieillissant, Barnes n'a pas perçu que peu à peu Cézanne triomphait. La guerre est venue. Puis la mort. C'est en réalité la quasi-fermeture pendant les quarante années qui ont suivi la mort du collectionneur qui a été tout à fait excessive et nuisible à une bonne appréciation de l'œuvre du maître. Il faut noter que ce reproche ne peut concerner que les Cézanne car il y a suffisamment de Renoir et de Matisse dans le monde pour avoir une vue sinon complète du moins globale de ces deux artistes sans avoir besoin de recourir à ceux du docteur Barnes.

Pour Cézanne, les tableaux de la Fondation sont tellement nombreux et importants qu'aucune rétrospective du peintre ne peut véritablement avoir lieu sans eux. Mais le reproche fait à Barnes, quarante ans après et avec une acrimonie un peu choquante, est une double injustice : qui, sinon lui et dès 1915, a compris, défendu et expliqué Cézanne ? Et qui l'a combattu, sinon le monde des experts, des conservateurs et des critiques, et longtemps encore après sa mort ? Et qui s'est opposé à l'acquisition de tableaux de Cézanne par les collections publiques, surtout en France, ce qui avait pour conséquence d'offrir, souvent pour une bouchée de pain, ses œuvres à des amateurs, qui les ayant payées avaient parfaitement le droit d'en disposer à leur guise ? Qu'une gestion de la Fondation excessivement fidèle à la lettre sinon à l'esprit de la donation ait gêné la divulgation de l'œuvre de Cézanne est indiscutable. Mais pourquoi en faire le reproche uniquement à Barnes ?

A partir des années soixante-dix, l'heure de la réconciliation esthétique était venue. Qu'on se soit alors accroché à des principes hérités d'autres époques était critiquable. Mais régler ses comptes avec Barnes quarante ans après sa mort comme le fait John Rewald dans son étude, au demeurant remarquable, sur la présence de Cézanne dans les collections américaines, relève plus de l'humeur que de la critique rigoureuse à laquelle l'historien d'art américain avait habitué ses lecteurs.

Après l'échec, au début des années cinquante, de la tentative de l'*Enquirer* de faire ouvrir la Fondation au public, Walter Annenberg ne se décourage donc pas et il conforte par son action le pouvoir de Violette de Mazia sur ce qui est considéré chaque jour qui passe un peu plus comme la première collection de peinture moderne française au monde.

La vie quotidienne à Merion n'est pas pour autant facile. Une sorte de muraille de Chine s'est peu à peu instaurée entre les activités de l'Arboretum et la galerie. Les étudiants reçoivent l'interdiction écrite de se promener dans le parc. Cette guerre de tranchées durera après la mort de Laura Barnes, à quatre-vingt-douze ans, en 1966. Le personnel qui entretient le parc et qui continue de faire pousser les orchidées et les poinsittias dans les serres, pour orner la résidence, raconte Lucinda Fleeson dans son enquête parue toujours dans l'*Enquirer,* juste après la mort de Violette de Mazia, n'ont même pas le droit de parler à l'équipe de la Fondation en charge de l'enseignement artistique et de l'entretien de la collection. Cependant les langues commencent à se délier.

L'autorité de Violette de Mazia devenue vice-président du conseil d'administration n'est en réalité contestée par personne. Les statuts prévoyaient qu'un banquier soit nommé pour cinq ans au conseil d'administration pour suivre la gestion financière de la Fondation. Richard Nenneman, cité par la journaliste, en charge de ce poste de 1978 à 1983, rapporte que les autres administrateurs étaient entre ses mains. Il suffisait qu'elle s'abrite derrière la réponse présumée que le docteur Barnes — mort depuis trente ans — aurait apportée à la question soulevée pour qu'elle impose en permanence et sans contestation possible ses propres vues. Il s'agissait d'une institution léguée par un homme dont elle avait été extrêmement proche. Comment s'opposer à elle dans la gestion quotidienne ? Et comment s'en désolidariser sans faire le jeu des adversaires de la Fondation qu'il était facile d'assimiler aux adversaires du docteur ou à tout le moins de sa mémoire ? Howard Greenfeld conclut, au terme d'une longue enquête, très défavorable à Barnes, à son œuvre et parfois même à sa collection, qu'en 1987 encore, « Violette de Mazia était la Fondation Barnes et que la Fondation Barnes était Violette de Mazia ».

Les combats menés par l'*Enquirer* n'ont pourtant pas tous été perdus, malgré l'acharnement des assiégés de Merion, mais ils se sont davantage traduits par des victoires à la Pyrrhus, laissant intacts les privilèges des administrateurs, que par une transformation radicale des conditions d'accès aux œuvres exposées qui n'interviendra en fait que trente ans plus tard.

L'*Enquirer* n'était pas ou plus habilité à intervenir en justice. Mais l'État de Pennsylvanie, représenté par le procureur adjoint Lois Forer, reprit le dossier six ans plus tard, toujours sous le même prétexte qu'une institution publique doit être ouverte au public. A l'époque, le téléphone de la Fondation ne figurait même pas dans l'annuaire. En mars 1960, la Cour suprême finit par donner raison à l'État en se déclarant compétente pour examiner l'affaire sur le fond. Le juge Musmanno, au nom de la haute juridiction unanime, indiqua que, si la galerie de peintures n'était ouverte qu'à quelques personnes sélectionnées par la Fondation, ce n'était pas une institution publique. Et si tel était le cas, la Fondation ne pouvait plus bénéficier d'exonérations fiscales. C'était la première brèche dans l'édifice juridique mis au point par Barnes et ses avocats et qui avait été jusque-là systématiquement validé par tous les tribunaux : le bon déroulement des activités éducatives ne justifiait plus la fermeture au public de la collection.

Le tribunal du comté dut alors inverser sa jurisprudence et désigner trois experts pour voir la collection. La Fondation devait en outre répondre à un questionnaire en dix points sur ses biens, ses revenus, son budget de fonctionnement, le programme et l'horaire des cours, etc. Les administrateurs, sentant que la partie était perdue, acceptèrent de négocier avec le procureur et, deux jours avant l'audience, le samedi 10 décembre 1960, un accord en neuf points était réalisé qui fixait les périodes d'ouverture : deux jours par semaine, dont le samedi, de 9 h 30 à 16 h 30, sauf en juillet et août. Une demi-journée d'ouverture supplémentaire était prévue après la mort de Laura Barnes. Le montant maximum des admissions journalières était limité à deux cents, auxquelles on acceptait d'ajouter les étudiants et les professeurs qui bénéficiaient d'une procédure spéciale fixée par le conseil d'administration. Enfin, un téléphone, dont le numéro devait figurer dans l'annuaire, était à la disposition du public pour se renseigner sur les horaires et les possibilités d'admission. La Fondation s'engageait par ailleurs à faire ses meilleurs efforts pour que cet accord entre rapidement en application.

L'*Enquirer* exulta. Il conclut son éditorial du lendemain ainsi : « La Fondation Barnes est passée d'une période de confusion et de controverses à l'ère du service public, et nous tous, nous sommes sûrs que cela sera meilleur pour elle. » Ces dispositions, en réalité fort restrictives, ne faisaient qu'anticiper ce qu'avait prévu Albert Barnes pour le jour où lui-même et sa femme auraient disparu. Mais elles constituaient la première intervention directe de l'État dans la vie de la Fondation.

L'année suivante, le procureur revint à la charge quand, pour couvrir les coûts occasionnés par l'ouverture au public, le conseil fixa à deux dollars le droit d'entrée.

Barnes ayant prévu que la collection, le moment venu, devait être facilement accessible au peuple, le représentant de l'État exigea le départ de quatre des administrateurs et la mise sous tutelle dans l'intérêt du public de l'ensemble de la collection. Le juge n'eut pas à se prononcer car un accord intervint pour ramener le prix du ticket d'entrée à un dollar.

Il est clair que cette guérilla judiciaire, ce harcèlement permanent bloqua toute velléité de réformer le fonctionnement de la Fondation et de l'adapter à la situation nouvelle qui se créait avec la popularité de plus en plus universelle des artistes dont elle avait hérité les chefs-d'œuvre.

Le grand jour, c'est-à-dire l'ouverture tant attendue, fut fixé au 18 mars 1961. L'événement est rapporté à la une du *New York Times*. A 6 heures du matin, la file se forme. La première à se présenter est un professeur de sculpture, Nathalie Charkow. A 9 heures, il n'y a encore que vingt-sept personnes, c'est-à-dire moins que les policiers et les gardes de l'agence Pinkerton, note l'envoyé spécial du journal, William Heart. Les étudiants de la Fondation distribuent déjà leurs tracts : « Ce n'est pas en détruisant l'école qu'on édifie notre culture... » Le procureur, qui a mené la bataille, arrive triomphalement vers 9 h 30 et célèbre cette victoire du public. Et les lourdes grilles pivotent pour la cinquantaine de visiteurs. Le vendredi suivant, le quota de deux cents personnes sera rempli. Un système de réservation téléphonique a été mis en place, qui distribue la moitié des places. La Fondation annonce que les admissions sur réservation téléphonique sont désormais possibles mais que tout est complet jusqu'en juin.

Dès le 7 avril, Violette de Mazia déclare à ses élèves de

première année que les cours sont suspendus en raison de l'ouverture au public. « Avec deux cents personnes deux fois par semaine, il est impossible de préparer les cours et de tenir les classes sans être dérangé. » Il est donc bien clair que la contestation persiste contre la décision de la justice et que la directrice des études en est l'âme. Laura Barnes, qui est alors âgée de quatre-vingt-deux ans, assiste, elle, avec philosophie à l'arrivée des visiteurs et les trouve finalement acceptables. Eux sont souvent déçus et ils le font savoir.

Comme aucune issue de secours n'a été prévue au premier étage, seuls trois visiteurs à la fois et pour trente minutes au maximum sont admis, ce qui signifie que rares sont ceux qui, en une seule visite, peuvent admirer l'ensemble de la collection. L'entrée dans la forteresse est un véritable cérémonial. Le garde de chez Pinkerton fait mettre les candidats en deux files, ceux qui ont une réservation et les autres, et leur lit à haute voix le règlement intérieur. En particulier, toute sortie est définitive. Impossible, au cas où vous voudriez attendre votre tour pour monter au premier étage d'aller déjeuner ou d'apporter votre sandwich. A l'entrée, c'est tout juste si une fouille au corps n'est pas imposée, chacun doit déposer les objets personnels dans un vestiaire. Il n'est évidemment pas question de prendre des photos, et encore moins des croquis. Bref l'*Enquirer* se régale de nouveau à coup d'anecdotes ou de lettres de visiteurs déçus, harcelés par les étudiants, exaspérés par l'attente et finalement déconcertés par les conditions très particulières de l'accrochage. Merion n'est clairement pas conçu pour recevoir le public. Et celui-ci s'en rend compte.

L'ouverture au public de la collection est aussi l'occasion de la soumettre enfin à l'appréciation de la critique.

Dès février, dans *Art News,* Abraham Chanin, un ancien élève du docteur, dresse de la collection et de son ancien maître une description fort élogieuse : c'est le Parnasse à Merion. Sans tomber dans la même idolâtrie, dans l'ensemble la collection est considérée comme extraordinaire. On l'évalue à près de 500 millions de dollars. Elle contient, dit-on déjà, quatre des dix œuvres les plus importantes pour expliquer la genèse de l'art moderne, *La Joie de vivre, Les Poseuses,* et les deux grands Cézanne, *Les Baigneuses* et *Les Joueurs de cartes.*

Seule une critique du *New York Herald,* parce qu'elle s'était fait expulser sans ménagement du temps de Barnes lui-même, essaye de soutenir que la réputation de la collection est usurpée, que le mythe a explosé, que tout cela est bien surfait. Emily Genauer prétend même que, si Barnes interdisait avec tant de véhémence l'accès de sa Fondation, c'est parce qu'il redoutait le jugement des experts. Elle est isolée.

L'accueil fait tant par la presse, qui s'est pourtant battue, que par le public, qui ne se pressera pas longtemps, est mitigé : autant les œuvres sont en elles-mêmes exceptionnelles, autant leur condition d'accès est déplorable. Ce qui déroute, c'est le parti pris du collectionneur, la qualité inégale des œuvres qui est la conséquence de la volonté d'accumulation et d'exhaustivité, c'est l'accrochage, c'est surtout l'absence totale de confort. Le visiteur est un intrus. Il n'est que toléré, et encore parce qu'il y a eu la menace d'une décision de justice qui aurait fait perdre leur pouvoir aux administrateurs. Donc on fait à Merion le minimum. Et ce qui devait arriver, arrive. Progressivement la Fondation tombe une deuxième fois dans l'oubli.

Les tenants de l'ouverture croyaient ainsi transformer la

politique de la Fondation pour l'adapter à l'époque. Ils n'ont abouti qu'à la placer en hibernation. Laura Barnes morte en 1966, Nelle Mullen lui succède comme présidente mais meurt peu après. Violette de Mazia est désormais seul maître à bord. Elle le restera pendant vingt ans, jusqu'à sa mort en 1988, à l'âge de quatre-vingt-neuf ans. Durant toute cette longue période, elle poursuit imperturbablement l'enseignement qu'elle a mis au point sous l'autorité de son maître à penser. Elle recrute les chargés de cours, sélectionne elle-même les étudiants, toujours aussi intransigeante sur la ponctualité et l'assiduité. Rien n'a donc véritablement changé. Les conditions d'accès « s'humanisent ». L'installation d'une issue de secours au premier étage épargne aux visiteurs l'insupportable attente mais il n'est toujours pas question et il ne le sera pas avant 1991 par exemple de publier un catalogue en couleurs de la collection.

En 1987, un premier représentant de Lincoln fait pourtant son entrée au conseil, c'est Benjamin Amos. A la mort de Violette de Mazia, tout va alors très vite. Un second administrateur est nommé et la majorité du conseil bascule. En 1990, Richard Glanton est élu. Une nouvelle ère commence, mais la tâche est difficile car il faut trouver un juste milieu entre le respect scrupuleux des statuts et les nécessités financières du moment.

La dotation initiale de 6 millions de dollars, qui devait couvrir les frais de fonctionnement, avait, par la volonté expresse du donateur, été placée en obligations municipales. Les revenus ont été sérieusement écornés par l'inflation. De toute façon, rien n'était prévu pour les travaux lourds car le bâtiment de Paul Cret vieillit, lui aussi, tout comme les systèmes très sophistiqués de conditionnement d'air. Les questions de sécurité deviennent également préoccupantes. Les peintures ne sont pas assurées. Leur valeur est phénoménale, plusieurs milliards de dollars au moins.

L'Isabella Stewart Gardner Museum de Boston a été victime d'un cambriolage en 1989. Latch's Lane, à l'écart des grands axes de circulation, est une proie relativement tentante. Mis à part les chefs-d'œuvre, beaucoup de tableaux sont peu connus et facilement écoulables. Il faut donc se préoccuper de gérer. Ce qui, en 1960, reste une affaire d'amateurs éclairés, en 1990 concerne le grand public, cette masse de gens à qui Albert Barnes voulait offrir la possibilité, fidèle aux principes de James, d'un rapport direct à l'art pour que cette partie essentielle de la personnalité, de la richesse intérieure de chaque être ne soit pas abandonnée. C'est cela le changement le plus radical entre, disons, 1930 et 1990. Des millions de personnes se rendent chaque année à des expositions. La fréquentation des musées à Paris par exemple est en train de dépasser celle des salles de cinéma. Et il n'est plus question de barrages, de discours de soi-disant experts ou historiens pour s'interposer entre le public et les peintures ou les sculptures, c'est le contact direct.

Il faut donc franchir une nouvelle étape, trouver des moyens sans remettre en question l'esprit de la donation publique. Et c'est encore Walter Annenberg qui lance une idée sacrilège : pourquoi ne pas vendre des tableaux ? En 1990, au cours du marché, il serait bien facile de drainer quelques millions de dollars sans que personne ne s'en aperçoive, à Merion, des deux ou trois Renoir ou du Cézanne manquants.

Personne, sauf bien entendu l'Association des amis de la Fondation qui déclenche instantanément une action en justice pour bloquer cette violation — indiscutable — des statuts. Cette association est une émanation directe de Violette de Mazia. A sa mort, elle avait pris des dispositions pour renforcer encore le statu quo qui prévalait à Merion. Par testament, elle demandait de vendre sa propre collection et d'attribuer le produit à un « trust », dont le seul objet serait de financer les activités éducatives de la Fondation. La vente rapporte près de 10 millions de dollars, doublant presque les revenus affectés au budget, ce qui était une contribution tout à fait importante.

Seulement les administrateurs du fonds de Mazia réclamèrent deux postes au conseil d'administration de la Fondation. Il s'agissait clairement, au-delà de la tombe et avec une constance qui suscite l'admiration, de contrebalancer l'influence inévitable que Lincoln serait amené à exercer, cette fois de façon irréversible, après son décès. La bataille continuait donc, dont l'enjeu était désormais rien moins que le contrôle effectif de la Fondation.

L'action menée par les anciens élèves, plus de sept cent cinquante personnes au total quand même, fut sur ce point couronnée de succès. Au printemps 1991, ils déposèrent un recours contre le projet de demande d'autorisation de vente de quinze tableaux. Le groupe était mené par un peintre, Anna Barnes, sans lien de parenté, malgré son homonymie, avec le célèbre docteur. La plupart des membres étaient en fait, selon les termes de Richard Glanton, « des gens riches, qui ont du temps libre l'après-midi et qui suivent des cours sur le jugement artistique pour occuper leurs journées ». Même si cette présentation est un peu caricaturale, il est tout de même difficile d'y voir la cible que visait Albert Barnes en 1922. C'est en réalité à peu près le contraire de l'objectif cherché. Cette association fut d'ailleurs extrêmement active durant toutes les années soixante-dix et réussit à plusieurs reprises à s'opposer victorieusement par exemple à l'extension des heures et des jours d'ouverture.

Mais l'affaire de la vente des tableaux était une entorse beaucoup plus lourde et certainement très maladroite. C'était même peut-être la seule mesure absolument inacceptable au regard des statuts, car elle risquait de déboucher sur une jurisprudence délicate sur l'inaliénabilité des donations publiques. Les amis de la Fondation ne furent pas les seuls à s'émouvoir. Bien que cette pratique soit en train de se répandre parmi les musées, le monde officiel de l'art aux États-Unis comme en Europe se rangea, pour une fois, du côté des traditionalistes fidèles à Barnes, contre les projets de la nouvelle administration incarnée par Richard Glanton.

Devant les pressions, le conseil de la Fondation retira sa demande et reconnut qu'il avait commis une erreur psychologique en proposant cette mesure radicale pour faire face à un besoin réel sans avoir d'abord exploré toutes les autres possibilités. Et après une année de consultations, Richard Glanton se présentait à nouveau devant la cour du comté de Montgomery pour demander au juge Louis D. Stefan d'autoriser une entorse temporaire au testament d'Albert Barnes : l'organisation à travers le monde d'une exposition d'une centaine de toiles les plus importantes de la collection, Washington d'abord, puis au musée d'Orsay — où il sera possible pour une seule et unique fois de replacer les œuvres dans le contexte de la production impressionniste et postimpressionniste — ensuite à Tokyo et enfin au Philadelphia Museum of Art, terme ô combien symbolique de ce voyage. Les responsables de la Fondation attendent plus de 10 millions de dol-

lars de recettes et des droits importants tirés de l'édition
— enfin — de catalogues en couleurs des tableaux.

Une équipe d'architectes est déjà sur place à Merion
pour préparer la rénovation. Pendant ce temps les salles,
amputées de quelques-uns de leurs chefs-d'œuvre, gardent
encore, à l'abri du public pour quelque temps, le charme
discret de ce lieu magique voulu et conçu par un
collectionneur hors du commun. Inévitablement, ces
expositions aux quatre coins du monde attireront à terme
la foule des amateurs. Car même si la plupart des œuvres
importantes sont exposées, rien ne peut remplacer l'accrochage si particulier et le sentiment de profusion si typiques
de la belle demeure de Philadelphie.

Alors viendra le moment de la conversion progressive
de cette institution éducative en ce qu'elle ne pourra plus
éviter d'être : une galerie largement ouverte au public, à la
gloire des artistes mais aussi en l'honneur d'un homme.
Ces projets sont-ils forcément contradictoires avec la
volonté du donateur ? Beaucoup moins qu'il n'y paraît.

Le paradoxe de l'œuvre de Barnes c'est qu'il a pris le
problème à l'envers. Il a voulu enseigner d'abord, avant
que l'exceptionnelle qualité de la collection soit reconnue.
C'était certes un acte de rupture. Mais il n'est plus
nécessaire aujourd'hui puisque ses choix ont été pour
l'essentiel validés par la postérité. A l'origine, comme le
montre le premier article paru dans *Arts and Decoration,* il
ne semblait pas du tout exclu dans son esprit que la galerie
soit ouverte au public. C'est l'accueil fait à son exposition
de 1923 tenue quelques semaines plus tard qui avait
provoqué ce retour sur les intentions initiales qui étaient
de faciliter le contact direct entre le public et les œuvres.

Or les données du problème sont radicalement différentes aujourd'hui. Du temps de Barnes, les musées

étaient d'abord des institutions à but éducatif. Les peintres y venaient pour copier. Les élèves venaient apprendre ce qui était beau. Et le choix des œuvres était fixé par ceux qui savaient. Les conditions matérielles de l'époque, de surcroît, réservaient la fréquentation des œuvres à une certaine aristocratie. Barnes a voulu lutter à la fois contre les choix officiels et l'enseignement dispensé et le fait que le contact direct avec l'art était réservé à une certaine élite, dont il estimait que son rapport à l'art relevait davantage d'une pratique sociale que d'une démarche sincère et personnelle. La Fondation visait ces trois objectifs.

Aujourd'hui il y en a un qui est atteint... Le grand public se passionne pour la peinture, c'est une mutation radicale par rapport à l'entre-deux-guerres. Et il y en a un second qui est en passe aussi d'être atteint : ce ne sont pas les choix officiels de l'époque qui ont triomphé mais ceux de Barnes, ou, à tout le moins, une partie de ses choix. Dès lors c'est l'interdiction de l'accès au grand public de Merion qui devient une trahison de l'esprit du terrible docteur. D'ailleurs les visiteurs d'aujourd'hui sont ceux qu'il aurait aimé accueillir, c'est-à-dire la jeunesse du monde qui vient découvrir les fondateurs de l'art moderne, et qu'il a souvent reçue lui-même, au grand dam des professionnels.

Et les activités pédagogiques ? Elles sont totalement disproportionnées par rapport à l'enjeu que représente l'accès du public à la collection. Il n'y a nul besoin de s'entourer de huit cents tableaux pour enseigner l'esthétique formelle, la méthode barnésienne d'appréciation des qualités plastiques d'une peinture. Il vaudrait infiniment mieux, grâce aux techniques modernes de reproduction, partir dans un site universitaire adapté pour dispenser l'enseignement théorique, quitte à revenir sur les lieux de la Fondation, dans le cours du programme, pour comprendre, grâce à l'accrochage choisi par l'inspirateur de la méthode, le fil conducteur de sa pensée. Merion deviendrait le lieu de travaux pratiques dans le cadre d'un enseignement plus global dispensé à Lincoln et partout où la Fondation accepterait de prendre en charge de tels cours.

La séparation des projets assurée, et avec un minimum d'organisation sur place, il ne devrait plus être difficile de faire de la grande maison de Latch's Lane et de son parc un vaste ensemble ouvert au public le plus large et consacré à la mémoire d'un homme qui, souvent maladroitement, mais avec une admirable volonté, a consacré sa vie à ce que la culture française a produit de plus remarquable depuis un siècle.

Volonté d'un homme, permanence d'un goût sûr, audace dans la réflexion. Barnes serait probablement surpris qu'on lui rende finalement hommage aujourd'hui, malgré ses défauts, ses excès. Et il n'est pas du tout sûr qu'il en serait content. Avoir raison contre tous, quel plaisir! Être rattrapé par tous, quel ennui!

Son côté Renoir triompherait en se promenant au milieu des espèces rares, en contemplant dans la gloire de juin ou dans le flamboiement d'octobre les reflets du soleil sur sa chère galerie. Son côté Cézanne pesterait devant les foules innombrables et forcément insuffisamment préparées à son avis à pénétrer dans ce temple de l'art qu'il édifia en trente ans et qui, au terme d'un sommeil d'un demi-siècle, va peut-être devenir le plus beau musée d'art moderne du monde.

Repères bibliographiques

L'étrange docteur Barnes n'est pas, au sens strict, une biographie, mais plutôt l'histoire, en Amérique et à Paris, d'un extraordinaire collectionneur. Sa véritable biographie ne pourra être écrite que le jour où la Fondation permettra l'étude de ses archives personnelles et de son abondante correspondance. Ainsi la personnalité de cet homme hors du commun sera-t-elle mieux cernée et l'historique de ses acquisitions précisé.

En attendant, et pour permettre à tous ceux qui visiteront les expositions consacrées à la collection ou qui se rendront à Merion, de mieux comprendre qui était cet homme, voici une première approche.

Elle a été établie d'abord à partir de travaux antérieurement publiés aux États-Unis :

— *Art and Argyrol,* par William Schack (New York, 1961).

— *Philadelphia : Patricians and Philistines, 1900-1950,* par John Lukacs (New York, 1981).

— *The Devil and Doctor Barnes,* par Howard Greenfeld (New York, 1987).

La presse s'est révélée également une source précieuse et notamment l'*Enquirer* de Philadelphie. Que Mme Jo

Crowley, le responsable de son centre de documentation, trouve ici l'expression de toute ma gratitude pour m'avoir permis d'accéder aux archives du journal ainsi que Mme Lucinda Fleeson qui réalisa pour ce journal plusieurs enquêtes approfondies et qui a accepté de s'entretenir avec moi.

Les bibliothèques du Philadelphia Museum of Art, du Metropolitan Museum de New York et de la Tate Gallery de Londres m'ont permis d'avoir accès à de nombreux périodiques introuvables en France, comme les revues *Arts and Decoration*, *The Arts* et *Dial*, qui ont publié plusieurs articles d'Albert Barnes ou à propos de sa collection.

La bibliothèque Doucet a conservé la plupart des numéros de la revue de Paul Guillaume, *Les Arts à Paris*, qui décrit le contexte artistique de l'époque et contient, sur la vie d'Albert Barnes à Paris, ses acquisitions et ses choix esthétiques, des renseignements précieux.

Les catalogues des grandes collections contemporaines sont essentiels pour situer celle de la Fondation Barnes : Cone (Baltimore Museum of Art), Havemeyer (Metropolitan Museum), Arensberg (Philadelphia Museum of Art), Annenberg, Kröller-Müller (Otterlo), Oskar Reinhart (Winterthur), Phillips (Washington) et Walter-Guillaume (Orangerie, Paris) ainsi que les biographies des grands collectionneurs contemporains (Jacques Doucet, John Quinn).

Les catalogues établis à l'occasion des rétrospectives des artistes favoris d'Albert Barnes donnent également un historique précis du cheminement des œuvres les plus importantes du XXe siècle :

Matisse (1970, Paris, et 1992, New York), Picasso (1979, New York), Renoir (1983, Paris), Gauguin (1987, Paris), Cézanne (Orangerie, 1936, 1978). Elles contiennent des éléments essentiels sur les relations entre les artistes, leurs marchands et les collectionneurs.

Les souvenirs ou les biographies des marchands de tableaux qui ont côtoyé Albert Barnes sont riches d'informations pour dresser le portrait de l'acheteur exceptionnel qu'il fut : Ambroise Vollard, Daniel-Henry Kahnweiler, Julien Levy, René Gimpel, Pierre Loeb notamment, ainsi que les témoignages des personnages qui ont vécu durant cette période aussi féconde, Gertrude et Léo Stein, Fernande Olivier, Francis Carco, André Salmon, et Henri-Pierre Roché, entre autres.

Le dépouillement des archives Durand-Ruel et Vollard, entrepris sous la direction de John Rewald pour les acquisitions de tableaux de Cézanne et à Paris par Mme Anne Distel pour l'établissement du catalogue de l'exposition parisienne, a constitué un progrès essentiel dans la connaissance des dates et des prix d'acquisition des premières œuvres principales de la collection Barnes.

Albert Barnes fréquenta finalement peu d'artistes : son amitié avec Glackens est connue à travers le livre de sa fille Ira. Lipchitz, dans ses mémoires, Matisse, dans sa correspondance et dans les interviews qu'il a données à propos de ses voyages aux États-Unis et de la commande de *La Danse,* ont souvent décrit leurs rapports avec leur client. Mais la signification profonde du dialogue entre celui-ci et l'auteur de *La Joie de vivre* a été longuement expliquée par Pierre Schneider dans son livre sur Matisse qui demeure la clef indispensable pour pénétrer son œuvre.

Les écrits de Barnes, livres, articles ou pamphlets permettent d'analyser son message, sa forme de pensée et au-delà son caractère réel : *L'Art dans la peinture* (New York, 1925), sa trilogie : *Matisse* (1933), *Renoir* (1935) et

Cézanne (1939) témoignent de son inlassable activité. Son projet éducatif a eu également pour support les nombreux articles publiés par le journal de la Fondation.

Enfin les *Causeries pédagogiques* de William James, publiées à Paris en 1909 chez Alcan, le recueil d'écrits de John Dewey sur l'éducation publié sous la direction de R. Archambault en 1964 (Random House) et les souvenirs de George Santayana (*Gens et lieux*, Gallimard, 1949) peuvent servir d'introduction auprès de ceux qui furent les maîtres à penser d'Albert Barnes.

L'étrange docteur Barnes n'engage que son auteur, mais cette présentation des sources serait très incomplète si la Fondation elle-même n'était mentionnée. L'intérêt que le président Richard Glanton a marqué pour ce projet comme l'aide que m'ont apportée Aminata Diallo et Nicholas King, l'archiviste de la Fondation, ont été extrêmement précieux, tant par la communication de nombreuses pièces ou lettres inédites d'Albert Barnes que par les discussions qui ont permis d'éclaircir des points obscurs ou contradictoires ou de vérifier des hypothèses.

Qu'ils en soient tout particulièrement remerciés.

Index des œuvres

Index des noms

Table

*La composition de cet ouvrage
a été réalisée par l'Imprimerie BUSSIÈRE,
l'impression et le brochage ont été effectués
sur presse CAMERON dans les ateliers de B.C.A.,
à Saint-Amand-Montrond (Cher),
pour le compte des Éditions Albin Michel.*

*Achevé d'imprimer en septembre 1993.
N° d'édition : 13327. N° d'impression : 93/562.
Dépôt légal : septembre 1993.*